François Furet

Penser
la Révolution
française

Gallimard

François Furet, né en 1927. Directeur d'études à l'Ecole des Hautes Etudes en Sciences Sociales. Historien, spécialiste de l'époque moderne (XVIIIe-XIXe siècle), et de la Révolution française en particulier.

Auteur notamment de *La Révolution française*, avec Denis Richet (Hachette, 1965), *Lire et écrire, l'alphabétisation des Français de Calvin à Jules Ferry* (Ed. de Minuit, 1977), avec Jacques Ozouf, *Penser la Révolution française* (Gallimard, 1978), *L'Atelier de l'histoire* (Flammarion, 1982).

Faisons-nous une âme libre pour révolutionner la Révolution, et d'abord, abstenons-nous de dire jamais d'un esprit impartial qu'il outrage la Révolution. Car on a tant abusé de ce mot : outrage à la Religion, que nous l'effacerons de notre langage, craignant par-dessus tout de porter le style et les habitudes d'esprit des réquisitoires dans la critique historique et philosophique...

Edgar Quinet,
Critique de la Révolution,
Paris, 1867.

AVERTISSEMENT

Ce livre comporte deux parties, qui correspondent à deux périodes distinctes de sa composition, et dont l'ordre de présentation inverse l'ordre chronologique dans lequel elles ont été écrites.

La première constitue une tentative de synthèse sur une question qui n'a cessé de m'occuper l'esprit, depuis que j'ai commencé à étudier cette période : comment peut-on penser un événement comme la Révolution française ? La seconde présente les étapes et les matériaux successifs de ma réflexion sur cette interrogation, de façon à en éclairer le cheminement.

Elle comporte d'abord une polémique avec les historiens communistes de la Révolution française, destinée à mettre en relief les incohérences de ce qui constitue aujourd'hui l'interprétation dominante du phénomène. Cette polémique est née des hasards de la vie intellectuelle : je n'ai pas cru devoir la réécrire, sept ans après, dans un style artificiellement neutre. Telle quelle, elle témoigne à sa façon de la particularité de la Révolution française comme enjeu dans le champ universitaire français. Je souhaite seulement que ce qu'elle doit aux circonstances n'enlève rien à sa part de démonstration, qui seule me tient à cœur.

Ce travail de déblaiement un peu massif est suivi de deux études, consacrées aux deux auteurs qui ont été essentiels à mon travail critique : Alexis de Tocqueville et Augustin Cochin. Le lecteur comprendra pourquoi au fil des pages : Tocqueville et Cochin sont les seuls historiens à proposer une conceptualisation rigoureuse de la Révolution française, et à avoir traité la question que pose ce livre. C'est à partir de leurs analyses, qui me paraissent moins contradictoires que complémentaires, que j'avance le système d'interprétation qu'on trouvera dans la première partie. C'est dans leurs traces que j'ai travaillé. Ce sont leurs deux noms que j'ai plaisir à écrire au seuil de cet essai.

Première partie

LA RÉVOLUTION FRANÇAISE
EST TERMINÉE

I

L'historien qui étudie les rois mérovingiens ou la guerre de Cent Ans n'est pas tenu de présenter, à tout moment, son permis de recherches. La société et la profession lui consentent, pour peu qu'il en ait fait l'apprentissage technique, les vertus de patience et d'objectivité. La discussion des résultats ne mobilise que les érudits et l'érudition.

L'historien de la Révolution française doit, lui, produire d'autres titres que sa compétence. Il doit annoncer ses couleurs. Il faut d'abord qu'il dise d'où il parle, ce qu'il pense, ce qu'il cherche ; et ce qu'il écrit sur la Révolution a un sens préalable à son travail même : c'est son *opinion*, cette forme de jugement qui n'est pas requise sur les Mérovingiens, mais qui est indispensable sur 1789 ou 1793. Qu'il la donne, cette opinion, et tout est dit, le voici royaliste, libéral ou jacobin. Voici que par ce mot de passe, son histoire a une signification, une place, un titre de légitimité.

Ce qui est surprenant n'est pas que cette histoire particulière, comme toute histoire, comporte des présupposés intellectuels. Il n'y a pas d'interprétation historique innocente, et l'histoire qui s'écrit est encore dans l'histoire, de l'histoire, produit d'un rapport par définition instable entre le présent et le passé, croisement entre les particularités d'un esprit et l'immense champ de ses enracinements possibles dans le passé. Mais si toute histoire implique un choix, une préférence, dans l'ordre de la curiosité, il ne s'ensuit pas qu'elle suppose une opinion sur le sujet traité. Pour que tel soit le cas, il faut que ce sujet mobilise chez l'historien et dans son public une capacité d'identification politique ou religieuse qui ait survécu au temps qui passe.

Or, c'est cette identification que le temps passé peut effacer, ou au contraire conserver, même renforcer, selon que le sujet traité par l'historien continue, ou non, à épuiser le sens de son présent, de ses valeurs, et de ses choix. Le thème de Clovis et des invasions franques était brûlant au XVIIIe siècle, parce que les historiens de l'époque y cherchaient la clé de la structure de la société de cette époque. Ils pensaient que les invasions franques étaient à l'origine de la division entre noblesse et roture, les conquérants étant la souche originelle des nobles, les conquis celle des roturiers. Aujourd'hui, les invasions franques ont perdu toute référence au présent puisque nous vivons dans une société où la noblesse n'existe plus comme principe social ; en cessant d'être le miroir imaginaire d'un monde, elles ont perdu l'éminence historiographique dont ce monde les avait revêtues, et sont passées du champ de la polémique sociale à celui de la discussion savante.

C'est qu'à partir de 1789, la hantise des origines, dont est tissée toute histoire nationale, s'investit précisément sur la rupture révolutionnaire. Comme les grandes invasions avaient constitué le mythe de la société nobiliaire, le grand récit de ses origines, 1789 est la date de naissance, l'année zéro du monde nouveau, fondé sur l'égalité. La substitution d'un anniversaire à l'autre, donc la définition temporelle d'une nouvelle identité nationale, est probablement un des plus grands traits de génie de l'abbé Sieyès, si l'on songe qu'il anticipe de plusieurs mois[1] l'événement fondateur, auquel pourtant il donne d'avance son plein sens : « ... Le Tiers ne doit pas craindre de remonter dans les temps passés. Il se reportera à l'année qui a précédé la conquête ; et puisqu'il est aujourd'hui assez fort pour ne pas se laisser conquérir, sa résistance sans doute sera plus efficace. Pourquoi ne renverrait-il pas dans les forêts de la Franconie toutes ces familles qui conservent la folle prétention d'être issues de la race des conquérants et d'avoir succédé à leurs droits ? La nation, alors épurée, pourra se consoler, je pense, d'être réduite à ne se plus croire composée que des descendants des Gaulois et des Romains[2]. » Ces quelques lignes disent à la fois que les titres de propriété des nobles sur la nation sont fictifs, mais que, s'ils étaient réels, il suffirait au Tiers Etat de restaurer le contrat social d'avant la conquête, ou plutôt de le fonder par l'effacement des siècles d'usurpation violente. Dans les deux cas, il s'agit de reconstituer une origine « vraie » à la nation, en donnant une date de naissance légitime à l'égalité : tout 89 est là.

Or, l'histoire de la Révolution a pour fonction sociale d'entretenir ce récit des origines. Qu'on regarde par exemple le découpage académique des études historiques en France : l'histoire « moderne » se termine en 1789, avec ce que la Révolution a baptisé l'« Ancien Régime », qui se trouve ainsi avoir, à défaut d'un acte de naissance clair, un constat de décès en bonne et due forme. A partir de là, la Révolution et l'Empire forment un champ d'études séparé et autonome, qui possède ses chaires, ses étudiants, ses sociétés savantes, ses revues ;

1. *Qu'est-ce que le Tiers Etat ?* a été rédigé à la fin de 1788 et publié en janvier 1789.
2. *Qu'est-ce que le Tiers Etat ?*, Paris, 1888, chap. II, p. 32.

le quart de siècle qui sépare la prise de la Bastille de la bataille de Waterloo est revêtu d'une dignité particulière : fin de l'époque « moderne », introduction indispensable à la période « contemporaine », qui commence en 1815, il est cet entre-deux par quoi l'une et l'autre reçoivent leur sens, cette ligne de partage des eaux à partir de laquelle l'histoire de France remonte vers son passé, ou plonge vers son avenir. En restant fidèles à la conscience vécue des acteurs de la Révolution, malgré les absurdités intellectuelles que ce découpage chronologique implique, nos institutions universitaires ont investi la période révolutionnaire et l'historien de cette période des secrets de notre histoire nationale. 1789 est la clé de l'amont et de l'aval. Il les sépare, donc les définit, donc les « explique ».

Vers l'aval, d'ailleurs, du côté de cette période qui commence en 1815 et qu'elle est censée mettre au jour, rendre possible, ouvrir, ce n'est pas assez dire que la Révolution « explique » notre histoire contemporaine. Elle *est* notre histoire contemporaine. Ce qui mérite quelques pensées.

Pour les mêmes raisons qui font que l'Ancien Régime a une fin, mais pas de naissance, la Révolution a une naissance, mais pas de fin. L'un souffre d'une définition chronologique négative, donc mortuaire, l'autre est une promesse si vaste qu'elle présente une élasticité indéfinie. Même dans le court terme, elle n'est pas facile à « dater » : selon le sens que l'historien attribue aux principaux événements, il peut l'enfermer dans l'année 1789, année où l'essentiel du bilan terminal est acquis, la page de l'Ancien Régime tournée — ou l'étendre jusqu'à 1794, jusqu'à l'exécution de Robespierre, en mettant l'accent sur la dictature des comités et des sections, l'épopée jacobine, la croisade égalitaire de l'an II. Ou aller jusqu'au 18 Brumaire 1799, s'il veut respecter ce que les thermidoriens conservent de jacobin, le gouvernement des régicides et la guerre avec l'Europe des rois. Ou encore intégrer à la Révolution l'aventure napoléonienne, soit jusqu'à la fin de la période consulaire, soit jusqu'au mariage Habsbourg, soit jusqu'aux Cent-Jours : tous ces découpages chronologiques peuvent avoir leur raison d'être.

Je rêve aussi d'une histoire de la Révolution infiniment plus longue, beaucoup plus étirée vers l'aval, et dont le terme n'intervient pas avant la fin du XIXe siècle ou le début du XXe siècle. Car l'histoire du XIXe siècle français tout entier peut être considérée comme l'histoire d'une lutte entre la Révolution et la Restauration, à travers des épisodes qui seraient 1815, 1830, 1848, 1851, 1870, la Commune, le 16 mai 1877. Seule la victoire des républicains sur les monarchistes, dans les débuts de la Troisième République, signe définitivement la victoire de la Révolution dans les profondeurs du pays : l'instituteur laïque de Jules Ferry, missionnaire des valeurs de 89, est le symbole, plus encore que l'instrument, de cette longue bataille gagnée. L'intégration de la France villageoise et paysanne dans la nation républicaine, à travers les principes de 89, aura duré un siècle au moins ; sensiblement plus, sans doute, dans des régions comme la Bretagne ou le Sud-Ouest, retardataires[3] à bien des égards. Cette histoire récente de l'espace français reste encore, pour l'essentiel, à écrire, et elle constitue aussi une histoire de la Révolution. La victoire du jacobinisme républicain, si longtemps lié à la

3. L'adjectif n'a qu'une valeur de constat. L'analyse de ce « retard », et de cette intégration républicaine par l'école et par la politique, est au centre de l'œuvre de Maurice Agulhon (notamment : *La République au village*, Paris, 1970). On peut en trouver un autre exemple dans le récent livre d'Eugen Weber : *Peasants into Frenchmen. The modernization of rural France 1870-1914* (Stanford, 1976).

dictature de Paris, n'est acquise qu'à partir du moment où elle a pour appui le vote majoritaire de la France rurale, à la fin du XIXᵉ siècle.

Mais « acquise » ne veut pas dire honorée, intériorisée comme une valeur si unanime qu'elle n'est plus débattue. La célébration des principes de 89, objet de tant de soins pédagogiques, ou la condamnation des crimes de 93, dans laquelle s'enveloppe le rejet desdits principes, restent au centre des représentations politiques françaises jusqu'au milieu du XXᵉ siècle. Le fascisme donne au conflit d'idées une dimension internationale. Mais il est significatif que sous sa forme française, le régime instauré à Vichy par suite de la victoire allemande prenne une forme moins spécifiquement fasciste que traditionaliste, ancrée dans la hantise de 89. La France des années 40 est encore ce pays dont les citoyens doivent *trier* l'histoire, dater la naissance, choisir l'Ancien Régime ou la Révolution.

Sous cette forme, la référence de 89 a disparu de la politique française avec la défaite du fascisme : le discours de droite comme celui de gauche célèbrent aujourd'hui la liberté et l'égalité, et le débat autour des valeurs de 89 ne comporte plus ni enjeu politique réel, ni investissement psychologique puissant. Mais si cette unanimité existe, c'est que le débat politique s'est simplement déplacé d'une Révolution à l'autre, de celle du passé et à celle qui est à venir : ce transfert du conflit sur l'avenir permet un consensus apparent sur l'héritage. Mais en réalité, cet héritage continue à dominer les représentations de l'avenir, comme une vieille couche géologique, recouverte de sédimentations ultérieures, ne cesse de modeler le relief et le paysage. C'est que la Révolution française n'est pas seulement la République. C'est aussi une promesse indéfinie d'égalité, et une forme privilégiée du changement. Il suffit d'y voir, au lieu d'une institution nationale, une matrice de l'histoire universelle pour lui rendre sa dynamique et son pouvoir de fascination. Le XIXᵉ siècle avait cru à la République. Le XXᵉ croit à *la* Révolution. Il y a le même événement fondateur dans les deux images.

En effet, les socialistes de la fin du XIXᵉ siècle conçoivent leur action comme à la fois solidaire et distincte de celle des républicains. Solidaire, parce que la République est à leurs yeux la condition préalable du socialisme. Distincte, parce que la démocratie politique est un stade historique de l'organisation sociale destiné à être dépassé, et que 89 fonde précisément non pas un état stable, mais un mouvement dont la logique est celle de ce dépassement. Les deux luttes pour la démocratie et le socialisme sont deux configurations successives d'une dynamique de l'égalité dont l'origine est la Révolution française. Ainsi s'est constituée une vision, une histoire linéaire de l'émancipation humaine, dont la première étape avait été l'éclosion et la diffusion des valeurs de 89, et dont la seconde devait accomplir la promesse de 89, par une nouvelle révolution, socialiste cette fois : mécanisme à double détente qui sous-tend l'histoire révolutionnaire de Jaurès par exemple, mais dont les grands auteurs socialistes n'avaient pas encore, et pour cause, fixé le second terme, puisque ce second terme était à venir.

Tout change avec 1917. Puisque la révolution socialiste a désormais un visage, la Révolution française cesse d'être un moule pour un avenir possible, souhaitable, espéré, mais encore sans contenu. Elle est devenue la mère d'un événement réel, daté, enregistré, qui est octobre 1917. Comme je le montre dans un des essais publiés ci-après, les bolcheviks russes n'ont cessé d'avoir à l'esprit cette filiation, avant, pendant et après la Révolution russe. Mais par contrecoup, les historiens de la

Révolution française projettent aussi dans le passé leurs sentiments, ou leurs jugements, sur 1917, et tendent à privilégier, dans la première révolution, ce qui est censé annoncer, préfigurer la seconde. Au même moment où la Russie se substitue à la France dans le rôle de nation à l'avant-garde de l'histoire, pour le bien ou pour le mal, parce qu'elle hérite de la France et de la pensée du XIXe siècle l'*élection* révolutionnaire, les discours historiographiques sur les deux révolutions se télescopent et se contaminent. Les bolcheviks ont des ancêtres jacobins, et les jacobins ont eu des anticipations communistes.

Ainsi, depuis bientôt deux cents ans, l'histoire de la Révolution française n'a cessé d'être un récit des origines, donc un discours de l'identité. Au XIXe siècle, cette histoire est à peine distincte de l'événement qu'elle a pour charge de retracer, puisque le drame qui commence en 1789 ne cesse de se rejouer, génération après génération, autour des mêmes enjeux et des mêmes symboles, dans une continuité du souvenir transformé en objet de culte ou d'horreur. La Révolution a non seulement fondé la civilisation politique à l'intérieur de laquelle la France « contemporaine » est intelligible, elle a aussi légué à cette France des conflits de légitimités et un stock de débats politiques d'une plasticité presque infinie : 1830 recommence 89, 1848 rejoue la République, et la Commune renoue avec le rêve jacobin. Il faut, à la fin du siècle, la victoire d'un consensus républicain dans l'opinion parlementaire, puis nationale, et rien de moins que la fondation durable de la Troisième République, pour que l'histoire de la Révolution reçoive enfin, au bout d'un siècle, un début de légitimation académique : sous la pression de la « Société d'histoire de la Révolution française », fondée en 1881 par des intellectuels républicains, la Sorbonne ouvre en 1886 un

« cours » d'histoire de la Révolution, confié à Aulard ; le cours deviendra « chaire » en 1891.

La Révolution en chaire est-elle donc devenue une propriété nationale, comme la République ? La réponse est, comme pour la République, oui et non. Oui parce qu'en un sens, avec la fondation de la République sur le suffrage populaire, et non plus sur l'insurrection parisienne, la Révolution française est enfin « terminée » ; elle est devenue une institution nationale, sanctionnée par le consentement légal et démocratique des citoyens. Mais d'un autre côté, le consensus républicain autour de la civilisation politique née en 89 est un consensus conservateur, obtenu par défaut, du côté des classes dirigeantes, faute d'un accord sur un roi, et comme un gage de sécurité, du côté des paysans et des petits notables : c'est la répression de la Commune qui a naturalisé la République en province. Or cette Révolution française victorieuse, acceptée enfin comme une histoire fermée, comme un patrimoine et une institution nationale, est contradictoire avec l'image du changement qu'elle implique, et qui comporte une promesse bien plus radicale que l'école laïque ou la séparation de l'Eglise et de l'Etat. Aussitôt qu'elle a fini par imposer la République, il est clair que la Révolution française est beaucoup plus que la République. Elle est une annonciation que n'épuise aucun événement.

C'est pourquoi, dans cette extrême fin du XIXe siècle, où le débat historiographique entre royalistes et républicains survit à ce qui a constitué les enjeux politiques de 89, la pensée socialiste s'est emparée de l'annonciation. Aulard avait critiqué chez Taine la reconstitution des « origines de la France contemporaine ». Jaurès voit dans la Révolution française les origines d'une origine, le monde d'une autre naissance : « Ce qu'il y a de moins grand en elle, c'est le présent... Elle a des prolongements illimités[4]. » La Révolution russe d'octobre 1917 viendra se loger comme à point nommé dans cette attente d'un redoublement des origines. A partir d'elle — Mathiez l'a explicitement pensé[5] —, l'inventaire de l'héritage jacobin se double d'un discours implicite pour ou contre le bolchevisme, ce qui ne contribue pas à lui donner de la souplesse intellectuelle. En effet, la superposition des deux débats politiques prolonge le XIXe siècle dans le XXe siècle, et transfère sur le communisme et l'anticommunisme les passions précédemment mobilisées par le roi de France et la République, qu'elle *déplace* sans les affaiblir. Au contraire : elle les ré-enracine dans le présent et leur donne des enjeux politiques nouveaux, qu'il s'agit de lire en filigrane, comme autant de promesses encore confuses, dans les événements de 89, ou plutôt de 93. Mais en devenant l'annonciation positive ou négative d'une Révolution authentiquement communiste, où la fameuse « bourgeoisie » ne viendrait pas confisquer la victoire du peuple, la Révolution française n'a rien gagné en signification ou en clarté conceptuelle. Elle a simplement renouvelé son mythe, en l'appauvrissant.

Il faut s'entendre sur les mots : cette contamination du passé par le présent, cette capacité à tout assimiler qui caractérise par définition une Révolution conçue comme une origine n'est pas contradictoire avec des progrès sectoriels de l'érudition. Elle l'est d'autant moins que l'histoire révolutionnaire est devenue, depuis la fin du XIXe siècle, une spécialisation universitaire, et que dès lors il faut bien que chaque génération d'historiens fasse sa part du travail d'archives. A cet égard, l'accent mis sur les classes populaires et leur action dans

4. Jaurès, *Histoire socialiste de la Révolution française*, Ed. sociales, 1968 ; préface d'E. Labrousse, p. 14.
5. Cf. *infra*, p. 140.

la Révolution française a entraîné, dans nos connaissances sur le rôle des paysans et du petit peuple urbain, des progrès qu'il serait absurde de méconnaître ou de sous-estimer. Mais ces progrès n'ont pas apporté de modification sensible dans l'analyse de ce qu'on pourrait appeler l'objet historique global « Révolution française ».

Soit par exemple le problème paysan, étudié, renouvelé par beaucoup de travaux, depuis le début du siècle, de Loutchiski à Paul Blois, et qui est à mon sens la contribution centrale de Georges Lefebvre à l'historiographie révolutionnaire. A travers l'analyse du problème et du comportement paysan, Georges Lefebvre arrive à deux idées : qu'il y a, du point de vue social, plusieurs révolutions dans ce qu'on appelle *la* Révolution. Et que la révolution paysanne, largement autonome, indépendante des autres (de celle des aristocrates, des bourgeois, ou des sans-culottes par exemple) est anticapitaliste, c'est-à-dire, à ses yeux, tournée vers le passé[6]. Déjà, ces deux idées sont difficiles à concilier avec la vision d'une Révolution française comme phénomène social et historique homogène, ouvrant un avenir capitaliste, ou bourgeois, auquel l'« Ancien Régime » aurait barré la route.

Mais il y a plus. Georges Lefebvre note aussi que dans l'histoire agraire de cet Ancien Régime, le capitalisme est de plus en plus présent, et que son « esprit » a largement pénétré l'aristocratie foncière : si bien que, comme Paul Blois en fera la démonstration[7] un peu plus tard, la même paysannerie peut se trouver successivement en conflit avec les seigneurs en 89, et avec la République en

6. G. Lefebvre, « La Révolution française et les paysans », 1932, in *Etudes sur la Révolution française*, P.U.F., 1954 ; 2ᵉ éd., introd. par A. Soboul, 1963.
7. P. Bois, *Les Paysans de l'Ouest*, Mouton, 1960.

93, sans que ce qu'on appelle la « Révolution » ait rien changé à la nature de sa pression sociale ou de son combat. Georges Lefebvre avait écrit dès 1932 : « L'Ancien Régime avait engagé l'histoire agraire de la France dans la voie du capitalisme ; la Révolution a brusquement achevé la tâche qu'il avait entreprise[8]. » Mais de ce constat qui résonne un peu comme du Tocqueville, l'historien de tradition jacobine ne tire pas, comme son ancêtre de tradition légitimiste, une critique du concept même de Révolution. Il n'essaie pas de comprendre à quelles conditions on peut faire tenir ensemble l'idée d'un changement radical, et celle d'une continuité objective. Il juxtapose simplement, sans tenter de les rendre conciliables, une *analyse* du problème paysan à la fin du XVIIIe siècle, et une *tradition* contradictoire avec cette analyse, qui consiste à voir la Révolution à travers les yeux de ses propres acteurs, comme une rupture, un avènement, une sorte de temps d'une autre nature, homogène comme un tissu neuf. On n'aurait pas de mal à montrer que le plus grand historien universitaire de la Révolution française au XXe siècle, celui qui a possédé sur la période le savoir le plus riche et le plus sûr, n'a eu, comme vision synthétique de l'immense événement auquel il a consacré sa vie, que les convictions d'un militant du Cartel des gauches ou du Front populaire[9].

C'est que l'érudition, si elle peut être stimulée par des préoccupations empruntées au présent, ne suffit jamais à modifier la conceptualisation d'un problème ou d'un événement. S'agissant de la Révolution française, elle peut au XXe siècle, sous l'influence de Jaurès, de 1917,

8. G. Lefebvre, *op. cit.*, p. 263.
9. Cf. le portrait intellectuel de G. Lefebvre par Richard Cobb in *A second identity, Essays on France and French History*, Oxford U.P., 1969.

et du marxisme, dériver vers l'histoire sociale, conquérir de nouveaux territoires. Elle reste annexée, et même plus que jamais annexée, à un fond de texte qui est le vieux récit des origines, à la fois renouvelé et figé par la sédimentation socialiste. Car la mainmise de l'histoire sociale sur l'histoire révolutionnaire, si elle a ouvert des champs nouveaux à la recherche sectorielle, n'a fait que déplacer la problématique de l'origine : l'avènement de la bourgeoisie s'est substitué à celui de la liberté, mais reste, comme dans le cas précédent, un avènement. Permanence d'autant plus extraordinaire que l'idée d'une rupture radicale dans le tissu social d'une nation est plus difficile à penser ; en ce sens, ce déplacement historiographique du politique vers le social souligne d'autant mieux la force de la représentation Révolution-avènement qu'il est plus incompatible avec elle. La contradiction intellectuelle est masquée par la célébration du commencement. C'est que plus que jamais, au XXe siècle, l'historien de la Révolution française commémore l'événement qu'il raconte, ou qu'il étudie. Les matériaux qu'il ajoute ne sont que des ornements supplémentaires offerts à sa tradition. Les lignées se perpétuent comme les débats : en écrivant sur la Révolution française, Aulard et Taine débattaient de la République, Mathiez et Gaxotte discutent des origines du communisme.

C'est cette élasticité commémorative, où ne cesse de s'investir la fierté nationale, qui fait de l'histoire révolutionnaire en France un secteur particulier de la discipline, élu à la dignité de spécialité académique, non parce qu'il constitue un champ de problèmes particuliers, et spécifiés comme tels, mais parce qu'il est soumis à un mécanisme d'identification de l'historien à ses héros et à « son » événement. De la Révolution française, il y a donc des histoires royalistes, des histoires libérales, des histoires jacobines, des histoires anarchistes ou libertaires, et cette liste n'est ni exlusive — car ces sensibilités ne sont pas toutes contradictoires — ni surtout limitative : mère de la civilisation politique dans laquelle nous sommes nés, la Révolution permet toutes les recherches de filiation. Mais toutes ces histoires qui s'affrontent et qui se déchirent depuis deux cents ans au nom des origines de cet affrontement et de cette déchirure, ont en réalité un terrain commun : elles sont des histoires de l'identité. Il n'y a donc pas, pour un Français de cette deuxième moitié du XXe siècle, de regard *étranger* sur la Révolution française. Il n'y a pas d'ethnologie possible dans un paysage aussi familier. L'événement reste si fondamental, si tyrannique dans la conscience politique contemporaine que toute « distance » intellectuelle prise par rapport à lui est immédiatement assimilée à de l'hostilité — comme si le rapport d'identification était inévitable, qu'il soit de filiation ou de rejet.

Pourtant, il faut tenter de rompre ce cercle vicieux de l'historiographie commémorative. Il a été longtemps à la mode, chez les hommes de ma génération, sous la double influence de l'existentialisme et du marxisme, de mettre l'accent sur l'enracinement de l'historien dans son propre temps, ses choix ou ses déterminations. Le ressassement de ces fortes évidences, s'il a pu être utile contre l'illusion positiviste de l'« objectivité », risque de nourrir indéfiniment des professions de foi et des polémiques crépusculaires. Plus encore que par l'idéologie politique, l'historiographie de la Révolution me paraît aujourd'hui encombrée par la paresse d'esprit et le rabâchage respectueux. Et il est sûrement temps de la désinvestir des significations élémentaires qu'elle-même a léguées à ses héritiers, pour lui rendre ce qui est aussi un *primum movens* de l'historien, la curiosité intellectuelle et l'activité gratuite de connaissance du passé.

D'ailleurs, il viendra un jour où les croyances politiques qui alimentent depuis deux siècles les débats de nos sociétés apparaîtront aussi surprenantes aux hommes que l'est pour nous l'inépuisable variété et l'inépuisable violence des conflits religieux de l'Europe, entre le XVe et le XVIIe siècle. Probablement est-ce le champ politique moderne lui-même, tel que l'a constitué la Révolution française, qui apparaîtra comme un système d'explication et comme un investissement psychologique d'un autre âge.

Mais ce « refroidissement » de l'objet « Révolution française », pour parler en termes lévi-straussiens, il n'est pas suffisant de l'attendre du temps qui passe. On peut en définir les conditions, et même en repérer les premiers éléments, dans la trame de notre présent. Je ne dis pas que ces conditions, ces éléments vont constituer enfin l'*objectivité* historique ; je pense qu'ils sont en train d'opérer une modification essentielle dans le rapport entre l'historien de la Révolution française et son objet d'étude : ils rendent moins spontanée, donc moins contraignante, l'identification aux acteurs, la célébration des fondateurs ou l'exécration des déviants.

De ce désinvestissement, qui me paraît souhaitable pour renouveler l'histoire révolutionnaire, j'aperçois deux voies : l'une se dégage progressivement, tardivement, mais imparablement, des contradictions entre le mythe révolutionnaire et les sociétés révolutionnaires (ou post-révolutionnaires). L'autre est inscrite dans les mutations du savoir historique.

De la première, les effets sont de plus en plus clairs. J'écris ces lignes à la fin du printemps 1977, dans une période où la critique du totalitarisme soviétique, et plus généralement de tout pouvoir se réclamant du marxisme, a cessé d'être le monopole ou le quasi-monopole de la pensée de droite, pour devenir le thème central d'une réflexion de gauche. Ce qui importe ici, dans la référence à ces ensembles historiquement relatifs que sont la droite et la gauche, n'est pas qu'une critique de gauche a plus de poids qu'une critique de droite, dans la mesure où la gauche a une position culturellement dominante, dans un pays comme la France, depuis la fin de la Deuxième Guerre mondiale. Ce qui compte bien davantage, c'est que la droite, pour faire le procès de l'U.R.S.S., ou de la Chine, n'a besoin de remanier aucun élément de son héritage : il lui suffit de rester à l'intérieur de la pensée contre-révolutionnaire. Alors que la gauche doit affronter des données qui compromettent son système de croyances, né à la même époque que l'autre. C'est pourquoi elle a si longtemps renâclé à le faire ; c'est pourquoi, aujourd'hui encore, elle préfère si souvent ravauder l'édifice de ses convictions plutôt que d'interroger l'histoire de ses tragédies. Mais peu importe, à terme. L'important est qu'une culture de gauche, une fois qu'elle a accepté de réfléchir sur les faits, c'est-à-dire sur le désastre que constitue l'expérience communiste du XXᵉ siècle, au regard de ses propres valeurs, est amenée à critiquer sa propre idéologie, ses interprétations, ses espoirs, ses rationalisations. C'est en elle que s'installe la distance entre l'histoire et la Révolution, parce que c'est elle qui a cru que l'histoire était tout entière dans les promesses de la Révolution.

Il y aurait à écrire, de ce point de vue, une histoire de la gauche intellectuelle française par rapport à la révolution soviétique, pour montrer que le phénomène stalinien s'y est enraciné dans une tradition jacobine simplement déplacée (la double idée d'un commencement de l'histoire et d'une nation-pilote a été réinvestie sur le phénomène soviétique) ; et que, pendant une longue période, qui est loin d'être close, la notion de *déviation* par rapport à une origine restée pure a permis de sauver la valeur suréminente de l'idée de Révolution. C'est ce double verrouillage qui a commencé à sauter : d'abord parce qu'en devenant la référence historique fondamentale de l'expérience soviétique, l'œuvre de Soljenitsyne a posé partout la question du Goulag au plus profond du dessein révolutionnaire ; il est alors inévitable que l'exemple russe revienne frapper comme un boomerang son « origine » française. En 1920, Mathiez justifiait la violence bolchevique par le précédent français, au nom de circonstances comparables. Aujourd'hui, le Goulag conduit à repenser la Terreur, en vertu d'une identité dans le projet. Les deux révolutions restent liées ; mais il y a un demi-siècle, elles étaient systématiquement absoutes dans l'excuse tirée des « circonstances », c'est-à-dire de phénomènes extérieurs et étrangers à leur nature. Aujourd'hui, elles sont accusées au contraire d'être consubstantiellement des systèmes de contrainte méticuleuse sur les corps et sur les esprits.

Le privilège exorbitant de l'idée de révolution, qui consistait à être hors d'atteinte de toute critique interne, est donc en train de perdre sa valeur d'évidence. L'historiographie universitaire, où les communistes ont comme naturellement pris la suite des socialistes et des radicaux dans la gestion de la commémoration républicaine, s'y accroche, et ne plaisante pas sur les traditions. Mais, de plus en plus crispée sur sa courte période comme sur un patrimoine social, elle n'est pas simplement atteinte par la dévaluation conceptuelle de ce patrimoine chez les intellectuels ; elle a du mal, non seulement à épouser, mais même à concevoir les mutations intellectuelles indispensables aux progrès de l'historiographie révolutionnaire.

En effet, ce que cette historiographie devrait annoncer, ce ne sont plus ses couleurs, ce sont ses concepts.

L'histoire en général a cessé d'être ce savoir où les « faits » sont censés parler tout seuls, pourvu qu'ils aient été établis dans les règles. Elle doit dire le problème qu'elle cherche à analyser, les données qu'elles utilise, les hypothèses sur lesquelles elle travaille et les conclusions qu'elle obtient. Que l'histoire de la Révolution soit la dernière à emprunter cette voie de l'*explicite*, ne tient pas seulement à tout ce qui la tire, génération après génération, vers le récit des origines ; c'est aussi dû à ce que ce récit a été investi et canonisé par une rationalisation « marxiste » qui n'en change pas, au fond, le caractère, et qui consolide au contraire, en lui donnant une apparence d'élaboration conceptuelle, la force élémentaire qu'il tire de sa fonction d'avènement.

Sur ce point, je me suis expliqué dans un des essais que comporte ce livre[10] : cette rationalisation n'existe pas dans les œuvres de Marx, qui ne comportent pas d'interprétation systématique de la Révolution française ; elle est le produit d'une rencontre confuse entre bolchevisme et jacobinisme, qui s'alimente à une conception linéaire du progrès humain, scandé par ces deux « libérations » successives, emboîtées l'une dans l'autre comme des poupées gigognes. Ce qui est irrémédiablement confus, dans la vulgate « marxiste » de la Révolution française, c'est la juxtaposition de la vieille idée de l'avènement d'un temps nouveau, idée constitutive de la Révolution elle-même, et d'un élargissement du champ historique, consubstantiel au marxisme. En effet, le marxisme — ou disons ce marxisme qui pénètre avec Jaurès l'histoire de la Révolution — déplace vers l'économique et le social le centre de gravité du *problème* de la Révolution. Il cherche à enraciner dans les progrès du capitalisme la lente promotion du Tiers Etat,

10. Cf. p. 133.

chère à l'historiographie de la Restauration, et l'apothéose de 1789. Ce faisant, il étend du même coup à la vie économique, et au social tout entier, le mythe de la coupure révolutionnaire : avant, le féodalisme ; après, le capitalisme. Avant, la noblesse ; après, la bourgeoisie. Mais comme ces propositions ne sont ni démontrables, ni d'ailleurs vraisemblables, et que, de toute façon, elles font éclater le cadre chronologique canonique, il se borne à juxtaposer une analyse des causes, faite sur le mode économique et social, à un récit des événements, écrit sur le mode politique et idéologique.

Or cette incohérence présente au moins l'avantage de souligner un des problèmes essentiels de l'historiographie révolutionnaire, celui du raccordement des niveaux d'interprétation avec la chronologie de l'événement. Si l'on veut à tout prix conserver l'idée d'une rupture objective dans le temps historique, et faire de cette rupture l'alpha et l'oméga de l'histoire de la Révolution, on est en effet conduit, quelle que soit l'interprétation avancée, à des absurdités. Mais ces absurdités sont d'autant plus nécessaires que l'interprétation est plus ambitieuse, et englobe davantage de niveaux : on peut par exemple dire qu'entre 1789 et 1794, c'est tout le système politique français qui a été brutalement transformé, puisque l'ancienne monarchie a disparu. Mais l'idée qu'entre ces mêmes dates, le tissu social, ou économique, de la nation a été renouvelé de fond en comble est évidemment beaucoup moins vraisemblable : la « Révolution » est un concept qui n'a pas beaucoup de sens par rapport à des affirmations de ce type, même si elle peut avoir des causes qui ne sont pas toutes de nature politique ou intellectuelle.

En d'autres termes, toute conceptualisation de l'histoire révolutionnaire commence par la critique de l'idée de Révolution telle qu'elle a été vécue par les acteurs et véhiculée par leurs héritiers : c'est-à-dire, comme un changement radical, et comme l'origine d'un temps neuf. Aussi longtemps que cette critique n'est pas présente dans une histoire de la Révolution, la superposition d'une interprétation plus économique, ou plus sociale, à une interprétation purement politique ne change rien à ce que toutes ces histoires ont en commun, et qui est d'être fidèles au vécu révolutionnaire du XIXe et du XXe siècles. La sédimentation économique et sociale apportée par le marxisme ne présente peut-être que l'avantage de faire apparaître clairement, par l'absurde, les apories de toute histoire de la Révolution qui reste fondée sur le vécu intérieur des acteurs de cette histoire.

C'est ici que je rencontre Tocqueville et que je mesure son génie. Dans le même temps où Michelet a conçu la plus pénétrante des histoires de la Révolution qui aient été écrites sur le mode de l'identité — une histoire sans concepts, faite des retrouvailles du cœur, marquée par une sorte de divination des âmes et des acteurs, Tocqueville imagine, et il est le seul à avoir imaginé la même histoire sur le mode inverse de l'interprétation sociologique. La question n'est donc pas que l'aristocrate normand ne partage pas les mêmes *opinions* que le fils de l'imprimeur jacobin : Tocqueville n'écrit pas par exemple une histoire de la Révolution qui est plus « à droite » que celle de Michelet. Il écrit une *autre* histoire de la Révolution, fondée sur une critique de l'idéologie révolutionnaire et de ce qui constitue à ses yeux l'illusion de la Révolution française sur elle-même.

Le retournement conceptuel de Tocqueville sur la Révolution n'est d'ailleurs pas sans analogie avec celui qui a marqué son analyse du phénomène américain. Avant *La Démocratie en Amérique*, l'Amérique est pensée par la culture européenne comme l'enfance de l'Europe,

32

l'image de ses débuts : l'installation, le défrichement, l'homme conquérant dans un monde sauvage. Le livre de Tocqueville, opérant quasiment par déduction à partir de l'hypothèse centrale de l'égalité, retourne cette image comme un gant. L'Amérique, dit-il aux Européens, ce n'est pas votre enfance, c'est votre avenir. C'est là que s'épanouit, hors des contraintes d'un passé aristocratique, la Démocratie qui sera *aussi* l'avenir politique et social de la vieille Europe. De la même façon, mais en sens inverse, Tocqueville renouvelle son paradoxe vingt ans après, à propos de la Révolution, qui n'a jamais cessé d'être — même et surtout pendant le « détour » américain — au centre de ses pensées. Vous pensez que la Révolution française est une rupture brutale dans notre histoire nationale ? dit-il à ses contemporains. En réalité, elle est l'épanouissement de notre passé. Elle parachève l'œuvre de la monarchie. Loin de constituer une rupture, elle ne se peut comprendre que dans et par la continuité historique. Elle accomplit cette continuité dans les faits, alors qu'elle apparaît comme une rupture dans les consciences.

Tocqueville a donc élaboré une critique radicale de toute histoire de la Révolution fondée sur le vécu des révolutionnaires. Cette critique est d'autant plus aiguë qu'elle reste à l'intérieur du champ politique — les rapports entre les Français et le pouvoir —, celui précisément qui semble avoir été le plus transformé par la Révolution. Le problème de Tocqueville est celui de la domination des communautés et de la société civile par le pouvoir administratif, à la suite de l'extension de l'Etat centralisé ; cette mainmise de l'administration sur le corps social n'est pas seulement le trait permanent qui joint le « nouveau » régime à l'« ancien », Bonaparte à Louis XIV. C'est aussi ce qui explique, à travers une série de médiations, la pénétration de l'idéologie « démocratique » (c'est-à-dire égalitaire) dans l'ancienne société française : en d'autres termes, la « Révolution », dans ce qu'elle a de constitutif, à ses yeux (Etat administratif régnant sur une société à idéologie égalitaire), est très largement accomplie par la monarchie, avant d'être terminée par les jacobins et par l'Empire. Et ce qu'on appelle la « Révolution française », cet événement répertorié, daté, magnifié comme une aurore, n'est qu'une accélération de l'évolution politique et sociale antérieure. En détruisant non pas l'aristocratie, mais le principe aristocratique dans la société, il a supprimé la légitimité de la résistance sociale à l'Etat central. Mais c'est Richelieu qui avait montré l'exemple, et Louis XIV.

Je tente d'analyser, dans un des essais qui suivent, les difficultés que suscite ce type d'interprétation : si Tocqueville n'a jamais écrit une véritable histoire de la Révolution française, il me semble que c'est parce qu'il n'a conceptualisé qu'une part de cette histoire, celle de la continuité. Il pense la Révolution en termes de bilan, non en termes d'événement ; comme un procès, non comme une cassure. Et il est mort au moment où en travaillant à son deuxième tome, il était en face du problème qui consiste à penser cette cassure. Mais ce qui reste fondamental dans l'œuvre de cet esprit déductif et abstrait, providentiellement égaré dans un domaine surinvesti par le narratif, c'est qu'elle échappe à la tyrannie du vécu historique et des acteurs et au mythe des origines. Tocqueville n'est plus à l'intérieur des choix qui ont été ceux de Necker, de Louis XVI, de Mirabeau ou de Robespierre. Il est à côté. Il parle d'autre chose.

C'est pourquoi son livre est plus important encore par la méthode qu'il suggère que par la thèse qu'il avance. Il me semble que les historiens de la Révolution ont et ne cesseront d'avoir le choix entre Michelet et Tocqueville : ce qui ne veut pas dire entre une histoire républicaine et une histoire conservatrice de la Révolution française — puisque ces deux histoires seraient encore nouées par une problématique commune, que précisément Tocqueville récuse. Ce qui les sépare est ailleurs : c'est que Michelet fait revivre la Révolution de l'intérieur, Michelet communie, commémore, alors que Tocqueville ne cesse d'interroger l'écart qu'il soupçonne entre les intentions des acteurs et le rôle historique qu'ils jouent. Michelet s'installe dans la transparence révolutionnaire, il célèbre la coïncidence mémorable entre les valeurs, le peuple et l'action des hommes. Tocqueville ne se borne pas à mettre en question cette transparence, ou cette coïncidence. Il pense qu'elles masquent une opacité maximale entre l'action humaine et son sens réel, opacité caractéristique de la Révolution comme période historique, de par le rôle qu'y joue l'idéologie démocratique. Il y a un gouffre entre le bilan de la Révolution française et les intentions des révolutionnaires.

Voilà pourquoi *L'Ancien Régime et la Révolution* reste à mes yeux le livre capital de toute l'historiographie révolutionnaire. Voilà pourquoi aussi il a toujours été, depuis plus d'un siècle, le parent pauvre de cette historiographie, plus cité que lu, et plus lu que compris[11]. Droite ou gauche, royaliste ou républicain, conservateur ou jacobin, l'historien de la Révolution française prend le discours révolutionnaire pour argent comptant, puisqu'il se situe à l'intérieur de ce discours : il ne cesse de revêtir dès lors cette Révolution des différents visages dont elle s'est elle-même parée, interminable commentaire d'un affrontement dont elle aurait donné, une fois

---

11. L'introduction un peu condescendante consacrée par Georges Lefebvre à *L'Ancien Régime et la Révolution* (Paris, 1952) est caractéristique à cet égard. Encore s'agit-il du seul des historiens de la Révolution française qui ait lu attentivement Tocqueville.

pour toutes, le sens, par la bouche de ses héros. Il faut donc qu'il croie, puisqu'elle le dit, que la Révolution a détruit la noblesse, quand elle a nié son principe ; que la Révolution a fondé une société, quand elle a affirmé des valeurs ; que la Révolution est une origine de l'histoire, quand elle a parlé de régénérer l'homme. Dans ce jeu de miroirs où l'historien et la Révolution se croient sur parole, puisque la Révolution est devenue la principale figure de l'histoire, l'Antigone insoupçonnable des temps nouveaux, Tocqueville introduit le doute au niveau le plus profond : et s'il n'y avait, dans ce discours de la rupture, que l'illusion du changement ?

La réponse à la question n'est pas simple, et la question elle-même ne contient pas toute l'histoire de la Révolution. Mais elle est probablement indispensable à une conceptualisation de cette histoire. C'est par défaut qu'on mesure son importance : faute de la poser, l'historien est conduit à l'exécration ou à la célébration, qui sont deux manières de commémorer.

II

Si Tocqueville est un cas unique dans l'historiographie de la Révolution, c'est que son livre oblige à *décomposer* l'objet « Révolution française », et à faire à son sujet un effort de conceptualisation. Procédant par concepts explicites, il casse le récit chronologique ; il traite un problème, non une période. Avec lui, la Révolution cesse de parler toute seule, dans un sens ou dans l'autre, comme si son sens était d'avance clair, et révélé par sa trajectoire elle-même. Elle fait au contraire l'objet d'une interprétation systématique qui en isole certains éléments : notamment le procès de centralisation administrative sous l'Ancien Régime et son influence sur ce qu'on pourrait appeler la « démocratisation » de la société. Dans cette mesure, la tranche de temps étudiée par Tocqueville, et qui est très vaste (puisque le règne de Louis XIV par exemple est constamment pris à témoin), s'explique en fonction du problème qui l'intéresse et de l'interprétation qu'il propose : la Révolution est dans le droit fil de l'Ancien Régime.

Je ne suggère pas par là que tout effort pour conceptualiser l'objet historique « Révolution française » passe par un découpage chronologique très vaste : les deux choses n'ont pas de rapport, et le « long terme », aucun privilège à cet égard. Je veux simplement dire que toute interprétation de la Révolution suppose un découpage chronologique : l'historien qui s'intéresse à la Révolution comme procès de continuité se donnera naturellement un champ plus vaste que celui qui cherche à comprendre la Révolution comme « événement », ou comme cascade d'événements. Mais la deuxième curiosité n'est pas moins légitime que la première, et n'est pas moins susceptible d'interprétation. La seule chose qui soit suspecte est celle qui caractérise précisément l'historiographie de la Révolution française, et qui illustre son sous-développement analytique : c'est d'écrire toujours l'histoire d'une seule et même période, comme si cette histoire racontée devait parler toute seule, quels que soient les présupposés implicites de l'historien.

A moins, bien sûr, qu'il ne s'agisse ouvertement d'un pur récit, dont la fonction est de restituer le vécu individuel ou collectif des acteurs des événements, non pas d'en interpréter le ou les sens. Mais je ne discute pas Lenôtre, je discute Mathiez. Je sais bien que toute histoire est un mélange variable mais permanent, et presque toujours implicite, de récit et d'analyse, et que l'histoire « savante » n'échappe pas à cette espèce de règle. Mais ce qui est propre à l'historiographie révolutionnaire est l'organisation interne, constamment identique, du discours. Car la place de chaque *genre* à l'intérieur de cette histoire est toujours la même : l'analyse couvre le problème des « origines », ou des causes, qui relèvent de l'explication. Le narratif commence avec « les événements », c'est-à-dire en 1787 ou 1789, et va jusqu'à la fin de « l'histoire », c'est-à-dire le 9 Thermidor, ou le 18 Brumaire, comme si, une fois données les causes, la pièce allait toute seule, mue par l'ébranlement initial.

Or, ce métissage des genres correspond à la confusion de deux objets d'analyse : il mêle la Révolution comme

38

procès historique, ensemble de causes et de conséquences, et la Révolution comme modalité du changement, comme dynamique particulière de l'action collective. Ces deux objets ne sont pas intellectuellement superposables ; ils comportent par exemple, dans leur examen le plus superficiel, des cadres chronologiques différents : l'examen des causes de la Révolution, ou de son bilan, porte l'observateur très en amont de 1789, et en aval de 1794, ou de 1799. L'« histoire » de la Révolution tient au contraire entre 1789 et 1794, ou 1799. Si celui qui l'écrit n'est généralement pas sensible à ces dénivellations de la chronologie, c'est qu'il télescope dans son esprit les différents niveaux d'analyse, au prix d'une série d'hypothèses implicites : le déroulement de la Révolution est inscrit dans ses causes, puisque ses acteurs n'avaient d'autre choix que celui qu'ils ont fait, de détruire l'Ancien Régime pour lui substituer un ordre nouveau. Que cet ordre nouveau soit la démocratie, comme chez Michelet, ou le capitalisme, comme chez Mathiez, ne change rien à mon argument : dans les deux cas, c'est la conscience des acteurs de la Révolution qui organise rétrospectivement l'analyse des causes de leur action. L'historien, pour rester fidèle à cette conscience, sans manquer à son devoir d'explication, doit seulement justifier l'avènement en termes de nécessité. Il pourra d'ailleurs, de ce fait, se dispenser du bilan.

Si, en effet, des causes objectives ont rendu nécessaire et même fatale l'action collective des hommes pour briser l'« ancien » régime et en instaurer un nouveau, alors il n'y a pas de distinction à faire entre le problème des origines de la Révolution et la nature de l'événement lui-même. Car il y a non seulement coïncidence entre nécessité historique et action révolutionnaire, mais transparence entre cette action et le sens global qui lui a été donné par ses acteurs : rompre avec le passé, fonder une nouvelle histoire.

Le postulat de la nécessité de « ce qui a eu lieu » est une illusion rétrospective classique de la conscience historique : le passé est un champ de possibles à l'intérieur duquel « ce qui est arrivé » apparaît après coup comme le seul avenir de ce passé. Mais dans le cas de l'histoire de la Révolution, ce postulat en recouvre un deuxième, dont il est inséparable : celui de la coupure chronologique absolue que représente 89, ou les années 89-93, dans l'histoire de France. Avant, c'est le règne de l'absolutisme et de la noblesse (comme si ces deux figures de l'Ancien Régime marchaient la main dans la main). Après, la liberté et la bourgeoisie. Tapies enfin dans le bruit et la fureur de cette Révolution, les promesses d'une annonciation socialiste. Comme l'avaient dit ses acteurs, la rupture révolutionnaire érige ainsi l'histoire de France en recommencement, et l'événement lui-même en une sorte de point focal où vient s'abolir le passé, se constituer le présent et se dessiner l'avenir. Non seulement ce qui a eu lieu est fatal, mais le futur aussi y est inscrit.

Or, le « concept » dominant l'historiographie révolutionnaire, aujourd'hui, celui de « révolution bourgeoise », me paraît précisément, dans l'acception où il est utilisé, moins un concept qu'un masque sous lequel se cachent ces deux présupposés, celui de la nécessité de l'événement et celui de la rupture du temps : « concept », ou masque providentiel, qui réconcilie tous les niveaux de la réalité historique, et tous les aspects de la Révolution française. En effet, les événements de 1789-1794 sont censés accoucher à la fois du capitalisme, au niveau économique ; de la prépondérance bourgeoise, dans l'ordre social et politique ; et des valeurs idéologiques qui sont supposées lui être liées. D'un autre côté, ils renvoient au rôle fondamental de la bourgeoisie comme classe dans le déroulement de la Révolution. Ainsi, l'idée confuse de « révolution bourgeoise » désigne inséparablement un contenu et un acteur historiques, qui s'épanouissent ensemble dans l'explosion nécessaire de ces courtes années de la fin du XVIIIᵉ siècle. A une « œuvre » considérée comme inévitable, elle donne un agent parfaitement adapté. En systématisant l'idée d'une coupure radicale entre l'avant et l'après, l'interprétation « sociale » de la Révolution française couronne une métaphysique de l'essence et de la fatalité.

Dans cette mesure, elle est beaucoup plus qu'une interprétation de la Révolution ; annexant à son sujet tout le problème des origines, c'est-à-dire toute la société française d'avant 89, elle est aussi une vision rétrospective de l'« Ancien Régime », défini *a contrario* par le nouveau.

Fatale, la Révolution française ? Il suffit pour l'imaginer de reconstituer les flux du mouvement et ceux de la résistance, et puis d'en organiser tout juste en 1789 le choc qui en dénoue la contradiction. D'un côté, une monarchie stupide et une noblesse égoïste, liées l'une à l'autre par des intérêts, des politiques et des idéologies réactionnaires. De l'autre, le reste de la société civile, emmené, entraîné par une bourgeoisie riche, ambitieuse et frustrée. Le premier ensemble de forces ne fonctionne pas seulement comme autant de résistances à l'idée que l'historien se fait de l'évolution, mais comme un contre-courant dynamique : c'est le rôle assigné à la « réaction féodale » (ou « seigneuriale », les deux termes étant plus ou moins assimilés l'un à l'autre), comme l'indique bien le terme de « réaction », emprunté à la mécanique des forces. Cette réaction, qui est censée couvrir la deuxième moitié du XVIIIᵉ siècle, éclairerait à la fois la violence des paysans dans l'été 89 et le ressentiment bourgeois, donc les conditions de l'alliance du Tiers Etat contre la noblesse. A se heurter non pas simplement aux inerties de la tradition et de l'Etat, mais à des institutions et à des classes sociales s'acharnant activement, presque maléfiquement, à la reconstruction du passé, les forces du progrès n'ont plus en effet qu'un seul et inévitable recours : la révolution.

Dans le dessin général de ces deux fronts de classe s'avançant contradictoirement à la rencontre l'un de l'autre, et comme à la bataille, on aura reconnu la perception qu'ont eue les militants des années révolutionnaires des événements qu'ils étaient en train de vivre, et l'interprétation qu'ils en ont faite. Ils exprimaient la logique de la conscience révolutionnaire, qui porte, par sa nature même, à l'explication manichéenne, et à la personnalisation des phénomènes sociaux. Or, à la maladie professionnelle de l'historien, éternel réducteur des virtualités d'une situation à un futur unique, puisque seul ce dernier a eu lieu, cette logique ajoute les simplifications intellectuelles qui accompagnent et justifient, dans les temps modernes, l'exercice de la violence politique. D'où la force tentatrice de l'explication moniste, à quelque niveau qu'on la situe : victoire des lumières sur l'obscurantisme, de la liberté sur l'oppression, de l'égalité sur le privilège ; ou encore avènement du capitalisme sur les ruines du féodalisme ; ou enfin synthèse de toutes ces instances dans une sorte de tableau logique où elles se font face une à une, compte d'exploitation systématique du passé et de l'avenir. Dans tous les cas, il s'agit du même mécanisme logique, dont la synthèse « marxiste » ne fait qu'enrichir et en même temps geler le contenu : mais le mécanisme est à l'œuvre dès 1789, puisqu'il est constitutif de l'idéologie révolutionnaire.

Que, passé à l'histoire, dont il tend à annexer tous les aspects, il broie du vide, et soit plus intéressant par les contradictions qu'il soulève que par les problèmes qu'il résout, c'est ce que j'ai essayé de montrer dans un des essais qui suivent, consacré à la critique de l'historiographie communiste de la Révolution. Il me semble qu'en caricaturant, en portant à l'absurde d'une rigueur illusoire, sous couleur de les conceptualiser, les traits élémentaires de la conscience révolutionnaire, cette historiographie illustre l'irrémédiable crise d'une tradition. Elle n'a plus le charme du récit épique, qu'elle enferme dans un carcan, sans avoir rien gagné en pouvoir d'explication, puisqu'elle se borne à déguiser les présupposés du récit. De ce point de vue, il est significatif que ce soit dans un des secteurs où les études historiques ont fait ces dernières années le plus de progrès — l'histoire de l'ancienne société française — qu'elle apparaisse le plus sommaire et le plus inexacte. Du système d'équivalences et de contraires qu'elle a constitué pour célébrer la nécessité d'un avènement, rien ne résiste à l'examen : ni les confusions entre Etat monarchique et noblesse, noblesse et féodalité, bourgeoisie et capitalisme ; ni les contradictions entre absolutisme et réforme, aristocratie et liberté, société à ordres et philosophie des lumières.

Je n'entre pas ici dans le détail de cette critique, qu'on trouvera ci-après[12]. Il est en revanche nécessaire de l'assortir d'une considération plus générale : à savoir, que l'établissement d'un lien d'identité logique (presque toujours implicite) entre la Révolution comme procès historique objectif et la Révolution comme ensemble d'événements « arrivés » et vécus — la Révolution-contenu et la Révolution-modalité — conduit obligatoirement à déduire le premier aspect du second. Or, il me semble que la sagesse consiste au contraire à les disjoindre, comme nous y invite non seulement la chronologie,

12. Cf. *infra*, p. 133 et suiv.

mais aussi, après tout, ce vieux précepte à la fois bourgeois et marxiste, que les hommes font l'histoire, mais ne savent pas l'histoire qu'ils font.

En effet, un phénomène comme la Révolution française ne peut pas être réduit à un simple schéma de type causal : de ce que cette Révolution a des causes, il ne s'ensuit pas que son histoire tient tout entière dans ces causes. Admettons un instant que ces causes soient mieux élucidées qu'elles le sont, ou qu'on puisse en dresser un jour un tableau plus opératoire ; il reste que l'événement révolutionnaire, *du jour où il éclate*, transforme de fond en comble la situation antérieure et institue une nouvelle modalité de l'action historique, qui n'est pas inscrite dans l'inventaire de cette situation. On peut bien, par exemple, expliquer la révolte de la majorité des députés aux Etats généraux par la crise de la société politique de l'Ancien Régime, mais la situation créée dès lors par la vacance du pouvoir, et l'insurrection qui s'ensuit, introduisent dans cette crise un élément absolument inédit, aux conséquences tout à fait imprévisibles deux mois auparavant. On peut encore, dans un autre ordre d'idées, rendre compte du soulèvement populaire urbain de juin-juillet par la crise économique, le prix du pain, le chômage, le traité de commerce franco-anglais, etc. ; mais ce type d'explication n'implique pas le passage de l'émeute frumentaire, ou taxatrice, relativement classique dans les villes de l'ancienne France, à la « journée » révolutionnaire, qui relève d'une autre dynamique. En d'autres termes, le débat sur les causes de la Révolution ne recouvre pas le problème du phénomène révolutionnaire, largement indépendant de la situation qui précède : développant lui-même ses propres conséquences. Ce qui caractérise la Révolution comme *événement*, c'est une modalité de l'action historique ; c'est une dynamique qu'on pourra appeler politique, idéologique ou culturelle, pour dire que son pouvoir multiplié de mobilisation des hommes et d'action sur les choses passe par un surinvestissement de sens.

Tocqueville, toujours lui, a pressenti ce problème central. Il part en effet d'une problématique de ce que j'appelle la Révolution-procès, et qui est, dans son cas, un procès de continuité : la Révolution étend, consolide, porte à son point de perfection l'Etat administratif et la société égalitaire dont le développement est l'œuvre caractéristique de l'ancienne monarchie. De ce fait, il existe un divorce absolu entre l'histoire objective de la Révolution, son « sens » ou son bilan, et le sens qu'ont donné à leur action les révolutionnaires. Un des essais que comporte cet ouvrage discute les différents éléments de cette conceptualisation. Partant de l'actuel (par rapport à Tocqueville), c'est-à-dire du bilan post-révolutionnaire, *L'Ancien Régime* retourne ensuite à une analyse des origines, où le rôle central est joué par la monarchie administrative, qui vide de sa substance vivante la société à ordres et fraie la voie moins à l'égalité des conditions qu'à l'égalitarisme comme valeur. Mais entre les origines et le bilan, entre Louis XIV et Bonaparte, il existe une page blanche que Tocqueville n'a jamais écrite, et où figurent des questions qu'il a posées mais auxquelles il n'a pas apporté de réponse claire : pourquoi ce processus de continuité entre l'Ancien Régime et le nouveau a-t-il emprunté les voies d'une révolution ? Et que signifie, dans ces conditions, l'investissement politique des révolutionnaires ?

Il y a bien, dans le livre III de *L'Ancien Régime*, des éléments de réponse à ces questions, comme la substitution des intellectuels aux hommes politiques dans la France du XVIIIᵉ siècle, ou la généralisation à toutes les classes de la société d'un état d'esprit démocratique : mais l'extraordinaire dynamisme de l'idéologie égalitaire, dans les années 89-93, reste pour Tocqueville une sorte de mystère du mal, une religion à l'envers. Il n'y a nulle part dans son œuvre de raccordement conceptuel entre sa théorie de la Révolution française et l'action révolutionnaire telle qu'elle a été vécue, et telle qu'elle a caractérisé la période, par exemple le phénomène jacobin. Si bien que la possibilité même de ce raccordement peut être discutée : mais du coup, Tocqueville nous oblige à disjoindre, au moins provisoirement, les deux parts de cet amalgame confus qui constitue « l'histoire de la Révolution », et à cesser de juxtaposer, comme s'il s'agissait d'un discours homogène, et que l'un se déduisait de l'autre, l'analyse des causes et le déroulement des événements.

Non seulement parce que ces « événements », qui sont de nature politique, et idéologique, disqualifient par définition une analyse causale faite en termes de contradictions économiques ou sociales. Mais parce que, même menée au niveau du système politique et de sa légitimité, une pareille analyse ne recouvre pas ce que l'accélération révolutionnaire comporte de radicalement nouveau. Il y a dans le concept de révolution (dans cette acception du terme) quelque chose qui correspond à son « vécu » historique et qui n'obéit pas à la séquence logique des effets et des causes : c'est l'apparition sur la scène de l'histoire d'une modalité pratique et idéologique de l'action sociale, qui n'est inscrite dans rien de ce qui l'a précédée ; un type de crise politique la rend possible, mais non pas nécessaire ; et la révolte ne lui fournit aucun modèle, puisqu'elle fait partie par définition de l'ancien système politique et culturel.

Il y a donc dans la Révolution française un type nouveau de pratique et de conscience historiques, lié à un type de situation, sans être défini par elle. C'est cet ensemble qu'il s'agit d'inventorier pour en proposer une interprétation, au lieu de faire comme si la conscience révolutionnaire, produit normal d'un mécontentement légitime, était la chose la plus naturelle de l'histoire humaine. Au fond, la vulgate marxiste de l'histoire de la Révolution française met le monde à l'envers : elle situe la rupture révolutionnaire au niveau économique et social, alors que rien ne ressemble plus à la société française sous Louis XVI que la société française sous Louis-Philippe. Et comme elle ne prend aucune distance par rapport à la conscience révolutionnaire dont elle partage les illusions et les valeurs, elle est incapable de voir que ce qu'il y a de plus radicalement nouveau et de plus mystérieux, dans la Révolution française, c'est précisément ce qu'elle considère comme un produit normal des circonstances et une figure naturelle de l'histoire des opprimés. Car ni le capitalisme, ni la bourgeoisie n'ont eu besoin de révolutions pour paraître et dominer dans l'histoire des principaux pays européens du XIXe siècle. Mais la France est ce pays qui invente, par la Révolution, la culture démocratique ; et qui révèle au monde une des consciences fondamentales de l'action historique.

Faisons d'abord la part des circonstances, qui n'est pas celle de la misère, ou de l'oppression, mais celle de la liberté du social par rapport au politique. Si la Révolution est invention, déséquilibre, si elle met en mouvement tant de forces inédites que les mécanismes traditionnels de la politique s'en trouvent transformés, c'est qu'elle s'installe dans un espace vide, ou plutôt qu'elle prolifère dans la sphère hier interdite, et subitement envahie, du pouvoir. Dans ce dialogue entre les sociétés et leurs Etats qui constitue une des trames profondes de l'histoire, tout, par la Révolution, bascule contre l'Etat, du côté de la société. Car la Révolution mobilise l'une et désarme l'autre : situation exceptionnelle, ouvrant au social un espace de développement qui lui est presque toujours fermé. Dès 1787, le royaume de France est une société sans Etat. Louis XVI continue à réunir autour de sa personne le consensus de ses sujets, mais derrière cette façade de tradition, c'est la débandade dans les murs : l'autorité royale, nominalement respectée, n'enveloppe plus dans sa légitimité celle de ses agents. Le roi a de mauvais ministres, des conseillers perfides, des intendants néfastes : on ignore encore que cette vieille chanson monarchique des temps difficiles a cessé d'exalter l'autorité du recours, pour proposer le contrôle des citoyens. C'est une manière de dire que la société civile, où l'exemple circule de haut en bas, se délivre des pouvoirs symboliques de l'Etat, en même temps que de ses règles.

Vient 1789 ; du plus noble des nobles au plus humble des paysans, la « révolution » naît au croisement de plusieurs séries d'événements, de nature très différente, puisqu'une crise économique (elle-même complexe, à la fois agricole et « industrielle », météorologique et sociale) se juxtapose à la crise politique ouverte depuis 1787. C'est ce croisement de séries hétérogènes qui constitue l'aléatoire de la situation, que l'illusion rétrospective, dès le printemps 89, transformera en produit nécessaire du mauvais gouvernement des hommes, pour y lire l'enjeu de la lutte entre patriotes et aristocrates. Car la situation révolutionnaire n'est pas seulement caractérisée par cette vacance du pouvoir où s'engouffrent des forces inédites, et par l'activité « libre » (je reviendrai plus loin sur cette liberté) du corps social. Elle est inséparable d'une espèce d'hypertrophie de la conscience historique, et d'un système de représentations partagé par les acteurs sociaux. Dès 89, la conscience révolutionnaire est cette illusion de vaincre un Etat qui déjà n'existe plus, au nom d'une coalition de volontés bonnes et de forces qui figurent l'avenir. Dès l'origine, elle est une perpétuelle surenchère de l'idée sur l'histoire réelle, comme si elle avait pour fonction de restructurer par l'imaginaire l'ensemble social en pièces. Le scandale de la répression commence quand cette répression a craqué. La Révolution est l'espace historique qui sépare un pouvoir d'un autre pouvoir, et où une idée de l'action humaine sur l'histoire se substitue à l'institué.

Dans cette dérive imprévisible et accélérée, cette idée de l'action humaine emprunte ses finalités à l'envers des principes traditionnels de l'ordre social. L'Ancien Régime était aux mains du roi, la Révolution est le geste du peuple. L'ancienne France était un royaume de sujets, la nouvelle une nation de citoyens. L'ancienne société était celle du privilège, la Révolution fonde l'égalité. Ainsi se constitue une idéologie de la rupture radicale avec le passé, un formidable dynamisme culturel de l'égalité. Tout désormais, économie, société, politique, plie sous cette poussée de l'idéologie et des militants qui en sont porteurs ; toute ligne, toute institution est provisoire devant ce torrent qui ne cesse d'avancer.

Le terme d'idéologie désigne ici deux choses, qui sont à mes yeux constitutives du tuf même de la conscience révolutionnaire. D'abord, que tous les problèmes individuels, toutes les questions morales ou intellectuelles sont devenues politiques, et qu'il n'y a pas de malheur humain qui ne soit justiciable d'une solution politique. Ensuite que, dans la mesure où tout est connaissable, et tout transformable, l'action est transparente au savoir et à la morale ; les militants révolutionnaires identifient donc leur vie privée à leur vie publique et à la défense de leurs idées : logique formidable qui reconstitue, sous une forme laïcisée, l'investissement psychologique des croyances religieuses. Si la politique est devenue le domaine du vrai et du faux, du bien et du mal, si c'est elle qui trace les lignes de partage entre les bons et les méchants, nous sommes dans un univers historique dont la dynamique est entièrement nouvelle. Comme Marx l'a bien vu, dans ses œuvres de jeunesse, la Révolution incarne *l'illusion de la politique* : elle transforme du subi en conscient. Elle inaugure un monde où tout changement social est imputable à des forces connues, répertoriées, vivantes ; comme la pensée mythique, elle investit l'univers objectif de volontés subjectives, c'est-à-dire, comme on voudra, de responsables ou de boucs émissaires. L'action n'y rencontre plus d'obstacles, ou de limites, mais seulement des adversaires, de préférence des traîtres : on reconnaît à la fréquence de cette représentation l'univers moral qui caractérise l'explosion révolutionnaire.

Libérée du ciment de l'Etat et de la contrainte du pouvoir, qui masquait sa désagrégation, la société se recompose ainsi au niveau de l'idéologie. Ce monde peuplé de volontés, qui ne reconnaît plus que des fidèles ou des adversaires, possède une capacité incomparable d'intégration. Il ouvre ce qu'on appelle depuis lors la « politique », c'est-à-dire un langage à la fois commun et contradictoire de débats et d'actions autour des enjeux du pouvoir. Non pas, naturellement, que la Révolution française invente la politique comme domaine autonome du savoir : à s'en tenir à l'Europe chrétienne, la théorie de l'action politique comme telle date de Machiavel, et la discussion savante sur l'origine historique de l'institution sociale bat son plein dès le XVIIe siècle. Mais l'exemple de la Révolution anglaise montre qu'au niveau de la mobilisation et de l'action collectives, la référence fondamentale des esprits reste religieuse. Ce que les Français inaugurent à la fin du XVIIIe siècle, ce n'est pas la politique comme champ laïcisé et distinct de la réflexion critique, c'est la politique démocratique comme idéologie nationale. Le secret, le message, le rayonnement de 89 est dans cette invention, qui n'a pas de précédent, et qui aura une si vaste succession. Et si, de tous les traits qui rapprochent, à un siècle de distance, la révolution anglaise et la révolution française, aucun n'a suffi à assurer à la première le rôle de modèle universel que la seconde a joué depuis qu'elle a paru sur la scène de l'histoire, c'est justement qu'il manque à la République de Cromwell, tout enveloppée dans le religieux et figée dans le retour aux origines, ce qui fait du langage de Robespierre la prophétie des temps nouveaux : la politique démocratique devenue l'arbitre du destin des hommes et des peuples.

L'expression « politique démocratique » ne renvoie pas ici à un ensemble de règles ou de procédures destinées à organiser, à partir de la consultation électorale des citoyens, le fonctionnement des pouvoirs publics. Elle désigne un système de croyances qui constitue la légitimité nouvelle née de la Révolution, et selon lequel le « peuple », pour instaurer la liberté et l'égalité qui sont les finalités de l'action collective, doit briser la résistance de ses ennemis. La politique, devenue le moyen suprême de réalisation des valeurs et l'inévitable test des volontés, bonnes et perverses, n'a qu'un acteur public, transparent à ces valeurs, et des ennemis cachés, puisque leur dessein est inavouable. Le « peuple » est défini par ses buts, addition indistincte des volontés bonnes : par ce biais, qui exclut la représentation, la conscience révolutionnaire reconstruit un social imaginaire au nom et à partir des volontés individuelles ; elle résout à sa façon le grand dilemme du XVIIIe siècle, qui consiste à penser le social en partant de l'individuel. Si, de l'individu, tout doit se définir par les finalités de son action politique, il suffit que ces finalités soient simples comme celles de la morale pour que la Révolution fonde à la fois un langage et une société. Ou plutôt, qu'elle fonde une société à travers un langage : ce qu'on appelle une nation. C'est la fête de la Fédération.

Une analyse de ce type présente le double avantage de restituer à la Révolution française sa dimension la plus évidente, qui est de nature politique, et de placer au centre de la réflexion la vraie solution de continuité par quoi elle sépare l'avant et l'après, celle des légitimations et des représentations de l'action historique. L'action des sans-culottes de 93 n'est pas importante parce qu'elle est le fait d'un groupe social « populaire » (d'ailleurs impossible à définir en termes socio-économiques), mais parce qu'elle exprime dans son état chimiquement pur ces représentations révolutionnaires de l'action politique, l'obsession de la trahison et du complot, le refus de la représentation, la volonté punitive, etc. Et rien ne permet ni ne permettra jamais d'expliquer ces représentations à partir d'un état social qui comporte des intérêts contradictoires. Il me semble que la première tâche de l'historiographie révolutionnaire est de redécouvrir l'analyse du politique comme tel. Mais le prix à payer est double : cesser d'une part de considérer la conscience révolutionnaire comme un produit quasi « naturel » de l'oppression et du mécontentement ; parvenir, de l'autre, à conceptualiser cet étrange enfant de la « philosophie », au moins dans l'ordre chronologique.

C'est à ce point que je rencontre l'œuvre d'Augustin Cochin à laquelle un des chapitres de cet ouvrage est consacré[13]. En effet, cette œuvre inachevée, interrompue, comme celle de Tocqueville, par la mort, est pleine aussi d'interrogations en chaîne. Mais je souhaite l'évoquer d'abord par son intuition centrale, comme une manière de reconnaître ce que lui doit l'économie générale de ce livre.

13. Cf. *infra*, p. 257.

III

Qu'est-ce qui intéresse Cochin ? Très exactement ce que Tocqueville n'a pas, ou à peine, traité. Non pas la continuité entre l'Ancien Régime et la Révolution, mais la rupture révolutionnaire. Non pas la comparaison entre deux sociétés, deux types de centralisation administrative, dominés avant, pendant, et après par le même processus égalitaire ; mais la cassure du tissu politique, la vacance du pouvoir, le règne substitutif de la parole démocratique, la domination des sociétés au nom du « peuple ». Bref, conceptualiser Michelet, analyser ce qu'il a senti, interpréter ce qu'il a revécu. Par rapport à ses deux plus grands prédécesseurs, Michelet et Tocqueville, le paradoxe de Cochin est que, comme Tocqueville, il se méfie des exhibitions du cœur et des spasmes d'écriture qui sont le génie même de Michelet ; mais que, comme Michelet, il s'intéresse à la Révolution française comme discontinuité politique et culturelle ; il cherche l'avènement torrentiel de l'idéologie démocratique, dont Tocqueville rend responsable, très en amont, la monarchie administrative. Bref, il porte l'esprit déductif de Tocqueville dans la matière échevelée de Michelet. Il cherche à faire une théorie de l'événement révolutionnaire lui-même à travers le nouveau système d'action que celui-ci dévoile : il s'agit de penser le jacobinisme au lieu de le revivre.

Il faut s'arrêter à cette ambition, car soixante ans après elle est encore toute neuve. La voie ouverte par Cochin n'a pas eu de postérité, même depuis que la science politique a reçu toutes les consécrations universitaires. Le mieux est donc de repartir de la question qu'il a posée, pour en faire le centre d'approximations successives, indépendamment des « thèses » et des éléments de réponse que lui-même a avancés, et qui seront examinés dans la suite de cet ouvrage.

Si on accepte d'y voir la forme classique de la conscience révolutionnaire (parvenue à son maximum d'épanouissement et de domination sociale), le jacobinisme est à la fois une idéologie et un pouvoir : un système de représentations et un système d'action. Ces deux niveaux de manifestation, distincts pour l'analyse, sont étroitement articulés dans la réalité historique, puisque le choix de l'action est consubstantiel à ce type de représentations, et que précisément, depuis la fin du XVIIIᵉ siècle, il est dans la nature de l'idéologie moderne de valoriser l'engagement individuel et la sanction de l'histoire. En effet, la conviction jacobine est fondée sur la réalisation immanente des valeurs dans et par l'action politique ; ce qui implique que ces valeurs soient l'objet d'un conflit entre les personnes, incarnées par elles, repérables, connaissables au même titre que la vérité. Mais l'analogie avec les procédures intellectuelles de la connaissance est trompeuse dans la mesure où il existe une espèce d'équivalence spontanée, antérieure à tout raisonnement, entre les valeurs de la conscience révolutionnaire, la liberté, l'égalité, la nation qui les incarne, et les individus chargés de réaliser ou de défendre ces valeurs. Et même, c'est cette équivalence qui transforme *ipso facto* ces individus isolés en un être collectif, le peuple, érigé en même temps en légitimité suprême et en acteur imaginaire unique de la Révolution. D'où la nécessité de sa présence constante à l'intérieur de l'action, qui, sans lui, se *dénature*, et retourne à la merci des méchants. D'où la notion centrale de la vigilance populaire, contrepartie du complot aristocratique, affirmation symbolique de la transparence entre l'action, le pouvoir, les valeurs ; cette vigilance exclut, ou discrédite, ou circonscrit dans d'étroites limites l'expédient constitutionnel de la représentation législative, et les nécessités de délégation du pouvoir exécutif. Mais du coup, elle pose à chaque instant, et notamment à chaque tournant de la Révolution, le problème insoluble des *formes* sous lesquelles elle s'exerce : qui parle en son nom ? Quel groupe, quelle assemblée, quelle réunion, quel consensus est dépositaire de la parole du peuple ? C'est autour de cette question meurtrière que s'ordonnent les modalités de l'action et la distribution du pouvoir.

Il reste que c'est la situation révolutionnaire qui imbrique étroitement les deux niveaux de la conscience jacobine, en transformant le système de représentations en système d'action. Plus exactement, c'est l'envahissement de la sphère du pouvoir, devenue vacante, par ce type d'idéologie, qui crée la situation révolutionnaire, et la dynamique politique nouvelle. Mais le système de représentations disponible et mobilisable par l'événement pré-existe à cette situation ; il a été élaboré antérieurement, comme une sorte de contrepoint sociologique à la philosophie des lumières. Il a des origines, c'est-à-dire des matériaux et des porteurs, sans que ces origines aient impliqué d'avance la mise à feu des matériaux et le projet révolutionnaire des porteurs.

L'inventaire des matériaux conduirait à un examen de la philosophie politique du XVIIIᵉ siècle, qui dépasse le propos de cet essai. Ce qu'on peut dire d'une manière générale, pour indiquer simplement une ligne de recherche, c'est que la pensée classique naît au moment où elle prend comme centre conceptuel le problème de l'individu. Que le concept paraisse au niveau de l'économique, pour abstraire les agents de la production et de la consommation des biens, ou qu'il permette de penser au niveau politique la séparation opérée par l'absolutisme entre l'Etat, possesseur du monopole de la violence sur les individus, et la société, définie comme une agrégation d'individus « privés », il reçoit sa forme la plus générale dans l'idée d'*égalité* naturelle des hommes, qui ne signifie pas que tous les hommes naissent égaux en force ou en intelligence, mais qu'aucun n'a le droit de se soumettre les autres, puisque chacun possède assez de raison pour n'obéir qu'à lui-même. De même que cette égalité naturelle est une liberté, l'individu n'est pas seulement un concept, mais une valeur. C'est à partir de cette donnée fondamentale que se pose la question centrale de la philosophie politique, au XVIIIe siècle : comment penser le social à partir de cette conceptualisation-valorisation de l'individuel ?

La pensée française ignore pour l'essentiel le recours à l'harmonie finale des intérêts et à l'utilité commune des conflits particuliers ; même quand elle est portée à l'économie, et à une économie libérale, comme dans le cas physiocratique, elle a besoin d'incarner le social dans une image unifiée, qui est l'autorité rationnelle du despotisme légal. C'est qu'elle ne cesse de tourner autour d'une vision politique du social, et de poser le problème des origines, et de la légitimité du pacte social. Si c'est le consentement des individus, et lui seul, qui fonde le pouvoir et la loi, qu'est-ce qu'une société ? Comment peut-on penser à la fois l'individu libre et l'aliénation de sa liberté dans l'Etat ?

De cette question, c'est Rousseau qui fournit la formulation théorique la plus rigoureuse ; et c'est lui qui en apporte la solution spéculative, au niveau du droit, par la volonté générale. Il n'y a pas de hasard à ce que le philosophe qui a senti et théorisé avec le plus de sensibilité et de force l'autonomie du moi soit aussi celui qui a conçu cette figure abstraite d'un social totalement unifié. Car la volonté générale ne peut être pensée que par rapport à une atomisation préalable du corps social en individus « autarciques » qui ne communiquent entre eux qu'à travers elle, et comme transparence absolue avec chaque volonté individuelle : de façon qu'en lui obéissant, chaque individu n'obéisse qu'à lui-même. C'est pourquoi il ne peut exister, théoriquement au moins, de structure intermédiaire, et par exemple de représentation des citoyens, entre la volonté générale et les volontés individuelles dont elle est faite : une disposition de ce genre constituerait un écran d'intérêts particuliers qui casserait l'équivalence entre la liberté de l'individu et la subordination à la loi. La souveraineté de chaque citoyen est inaliénable, sinon précisément à travers l'acte, constitutif du social, c'est-à-dire d'une nation, par lequel chacun d'entre eux ne cesse d'instituer la volonté générale : « La souveraineté, n'étant que l'exercice de la volonté générale, ne peut jamais s'aliéner[14] » ; elle réside à la fois, puisque c'est la même, dans chaque individu et dans ce qui est, par son intermédiaire, un peuple libre.

L'avantage de Rousseau, c'est sa rigueur. A partir de l'égalité des hommes, c'est-à-dire des droits des individus, il n'y a à ses yeux que deux solutions possibles au contrat social, comme il l'explique dans sa fameuse lettre à Mirabeau père (le 26 juillet 1767) : ou bien l'état de *droit*, c'est-à-dire l'homme libre obéissant à la loi, et

14. *Contrat social*, II, chap. I.

c'est le jeu de miroir incessant entre volontés individuelles et volonté générale. Faute de quoi le mieux est encore l'état de fait, qui met l'homme au-dessus de la loi, grâce à l'aliénation de la souveraineté des citoyens entre les mains d'un despote absolu, qui garantit au moins la paix sociale. « Je ne vois point de milieu supportable entre la plus austère démocratie et le hobbisme le plus parfait : car le conflit des hommes et des lois, qui met dans l'Etat une guerre intestine continuelle, est le pire de tous les états politiques[15]. »

Rousseau a probablement eu le génie le plus anticipateur qui ait paru dans l'histoire intellectuelle, tant il a inventé, ou deviné, de ce qui obsédera le XIXᵉ et le XXᵉ siècle. Sa pensée politique constitue bien par avance le cadre conceptuel de ce que seront le jacobinisme et le langage révolutionnaire, à la fois par ses prémisses philosophiques (la réalisation de l'individuel à travers le politique), et dans la mesure où le caractère radical de la nouvelle conscience de l'action historique rejoint la rigueur d'une analyse théorique sur les conditions nécessaires à l'exercice de la souveraineté par le peuple lui-même. Rousseau n'est en rien « responsable » de la Révolution française, mais il est vrai qu'il a construit sans le savoir les matériaux culturels de la conscience et de la pratique révolutionnaires. L'ironie de l'histoire, c'est que, au moment où elle pensera réaliser les idées de Jean-Jacques, la Révolution démontrera au contraire la vérité du pessimisme rousseauiste, c'est-à-dire la distance infinie entre le droit et le fait, l'impossibilité où se trouve la pratique de la démocratie d'en épouser la théorie. De ce décalage fécond, puisqu'il ne cesse d'être conjuré par la parole, est né le discours le plus bavard du monde contemporain : non plus la théorie, mais

15. *Correspondance générale*, Paris, 1932, tome XVII, p. 157.

l'idéologie de ce que Rousseau appelait « la plus austère démocratie ».

Mais Rousseau n'est pas tout notre XVIIIe siècle, et la plupart des théoriciens politiques, soit qu'ils n'aient pas son génie théorique, soit qu'ils reculent devant le radicalisme démocratique, ne poussent pas jusqu'à ses conclusions extrêmes la logique de l'égalité des hommes — que pourtant ils partagent comme un des credos du siècle. L'échappatoire à cette logique est toute simple, il n'est que de se tourner vers la réalité empirique, c'est l'histoire. Les hommes naissent égaux en droits, mais l'histoire les fait inégaux ; et comme c'est elle, aussi, qui préside aux conditions du pacte social, ce pacte, qui fonde seul la légitimité du pouvoir, se fait entre des acteurs déjà dégénérés de l'égalité originelle. Ainsi Boulainvilliers, ou Montesquieu, par exemple, peuvent-ils d'une part concilier égalité naturelle et inégalité réelle, et de l'autre transformer les inégalités nées de l'histoire en droits individuels et collectifs garantis par le pacte entre le roi et ses sujets.

Dès lors, le contrat social est un contrat historique, mais il remplit les mêmes fonctions que la démonstration théorique de Rousseau : donner non seulement au pouvoir, mais au rapport entre les individus et le collectif abstrait qui les constitue comme peuple, un statut légitime qui ait comme fondement les droits de ces individus. Or, plus clairement que chez Rousseau, ce collectif abstrait a un nom : c'est la nation. Car la nation est précisément le cadre de l'histoire et du contrat social, un ensemble de droits individuels imprescriptibles dont elle seule assure la coagulation et la défense : elle est dépositaire du rapport originel d'où est née la royauté, c'est-à-dire du contrat des origines. L'histoire est une réminiscence collective, les retrouvailles des Français avec les droits de la nation, c'est-à-dire avec les leurs.

C'est pourquoi l'histoire de France de Boulainvilliers ou celle de Mably, si pleines d'usurpations récurrentes, de périodes ou d'actions néfastes à ces retrouvailles, se teintent pourtant d'un optimisme final : il n'est que de retrouver Charlemagne et les « champs de mai[16] ».

L'histoire nationale élabore ainsi, en même temps qu'une théorie constitutionnelle du pouvoir royal, et inséparable d'elle, une définition de la citoyenneté, c'est-à-dire d'individus dotés de droits imprescriptibles (mais pas forcément égaux) en face de ce pouvoir. La nation est l'ensemble homogène et unanime de citoyens qui ont récupéré leurs droits. Ainsi, le social est pensé à travers le national : la multitude d'individus et d'intérêts particuliers qui le compose est immédiatement conjurée, réagrégée par l'existence d'un contrat historique originaire. Il n'y a pas de social qui ne soit défini par ce contrat et cette origine.

Or, penser le social et le national ensemble, ce n'est plus, comme dans Rousseau, ramener le social à son principe ; mais c'est célébrer les noces de la société et de son mythe : autre matériau culturel dont la conscience révolutionnaire fera grand usage, au prix d'une appropriation rapide du bénéfice des origines. Il lui suffira en effet de déplacer à son profit cette représentation fondatrice pour occuper de plein droit la place matricielle du pacte social et national. Redoublement du 14 Juillet, la fête de la Fédération n'a pas besoin d'autres titres à fonder la nation. Ce qui était perçu, avant 89, comme une attente de restauration est devenu le contrat originaire.

Que cette interprétation « nationale » du social soit

---

16. J'utilise ici un article que j'ai écrit en collaboration avec Mona Ozouf, et qui est consacré à une comparaison entre l'histoire de Boulainvilliers et celle de Mably : *Les Annales*, n° 3, mai-juin 1979.

très répandue en France à la fin de l'Ancien Régime, on peut d'ailleurs le mesurer à la lecture des milliers de brochures prérévolutionnaires[17] où les libertés « germaniques », jadis monopole des nobles, sont devenues le patrimoine mythique de la nation tout entière, en train de livrer le combat décisif de la *restauration*. Plus de la moitié de ces brochures[18] comportent en effet des références à l'histoire de France, et ces références, analysées dans leur contexte, constituent dans la plupart de ces cas une véritable plaidoirie historique pour les droits de la « nation ». La force de cette prise de conscience peut se lire déjà à travers la réfutation de tous les modèles étrangers, quand ceux-ci sont évoqués (c'est-à-dire rarement) : les auteurs de cette littérature n'évoquent les institutions anglaises, suisses ou hollandaises que pour ajouter qu'elles sont inapplicables en France compte tenu des particularités du pays (dimension de la population, étendue du territoire) et de sa tradition. Mais ce qui est plus remarquable encore, dans le même ordre d'idées, c'est que tous ces textes font commencer l'histoire de France avec les Francs ; disparue la thèse « romaniste » de l'abbé Dubos, qui avait pour but, au milieu du siècle, de défendre la primauté de l'autorité royale en l'enveloppant dans l'impérium romano-byzantin ; Boulainvilliers et Mably triomphent, la France est bien née d'un contrat entre les Francs et leur roi[19].

17. L'essentiel du fonds est conservé à la Bibliothèque nationale. Mais quelques centaines de ces brochures appartiennent à la *British Library* et à la Bibliothèque municipale de New York.

18. Je commente ici un corpus de 230 brochures, parues entre février 1787 et mars 1789, qui constituent un échantillon au 1/10e des textes conservés à la Bibliothèque nationale.

19. Si l'on songe que ces thèmes historiques sont déjà présents au XVIe, chez Hotman notamment, pendant la crise nationale que marquent les guerres de Religion, on mesure à quel point ce sont des matériaux culturels de l'Ancien Régime qui dominent encore les

La France a créé les rois autant que les rois ont créé la France. Au centre de la représentation, il y a le couple roi-nation, deux puissances qui ne se définissent pas par un conflit, mais qui sont les deux éléments indispensables à l'autorité publique légitime, liés par une figure de subordination. Le roi, qui dispose d'une élection historique attestée par la filiation, est l'incarnation de l'Etat. La nation est un collectif humain à la fois historique et mythique, dépositaire du contrat social, volonté générale enfouie dans la nuit des temps, promesse de fidélité aux origines. Entre les deux, un lien de nécessité, qui est aussi une contrainte de coopération : le roi est le chef de la nation mais il tire son autorité du consentement de celle-ci, et il ne gouverne légitimement qu'autant qu'il reste soumis aux termes constitutifs du contrat, qu'on appelle aussi la constitution du royaume.

S'il vient par malheur à manquer à cette soumission, c'est que des forces néfastes mais puissantes font obstacle à cette coopération et brisent cette règle de transparence entre lui et son peuple. Car l'histoire de France est une pièce qui est jouée non pas par deux, mais par trois acteurs. Entre le roi et la nation, existent des forces sociales distinctes, qui se définissent néanmoins par rapport au contrat originel : la noblesse en est la figure essentielle, mais les parlements, la robe, le clergé peuvent être aussi ces corps intermédiaires. Or, ou bien ces corps intermédiaires sont partie prenante — comme représentant le peuple — au contrat, et ils sont par là même investis de la légitimité des origines : une minorité des textes de cette période font écho à cette histoire de France *à la Boulainvilliers*, caractérisée par la fonction de représentation des corps traditionnels du royaume,

esprits, dans les années qui précèdent immédiatement la Révolution française.

noblesse en tête ; hors du respect de cette fonction par le roi, il y a violation de la « constitution », et despotisme. Déviation sans cesse menaçante, et patente depuis Richelieu.

Ou bien, au contraire, les corps intermédiaires constituent autant d'écrans entre le roi et la nation ; loin de représenter le peuple, ils en usurpent les fonctions. Dans cette histoire de France *à la Mably*, qui est largement majoritaire, ces forces néfastes qui court-circuitent périodiquement la communication politique légitime roi-nation s'avancent masquées, puisque dévoilées elles seraient brisées, mais il est possible de les nommer abstraitement, par une formule générique qui cache un malheur cyclique à l'œuvre : l'usurpation nobiliaire, qui couvre la période mérovingienne, entre les deux époques bénies de Clovis et de Charlemagne, et qui caractérise encore, de Charlemagne à Philippe Auguste, ce que la plupart de ces textes appellent « l'anarchie féodale ». A partir de Philippe IV le Bel, la montée d'un pouvoir indissolublement royal et populaire fait émerger quelques grandes figures symboliques de rois pères du peuple, Louis XII, et Henri IV. Mais Richelieu, aussi néfaste dans cette histoire que dans le modèle précédent, signe le retour à une tyrannie qui est à la fois « aristocratique » et « ministérielle », et qu'illustreront Louis XIV et Louis XV.

De ces deux versions de l'histoire de France, qui puisent leur inspiration à la même interprétation des origines, et qui sont toutes deux dominées par une vision de l'imminente restauration, la première possède une théorie de la représentation, mais disqualifiée, comme tout le libéralisme aristocratique, par les intérêts de corps qu'elle véhicule et qu'elle traduit. La seconde fabrique au contraire un schéma historico-politique qui préfigure le dilemme de la démocratie révolutionnaire :

la nation souveraine, figure intégratrice des individus souverains, matrice des droits et des valeurs, constitue à la fois le peuple, acteur collectif, unanime, et vigilant d'une histoire régénérée, et le pouvoir, sans cesse menacé par l'usurpation et le complot des ennemis de la nation et du peuple[20]. Ce qui frappe dans cette configuration inséparablement historique et sociologique, c'est à quel point l'image du pouvoir qu'elle véhicule, à travers le couple roi-nation, est une image du pouvoir absolu. Bien que l'ancienne monarchie administrative n'ait jamais été un pouvoir absolu, au sens moderne du mot (et celle de la fin du XVIIIe siècle l'était moins que jamais), tout se passe comme si la représentation qu'elle a eue et donnée elle-même de son pouvoir était devenue une part de la conscience nationale. A travers la nation, comme d'ailleurs à travers la volonté générale, les Français récupèrent sans le savoir l'image mythique d'un pouvoir sans limites, puisqu'il est ce par quoi se définit et se représente l'ensemble du social. La lente poussée de la société civile vers *le* pouvoir s'opère au nom de *ce* pouvoir absolu, puisqu'il est principiel : identique à la

20. L'exemple le plus typique, peut-être, de la vision historico-politique que j'essaie de reconstituer se trouve dans les deux « mémoires » successifs d'Antraigues, le futur agent royaliste, sur les états généraux, mémoires parus fin 1788-début 1789. L'idée centrale d'Antraigues est que des états généraux sont dépositaires de la souveraineté nationale (usurpée d'abord par la tyrannie féodale, ensuite par le despotisme des rois) ; d'où il suit que les représentants élus n'y sont que des mandataires astreints à suivre la volonté des commettants, donc « inhabiles à statuer sur quelque objet que ce puisse être sans leurs ordres, et obligés d'y recourir, si des demandes qui n'auraient pas été prévues exigeaient une nouvelle décision » (premier mémoire). Tout le second mémoire est dominé par le problème de la représentation : Antraigues s'appuie sur le *Contrat social*, et sur les aménagements qu'apporte à l'exercice de la volonté générale l'ouvrage sur la Constitution de Pologne, pour recommander l'idée du mandat impératif.

nation, au peuple, et possédant son antiprincipe, le complot.

Mais si la pensée politique française a bien élaboré un certain nombre de traits culturels spécifiques, destinés à être utilisés ou retravaillés par l'idéologie révolutionnaire, il reste à comprendre pourquoi ces traits, qui excluent par exemple, ou au moins rendent difficilement praticable en droit, l'idée anglaise de la représentation, se sont développés si vite dans les dernières années de l'Ancien Régime, et quels en ont été les porteurs.

La société française du XVIIIᵉ siècle est à la recherche désespérée de mandataires. En effet, elle est trop « développée », comme on dirait aujourd'hui, pour être maintenue, comme au siècle précédent, dans le silence et l'obéissance à l'Etat. Mais dans sa recherche d'une représentation politique, elle se heurte à l'héritage louis-quatorzième, qui a systématiquement fermé les canaux traditionnels de communication entre société et Etat (états généraux, remontrances des parlements, municipalités et corps de ville, etc.) tout en maintenant et même en consolidant les structures de la société des ordres. Elle s'est trouvée naturellement portée, à la mort de Louis XIV, vers la réanimation des circuits traditionnels, et notamment du rôle des parlements. Mais comme ces mêmes parlements multiplient, tout au long du siècle, les preuves de leur conservatisme, comme ils condamnent l'*Encyclopédie*, et l'*Emile* et le malheureux Calas, ils ne constituent pas, pour une société « éclairée », les meilleurs des mandataires. Ils n'arrivent à faire illusion sur leur caractère représentatif que lorsque l'Etat monarchique, après ou avant leur avoir cédé, les combat ; mais cette illusion dure peu.

C'est pourquoi la société du XVIIIᵉ siècle s'est progressivement constitué d'autres porte-parole : les philosophes et les hommes de lettres. Personne ne l'a mieux compris, et dit, que Tocqueville, dans le premier chapitre du livre III de *L'Ancien Régime*. A ses yeux la monarchie, en brisant les anciennes « libertés », en détruisant la fonction politique de la noblesse, sans permettre pour autant la formation sur d'autres bases d'une classe dirigeante, a sans le vouloir constitué les écrivains en substituts imaginaires de cette classe dirigeante. La littérature assume dès lors la fonction politique : « Si l'on songe que cette même nation française, si étrangère à ses propres affaires et si dépourvue d'expérience, si gênée par ses institutions et si impuissante à les amender, était en même temps alors, de toutes les nations de la terre, la plus lettrée et la plus amoureuse du bel esprit, on comprendra sans peine comment les écrivains y devinrent une puissance politique et finirent par y être la première. »

Mais la confusion des rôles, l'installation des hommes de lettres dans une fonction dont ils n'exercent que la partie imaginaire, c'est-à-dire le magistère d'opinion, à l'exclusion de toute pratique du pouvoir, a son retentissement sur la culture politique elle-même. Les hommes de lettres tendent à substituer le droit au fait, les principes à l'équilibre des intérêts et à l'appréciation des moyens, les valeurs et les fins au pouvoir et à l'action. C'est ainsi que, privés de libertés vraies, les Français vont à la liberté abstraite ; incapables d'expérience collective, sans moyens d'éprouver les limites de l'action, ils s'orientent sans le savoir vers *l'illusion de la politique*. Faute d'un débat sur la gestion, des hommes et des choses, la France est passée à la discussion des fins et des valeurs comme du seul contenu, et du seul fondement de l'activité publique.

Cette brillante analyse de Tocqueville, qui explique tant de choses du rôle que jouent les intellectuels dans le débat politique français, depuis le XVIIIᵉ siècle, ne suffit pourtant pas à rendre compte des conditions sociologiques dans lesquelles se forment les éléments de ce qui sera la conscience révolutionnaire. Il manque à cette intuition générale l'examen des médiations par lesquelles s'exerce sur la société le nouveau pouvoir d'opinion, à côté du pouvoir tout court. Car cette société a produit, et entretient, à côté de l'ancienne, une nouvelle *sociabilité politique*, qui n'attend que l'occasion pour occuper toute la scène : c'est la découverte d'Augustin Cochin.

Une sociabilité politique : j'entends par là un mode organisé de relations entre les citoyens (ou les sujets) et le pouvoir, aussi bien qu'entre les citoyens (ou les sujets) eux-mêmes à propos du pouvoir. La monarchie « absolue » suppose et comporte un type de sociabilité politique, par lequel toute la société est rangée concentriquement et hiérarchiquement autour d'elle, qui est le centre organisateur de la vie sociale. Elle est au sommet d'un ensemble hiérarchique de corps et de communautés dont elle garantit les droits et par l'intermédiaire desquels circule de haut en bas l'autorité, et de bas en haut l'obéissance (mâtinée de doléances, de représentations et de négociations). Or, les circuits de cette sociabilité politique sont de plus en plus vidés, au XVIIIᵉ siècle, de leur signification traditionnelle et de leur contenu symbolique ; la monarchie administrative a mis les rangs et les corps à l'encan, en les asservissant au fisc. Elle s'accroche, à la fin de son existence, à une image de la société qu'elle n'a cessé de détruire, et rien, de cette société théorique, ne lui permet plus de communiquer avec la société réelle : tout, à commencer par la Cour, y est devenu écran.

Or, la société réelle a reconstruit autrement, ailleurs, en dehors de la monarchie, un monde de la sociabilité politique. Monde nouveau, structuré à partir de l'individu, et non plus de ses groupes institutionnels, monde fondé sur cette chose confuse qui s'appelle l'*opinion* et qui se produit dans les cafés, dans les salons, dans les loges et dans les « sociétés ». On peut l'appeler sociabilité démocratique, même s'il n'étend pas son réseau au peuple tout entier, pour exprimer l'idée que les lignes de communication s'en forment « en bas » et horizontalement, au niveau d'une société désagrégée où un homme égale un autre homme, entre les individus de cette société. L'« opinion » est précisément cette manière obscure de dire que quelque chose s'est recomposé sur le silence qui enveloppe la pyramide des interlocuteurs traditionnels du roi de France, et à partir de principes nouveaux, mais qui ne sont clairs pour personne.

C'est que cette sociabilité démocratique, si elle a commencé à réunifier un corps social qui tombe en morceaux — jouant au niveau pratique le rôle intégrateur assumé au niveau intellectuel par les idéologies de la « nation » —, présente, comme l'autre, une opacité très grande. Les nouveaux centres autour desquels elle s'organise, les sociétés de pensée, les loges franc-maçonnes par exemple, sont par définition en dehors des institutions de l'ancienne monarchie. Ils ne peuvent constituer des « corps » de la pyramide traditionnelle, puisqu'ils sont d'un ordre non seulement différent, mais incompatible, fabriqués à partir d'éléments d'une autre nature : car ils ne sont plus préexistants à la société, noyaux insécables et constituants de l'organisation hiérarchique. Ils sont au contraire des produits de la société, mais d'une société émancipée du pouvoir, et qui refabrique elle-même du tissu social et politique à partir de l'individuel. Principe inavouable, et d'ailleurs longtemps pourchassé par les rois de France, ce qui explique le caractère très longtemps suspect et souvent secret, ou demi-secret, de ces centres nouveaux de la sociabilité démocratique.

Ainsi, ce circuit de sociabilité n'a aucune communication avec l'autre : il est sans rapport avec le réseau de relations tissé par le pouvoir. Il fabrique de l'opinion, non de l'action — ou encore une opinion qui n'a pas de prise sur l'action. Il est ainsi amené à se constituer une image substitutive du pouvoir, mais cette image est calquée sur celle du pouvoir « absolu » des rois, inversée simplement au profit du peuple. Il suffit que la société de pensée ou le club dise parler au nom de la nation, ou du peuple, pour transformer les opinions en « opinion » tout court, et l'opinion en pouvoir absolu imaginaire puisque cette alchimie exclut à la fois la légitimité du désaccord et celle de la représentation. Ces deux images symétriques et inverses d'un pouvoir sans partage rassemblent les éléments nécessaires aux représentations et aux imputations réciproques de *complot* : il y a, pour l'« opinion » éclairée, le complot des ministres, ou celui du despotisme ministériel ; pour l'administration monarchique, le complot des farines ou celui des gens de lettres.

C'est précisément par là que la monarchie française de la fin du XVIIIe siècle est *absolue*, et non pas, comme l'a dit et redit l'historiographie républicaine sur le témoignage de la Révolution, par l'exercice de son autorité. Ce pouvoir est un pouvoir faible, mais il se pense comme sans partage : or, cette représentation intacte, survivant à l'érosion de ce qu'elle affirme, est tout juste la condition nécessaire et suffisante de l'occultation du circuit politique. Plus la société a conquis ou reconquis de pouvoir sur la monarchie, plus elle est contrainte, parce qu'elle se heurte à la représentation de l'absolutisme, de recomposer ce pouvoir dans une extériorité radicale par rapport à celui-ci, et pourtant sur son image. Les deux circuits sont incompatibles par ce qu'ils ont d'identique. S'ils ne comportent aucune possibilité de communication de l'un vers l'autre, c'est qu'ils partagent la même idée du pouvoir. La Révolution française n'est pas pensable en dehors de cette idée, ou de ce fantasme, qui est un legs de l'ancienne monarchie ; mais elle consiste à l'enraciner dans le social, au lieu d'y voir une volonté de Dieu. C'est dans cette tentative de refaire un pouvoir sans partage avec une société sans contradictions que se constituera la conscience révolutionnaire, comme un imaginaire du politique, et très exactement comme un retournement de l'imaginaire d'« Ancien Régime ».

A cet égard, il est clair que l'idée de la monarchie absolue bloque depuis la mort de Louis XIV tous les efforts de réaménagement du système politique, et notamment l'établissement d'un régime représentatif : les parlements, parce qu'ils sont partie intégrante de la structure ancienne, usurpent la fonction de représentation plus qu'ils ne l'exercent. Sans le vouloir, et en prétendant finalement, eux aussi, figurer « la nation », comme dans le célèbre épisode de 1769-1771[21], ils s'alignent sur le système d'équivalences imaginaires qui se constitue, à la même époque, comme le tissu démocratique des sociétés de pensée. Rien ne montre mieux l'identité contradictoire et par conséquent l'étanchéité des deux représentations politiques en présence que

21. Je fais allusion à la série des remontrances de la Cour des aides, dont beaucoup sont rédigées de la main même de Malesherbes, alors premier président, dans ces années de conflit aigu avec Louis XV. Le texte le plus explicite à cet égard est celui du 18 février 1771, qui proteste, après l'exil des parlementaires les plus actifs et la confiscation de leurs charges, contre le « système destructeur qui menace la nation entière », et l'arbitraire royal qui « enlève à la nation les droits les plus essentiels d'un peuple libre ».

cette oligarchie de privilégiés qui se met à parler le langage de la « nation » et du « peuple », et qui ne sort de la monarchie absolue que par la démocratie pure.

Il faut pourtant résister à la tentation de reconstituer tout notre XVIIIe siècle, ou même sa deuxième moitié, à la lumière de 89 ou de 93. Si les *matériaux* de ce qui sera la conscience révolutionnaire existent dans la France des années 1770 ou 1780, il n'en faut pas conclure que la « cristallisation » s'est faite, ou encore qu'elle était fatale. Les deux types de sociabilité politique que j'ai essayé d'analyser coexistent encore pacifiquement au début de 89, quand les Français sont appelés par Louis XVI à rédiger leurs cahiers de doléances et à envoyer leurs députés à Versailles. Ce serait trop dire qu'elles se fondent harmonieusement. Le roi les a maladroitement juxtaposées dans son texte de convocation, mêlant la vieille struture des « doléances » censément rédigées, de bas en haut, par des assemblées unanimes, et une procédure électorale de type moderne et démocratique, au moins à l'intérieur du Tiers Etat [22]. Mais si les incohérences du « Règlement » de janvier 1789, l'absence d'un débat public et d'un affrontement organisé des opinions permettent la manipulation des assemblées, elles n'empêchent pas que sortent de cet immense travail de rédaction des textes où l'unanimité est beaucoup plus fréquente que le désaccord, même entre les ordres, et où rien n'annonce un déchirement brutal du tissu social et politique. Le personnel de la Révolution sort des élections de 1789, mais le langage de la Révolution n'est pas encore dans les Cahiers.

Car les Cahiers ne parlent pas la langue de la démocratie, mais celle des légistes de l'Ancien Régime. Ce

22. J. Cadart, *Le Régime électoral des Etats généraux de 1789 et ses origines, 1302-1614*, Paris, 1952.

n'est pas parce qu'ils sont plus « modérés » que les textes révolutionnaires qui vont les suivre, ou qui, déjà, les accompagnent ici ou là ; c'est parce qu'ils expriment tout à fait autre chose que la Révolution, et qui est le testament réformateur de l'ancienne monarchie, écrit dans sa langue. De ces milliers de textes, et surtout, en ce qui concerne le Tiers Etat, des synthèses qui en sont faites au niveau des bailliages, le fond est en effet emprunté aux pratiques et au vocabulaire des officiers du roi : c'est ce qui leur donne ce ton homogène, alors qu'ils sont rédigés par communautés, par corps, ou par ordres. A travers la voix des robins, le vieux circuit de la sociabilité politique a délivré son dernier message : la nation, le roi, la loi.

La première hypothèse qui vienne à l'esprit, pourtant, au sujet des Cahiers, est exactement inverse. L'historien a spontanément tendance à attendre de ces textes, rédigés en mars ou en avril, la prémonition de ce qui va arriver, et à lire à travers eux l'annonce des événements de juin et de juillet. Tendance d'autant plus « naturelle » que ces milliers de documents sont rédigés et répartis selon les divisions de l'ancienne société, et offrent par conséquent l'observatoire idéal pour repérer l'antagonisme central Tiers Etat-noblesse, appelé à tant d'avenir. Or, si on compare terme à terme les Cahiers de bailliage du Tiers Etat, et ceux de la noblesse, rien de tel n'est observable, et les deux groupes de textes sont beaucoup plus analysables par ce qu'ils ont en commun, que par ce qu'ils ont de contradictoire, ou même, simplement, de différent.

Les Cahiers nobles sont dans l'ensemble un peu plus « éclairés » que ceux du Tiers. Je veux dire qu'ils font une part plus large au vocabulaire des Lumières, et qu'ils insistent davantage sur des revendications comme les libertés individuelles ou les droits de l'homme. Les

Cahiers de bailliage du Tiers ont à prendre plus ou moins en charge la litanie des revendications rurales, bien qu'ils puisent l'essentiel de leur inspiration et de leurs matériaux dans des textes urbains, et surtout, ce qui n'est pas un hasard, dans celui des « habitants libres », c'est-à-dire indépendants des corporations de métiers. Ils sont plus circonstanciés dans l'énumération des réformes nécessaires, ils sont plus nombreux, aussi, à réclamer le vote par tête, et qui s'en étonnerait[23] ?

Mais ces différences n'introduisent pas d'antagonisme entre les divers ordres du royaume : la dernière consultation de la monarchie, bien qu'elle soit organisée sur des principes largement nouveaux, conserve la force de canaliser l'opinion dans les voies traditionnelles. Ce qui ne veut pas dire seulement que, contrairement à ce qu'a écrit Tocqueville[24], on ne trouve presque rien dans les

---

23. J'utilise ici, en plus de recherches personnelles, l'ouvrage inédit d'un historien américain, S. Weitman, *Bureaucracy, democracy and the French Revolution* (thèse Ph. D., Washington University, Saint Louis 1968), qui comporte une comparaison systématique et chiffrée entre les revendications des Cahiers nobles et ceux du Tiers Etat au niveau du bailliage.

24. Cf. *L'Ancien Régime*, livre II, 1re partie, p. 197 : « Je lis attentivement les Cahiers... Je vois qu'ici on demande le changement d'une loi, là d'un usage, et j'en tiens note. Je continue ainsi jusqu'au bout cet immense travail, et quand je viens à réunir ensemble tous ces vœux particuliers, je m'aperçois avec une sorte de terreur que ce qu'on réclame est l'abolition simultanée et systématique de toutes les lois et tous les usages ayant cours dans le pays ; si je vois sur-le-champ qu'il va s'agir d'une des plus vastes et des plus dangereuses révolutions qui aient jamais paru dans le monde... »

Cette analyse, ou plutôt cette « impression » de Tocqueville me paraît excessive, et caractéristique d'une sorte d'illusion téléologique qui guette tout historien de la Révolution française : puisque la Révolution a eu lieu, il faut bien que tout l'annonce... En réalité, d'une étude minutieuse à laquelle je me suis livré, portant sur des milliers de Cahiers, dans le cadre d'une enquête du Centre de Recherches histo-

Cahiers qui préfigure ce que sera l'idéologie révolutionnaire ou qui annonce ce que va être la Révolution, aucune trace notamment de cette bataille autour du monopole symbolique de la volonté du peuple, qui sera le cœur des grands événements à venir. Ce qui est plus important encore, c'est que l'ensemble de ces textes, monuments de l'esprit robin[25], reste enveloppé dans une référence commune à la tradition. Les mêmes hommes qui ont fait la monarchie française depuis des siècles entendent la réformer, mais conformément à ses vrais principes. De toutes les revendications des Cahiers qui concernent le pouvoir (et qui sont très homogènes), la plus unanime est sûrement celle du contrôle des impôts par des états généraux périodiques, qui touche aux plus vieilles représentations de la monarchie : le pouvoir fiscal, pouvoir régalien par excellence, au point qu'il définit l'Etat plus encore que la justice, mais pouvoir qui doit s'exercer dans de justes limites, négociées avec les états généraux, qui délivrent le consentement des sujets du roi. De ces états, généraux ou provinciaux, bien des Cahiers demandent l'élargissement des compétences, au détriment des intendants, et au nom d'une constitution qu'il s'agit moins d'instaurer que de rétablir, ou encore

riques de l'Ecole des Hautes Etudes en sciences sociales, il ressort que la majorité des doléances que véhiculent ces Cahiers, même au niveau des bailliages, concerne la réforme de l'impôt et de la justice ; et que les revendications de pouvoir proprement dites débordent rarement les schémas « constitutionnels » (au double sens archaïque et moderne du mot) qui ont été analysés ci-dessus.

L'historien américain G. Taylor arrive par une autre voie à la même conclusion, et souligne le caractère modéré des Cahiers de doléances. Cf. G. Taylor, « Les Cahiers de 1789 sont-ils révolutionnaires ? » in *Annales E.S.C.*, nov.-déc. 1973, nº 6.

25. A. Dupront, « Cahiers de doléances et mentalités collectives », in *Actes du 89e Congrès national des Sociétés savantes*, tome I, Paris, 1964.

de « fixer ». Mais sauf exception[26], ils restent à l'intérieur de la légitimité politique traditionnelle : la meilleure preuve en est la fréquence du thème du bon roi et des mauvais ministres, typique de la représentation « absolue » de la monarchie.

Il est vrai que tous les Cahiers un peu « savants », notamment au niveau du bailliage, parlent de « la nation », pour revendiquer la restitution ou la fixation de ses droits. Mais ce faisant, ils ne récusent aucunement la représentation des citoyens. Ils la fondent, au contraire, sur la vieille idée d'un collectif de droits originaires, antérieur à la monarchie elle-même ; ils adaptent les matériaux de l'historiographie « germaniste » ou de l'égalité « naturelle » à une théorie moderne des pouvoirs, dans le même gouvernement par lequel ils transforment la structure des états généraux en système représentatif. Cette alchimie, que traduit l'ambiguïté du mot « constitution », ne contient pas encore ce que sera la volonté du peuple et la démocratie directe pour les clubs révolutionnaires. Elle fonde des pouvoirs délégués, elle n'instaure pas le règne symbolique d'une volonté populaire substituée à la société.

Les Cahiers s'inscrivent donc massivement à l'intérieur de la vieille structure du pouvoir : le roi de France consulte son peuple, et toutes les communautés qui le composent, et même qui le constituent comme tel, lui répondent. Seulement, cette consultation enveloppe une élection qui, elle, n'est pas conforme au scénario traditionnel ; car au lieu d'être une simple désignation, comme en 1614, des délégués « naturels » des commu-

26. Par exemple, ce cahier des négociants de Rouen, qui dit : « Il n'est pas nécessaire de fouiller dans l'obscurité des temps pour fixer les droits de la nation ; le peuple assemblé est tout ; en lui seul réside le souverain pouvoir... »

nautés, par exemple les échevinages des villes, elle donne lieu à une compétition politique : signe qu'en plus, ou au-delà de ce qui est dit « unanimement » dans les Cahiers, il existe un pouvoir à prendre, et des gens qui se battent pour le prendre. Or, c'est précisément à ce niveau, et dans cette bataille, qu'apparaît l'idéologie révolutionnaire, dont la fonction est de trier les hommes, faute que l'élaboration des doléances y ait pourvu.

Deux conditions me paraissent donc indispensables à sa naissance : l'existence d'abord d'un pouvoir disponible, abandonné par les autorités traditionnelles, et qu'elle puisse investir. C'est ce que nient les Cahiers, prisonniers de ce qu'on pourrait appeler leur situation de communication avec la monarchie, et c'est ce qui donne à ces milliers de textes une voix qui est vraie dans le détail, et menteuse sur le fond. Mais il faut aussi à la Révolution, pour se développer comme idée, la possibilité de confisquer à son profit l'interprétation de la « volonté du peuple ». C'est ce à quoi oblige le scrutin de 89, qui n'a prévu que l'unanimité, tout en organisant un vrai vote. Les futurs députés n'ont pas d'autre choix que de récomposer à leur profit le pouvoir absolu.

C'est pourquoi l'idéologie révolutionnaire naît non pas dans les Cahiers, mais dans les batailles de l'élection elle-même : batailles apparemment marginales, et en réalité centrales, pour l'exclusion des hommes par rapport à la volonté du peuple. Robespierre ne devient Robespierre qu'au moment où il lui faut conquérir sa place de député du Tiers Etat d'Arras : le jeune homme conformiste a inventé le discours de l'égalité. De même, ce qui donne à *Qu'est-ce que le Tiers Etat ?* un retentissement national, et au vicaire général de Chartres un siège dans le Tiers Etat de Paris, c'est que la fameuse brochure est à la fois un discours de l'exclusion et un discours de l'origine. Sieyès théorise le caractère étranger de la noblesse par rapport à la volonté nationale, ostracisant l'ordre tout entier, le constituant en ennemi de la chose publique, en même temps qu'il annonce l'aube de la science sociale et du bonheur des hommes : « Dans la nuit de la barbarie et de la féodalité, les vrais rapports des hommes ont pu être détruits, toutes les nations bouleversées, toute justice corrompue ; mais, au lever de la lumière, il faut que les absurdités gothiques s'enfuient, que les restes de l'antique férocité tombent et s'anéantissent. C'est une chose sûre. Ne ferons-nous que changer de maux, ou l'ordre social, dans toute sa beauté, prendra-t-il la place de l'ancien désordre[27] ? » Il importe peu, dès lors, que Sieyès élabore aussi une théorie de la représentation, puisque ce qui est représentable est précisément ce que les citoyens ont en commun, c'est-à-dire de fonder la nation contre la noblesse. Cette tautologie vertigineuse invente le nouveau monde politique.

J'ai longtemps pensé qu'il pourrait être intellectuellement utile de décaler le commencement de la Révolution française en amont, vers le début de 1787 et la réunion des Notables : ce déplacement chronologique présente en effet le double avantage de dater plus exactement la crise des pouvoirs traditionnels, et d'intégrer ce qu'il est convenu d'appeler la « révolution aristocratique » dans la Révolution tout court. En effet, la monarchie absolue meurt cette année-là, en théorie et en pratique, quand ses intendants doivent partager leurs attributions avec des assemblées élues à l'intérieur desquelles le Tiers Etat a une représentation doublée[28] ;

27. *Qu'est-ce que le Tiers Etat ?*, chap. IV, § 3.
28. Le livre fondamental sur cette question reste celui de P. Renouvin, *Les Assemblées provinciales de 1787*, Paris, 1921.

et dans le vide créé par l'effondrement rapide de son autorité, ce n'est pas seulement l'« aristocratie » qui s'engouffre, ou les parlements, mais toute la société politique. Et la rupture qui s'opère à la fin de 1788 entre les parlements, attachés à la convocation traditionnelle des états, et le reste de cette société politique, qui s'intitule déjà « la nation », est bien, comme l'a vu Cochin, la première scission du camp révolutionnaire, appelé à en connaître tant d'autres.

De fait, Tocqueville date de septembre 1788 l'apparition de ce qu'il appelle le « véritable esprit de la Révolution ». Il y consacre de longs développements, qui n'ont jamais été mis en forme définitive, puisqu'ils ont été publiés avec ses notes de travail (tome 2, livre I, chap. v). Il définit cet « esprit » de façon moins exclusive que moi, à travers diverses manifestations, comme la recherche abstraite de la meilleure constitution possible, table rase étant faite du passé, ou comme la volonté de transformer l'« assiette même de la société » (p. 106). Pourtant, il rejoint la définition que j'essaie de cerner en caractérisant ainsi l'évolution des idées à la fin de 1788 : « Au commencement, on ne parle que de mieux ajuster les rapports des classes ; bientôt on marche, on court, on se précipite vers l'idée de la pure démocratie. Au début, c'est Montesquieu qu'on cite et qu'on commente ; à la fin, on ne parle plus que de Rousseau. Il est devenu et il va rester le précepteur unique de la Révolution dans son premier âge » (p. 106-107).

Je ne suis pas certain que l'évolution des idées soit aussi simple : il faudrait, pour le savoir, pouvoir non seulement lire, mais dater toutes les brochures de ce temps, dont la plupart sont anonymes et sans date. Tocqueville se sert beaucoup du pamphlet de Sieyès, qui lui paraît typique alors qu'il est pour moi, à cette date, prémonitoire, c'est-à-dire exceptionnel. C'est sans doute pour rester fidèle à cette chronologie de la radicalisation des esprits qu'il voit dans les Cahiers de doléances un corpus de textes révolutionnaires. En réalité, je crois que le courant des idées politiques traditionnelles (ou encore ce que j'ai appelé la sociabilité politique ancienne) se survit dans les Cahiers, en même temps que dans un grand nombre de brochures, même postérieures à septembre 1788.

Cependant, cette coupure chronologique de septembre est importante, et l'intuition de Tocqueville, juste dans son fond. La convocation des états généraux, l'appel à Necker, le rappel des parlements, dans l'été 88, constituent une série de capitulations de Louis XVI, qui créent une vacance globale du pouvoir. Ils déclenchent la guerre des classes pour ce même pouvoir, autour des modalités de représentation aux états, ouvrant ainsi un champ sans limites au mouvement des idées et des passions sociales. Et c'est bien dans cette ouverture que s'engouffre l'idéologie de la démocratie pure, même si, jusqu'au printemps 89, celle-ci n'est pas encore entièrement maîtresse du terrain.

En effet, si on définit la Révolution française comme la cristallisation collective d'un certain nombre de traits culturels qui constituent une nouvelle conscience historique, c'est bien le printemps 89 la période clé. Car si le pouvoir est disponible depuis au moins deux ans, le phénomène n'apparaît en pleine clarté qu'à ce moment-là, avec la révolte victorieuse des « Communes » contre les ordres du roi. Jusqu'en mai, l'ancien mode de sociabilité politique, avec le roi de France au centre, et tout en haut du dispositif social, résiste plus ou moins bien, comme on le voit dans les Cahiers : c'est que l'espace qu'il a en fait abandonné n'a pas encore été découvert. Or, tout change, de ce point de vue, avec les événements de mai, juin, juillet. La victoire du Tiers Etat sur le roi, la capitulation des deux premiers ordres, le 14 Juillet, l'immense éveil populaire qui le précède et qui le suit sortent clairement du cadre de l'ancienne légitimité. Les pensées, les paroles sont libérées non pas seulement de la censure et de la police — elles l'étaient, en fait, depuis plusieurs années — mais de ce refoulement intérieur que crée le consentement spontané à des institutions séculaires : le roi n'est plus le roi, la noblesse n'est plus la noblesse, l'Eglise n'est plus l'Eglise. D'ailleurs, l'irruption des masses populaires sur la scène de l'histoire offre à la pédagogie politique un public nouveau et immense, dont l'attente transforme les conditions de la communication sociale. Discours, motions, journaux ne sont plus destinés en priorité à l'attention des gens instruits, mais soumis à l'arbitrage du « peuple ». La Révolution inaugure un théâtre où la parole libérée des interdits cherche et trouve un public défini par son apesanteur. Ce double déplacement des règles du circuit symbolique qui entoure et protège le pouvoir est le fait majeur du printemps 89.

C'est pourquoi, d'une certaine manière, tout « commence » bien là : 1789 ouvre une période de *dérive* de l'histoire, une fois découvert que le théâtre de l'Ancien Régime n'est plus peuplé que par des ombres. La Révolution est cette dénivellation qui s'est creusée entre le langage des Cahiers et celui de *L'Ami du peuple*, que séparent seulement quelques mois[29]. Elle tient moins dans un tableau de causes et de conséquences que dans l'ouverture d'une société à tous ses possibles. Elle invente un type de discours et un type de pratique politiques, sur lesquels, depuis, nous n'avons cessé de vivre.

29. Le premier numéro du journal de Marat est daté du 12 septembre 1789. Son titre définitif apparaît le 16.

IV

A partir du printemps 89, il est donc clair que le pouvoir n'est plus dans ces Conseils et dans ces bureaux du roi de France d'où étaient partis, depuis des siècles, tant de décisions, tant de règlements, tant de lois. Mais du coup, il a perdu tout point d'ancrage ; il n'est plus dans aucune institution : car celles que l'Assemblée s'ingénie à reconstruire, tout conspire à ce qu'elles soient emportées, refaites et détruites à nouveau, comme un château de sable attaqué par la marée. Comment le roi de l'Ancien Régime pourrait-il y consentir, alors que tout y trahit la méfiance à son égard, et la volonté de le déposséder ? Comment d'ailleurs une œuvre si récente, un Etat si nouveau, rebâti, ou plutôt repensé, sur un terrain si mouvant, pourraient-ils susciter vite un minimum de consensus ? Personne ne le croit, si tout le monde le dit, puisque chacun parle au nom du peuple. Personne n'en a le pouvoir non plus, même chez ceux qu'on peut appeler « les hommes de 89 », qui sont d'accord sur la société et le type de régime politique qu'ils veulent. Il y a une instabilité essentielle de la politique révolutionnaire, consubstantielle à elle, et par rapport à laquelle les professions de foi périodiques sur la « stabilisation » de la Révolution sont immanquablement des occasions de relance.

Les hommes et les groupes passent leur temps à vouloir « arrêter » la Révolution, mais chacun à son profit, à sa date, et contre le voisin. Mounier et les monarchiens, partisans d'une sorte de whiggisme français, l'ont fait dès août 89. Ensuite, Mirabeau et La Fayette, tout au long de l'année 1790, en même temps, mais chacun pour son compte. Enfin, le triumvirat Lameth-Barnave-Du Port, dernier rallié, après Varennes, à une politique modérée de royalisme constitutionnel. Mais ces ralliements successifs n'ont lieu qu'après une surenchère révolutionnaire destinée à garder le contrôle du mouvement populaire et à discréditer les rivaux ; faute d'atteindre leur premier objectif, ils réussissent si bien dans la réalisation du second que l'arme se retourne contre eux-mêmes et contre tout « modérantisme ». Ainsi, même pendant la période apparemment « institutionnelle » de la Révolution, où la France a une Constitution acceptée très largement, de La Fayette à Robespierre, chaque leader, chaque groupe prend le risque d'élargir la Révolution pour éliminer ses concurrents plutôt que de s'unir à eux pour refaire des institutions nationales. Il y a à ce comportement apparemment suicidaire des raisons circonstancielles, qui expliquent l'aveuglement des volontés : que les constituants de 89 n'aient pas eu pour impératif premier de « fermer » la Révolution, c'est la différence qu'ils présentent avec ceux de 1848 ; mais 1848 ne cesse d'avoir les yeux tournés vers 1789. 1789 n'a pas de précédent. Les hommes politiques de cette époque avaient, selon le terme de Mirabeau, des « avances d'idées » ; mais ils ont dû improviser quant aux modalités de l'action politique.

C'est qu'ils sont pris dans un système d'action inédit qui a des contraintes très strictes. La Révolution se caractérise par une situation où le pouvoir apparaît à tous comme vacant, devenu libre, intellectuellement et pratiquement. Dans l'ancienne société, c'était le contraire : le pouvoir était occupé, de toute éternité, par le roi, il n'était jamais libre, qu'au prix d'une action à la fois hérétique et criminelle, et il était d'ailleurs propriétaire de la société, arbitre de ses fins. Or, le voici non seulement disponible, mais propriété de la société, qui doit l'investir, le soumettre à ses lois. Comme il est aussi le grand coupable de l'Ancien Régime, le lieu de l'arbitraire et du despotisme, la société révolutionnaire conjure la malédiction qui pèse sur lui par une sacralisation inverse de celle de l'Ancien Régime : c'est le peuple qui est le pouvoir. Mais du coup, elle se condamne à ne faire exister cette équation que par de l'opinion. La parole se substitue au pouvoir comme seule garantie que le pouvoir n'appartient qu'au peuple, c'est-à-dire à personne. Et contrairement au pouvoir, qui a la maladie du secret, la parole est publique, donc soumise elle-même au contrôle du peuple.

La sociabilité démocratique, caractéristique d'un des deux systèmes de relations politiques qui ont coexisté au XVIIIe siècle, parce que, comme des parallèles, ils ne se rencontraient pas, a cette fois envahi la sphère du pouvoir. Mais elle ne l'a occupée qu'avec le type de matériau qu'elle sait produire, cette chose ordinairement molle et plastique qu'on appelle de l'opinion, et qui, du coup, se trouve au contraire l'objet d'une méticuleuse attention normative, puisqu'elle est le centre, et l'enjeu, de toute la lutte politique. Devenue pouvoir, l'opinion doit ne faire qu'un avec le peuple ; la parole ne doit plus cacher des intrigues, mais refléter comme un miroir des valeurs. Dans ce délire collectif sur le pouvoir, qui règle désormais les batailles politiques de la Révolution, la représentation est exclue ou perpétuellement surveillée ; le peuple, comme dans Rousseau, ne peut pas, par définition, aliéner ses droits à des intérêts particuliers : il cesserait au même instant d'être libre. Dès lors, la légitimité (et la victoire) appartiennent à ceux qui figurent symboliquement sa volonté et qui parviennent à en monopoliser l'instance. C'est le paradoxe inévitable de la démocratie directe de substituer à la représentation électorale un système d'équivalences abstraites à travers lequel la volonté du peuple ne cesse de coïncider avec le pouvoir, et par quoi l'action est très exactement identique à son principe de légitimité.

Si la Révolution française vit ainsi, dans sa pratique politique, les contradictions théoriques de la démocratie, c'est qu'elle inaugure un monde où les représentations du pouvoir sont le centre de l'action, et où le circuit sémiotique est maître absolu de la politique. Il s'agit de savoir *qui* représente le peuple, ou l'égalité, ou la nation : c'est la capacité à occuper cette position symbolique, et à la conserver, qui définit la victoire. De ce point de vue, l'histoire de la Révolution, entre 1789 et 1794, pendant sa période de développement, peut être considérée comme la rapide dérive d'un compromis avec le principe représentatif vers le triomphe sans partage de cette magistrature d'opinion : évolution logique, puisque dès l'origine la Révolution a constitué le pouvoir avec de l'opinion.

La plupart des histoires de la Révolution ne mesurent pas la portée de cette transformation ; or, aucun des hommes qui dominent successivement la scène révolutionnaire n'exerce un pouvoir comme un autre, ne donne des ordres à une armée de commis, et ne commande une machinerie d'exécution des lois et des règlements. En réalité, le régime qui s'est mis en place entre 1789 et 1791 a pris le plus grand soin d'écarter les membres de l'Assemblée de tout pouvoir exécutif, et même de les protéger contre toute contamination à cet égard : le soupçon d'ambitions ministérielles qui ne cesse de peser sur Mirabeau, et le débat parlementaire sur l'incompatibilité des fonctions de député et de ministre[30] illustrent cet état d'esprit. Celui-ci n'est pas lié seulement à une conjoncture politique, et à la méfiance qu'éprouve l'Assemblée à l'égard de Louis XVI. Il est inscrit dans une idée du pouvoir : la Révolution tient tout pouvoir exécutif pour corrompu et corrupteur par nature, puisque séparé du peuple, et sans contacts avec lui, donc privé de sa légitimité.

Mais cette disqualification idéologique opère simplement dans les faits un *déplacement du pouvoir*. Puisque c'est le peuple qui est seul en droit de gouverner, ou qui doit au moins, faute de pouvoir le faire, réinstituer sans cesse l'autorité publique, le pouvoir est aux mains de ceux qui parlent en son nom. Ce qui veut dire à la fois qu'il est dans la parole, puisque la parole, publique par nature, est l'instrument qui dévoile ce qui voudrait rester caché, donc néfaste ; et qu'il constitue un enjeu constant entre les paroles, seules qualifiées pour se l'approprier, mais rivales dans la conquête de ce lieu évanescent et primordial qu'est la volonté du peuple. La Révolution substitue à la lutte des intérêts pour le pouvoir une compétition des discours pour l'appropriation de la légitimité. Ses leaders font un autre « métier » que celui de l'action ; ils sont des interprètes de l'action. La Révolution française est cet ensemble de pratiques nouvelles qui surinvestit la politique de significations symboliques.

De ce fait, la parole qui occupe toute la scène de l'action ne cesse d'être en proie au soupçon, car elle est par nature ambiguë. Elle vise au pouvoir en même temps qu'elle en dénonce l'inévitable corruption. Elle continue à obéir à la rationalité machiavélienne de la politique

30. Le 7 novembre 1789.

tout en ne s'identifiant qu'au monde des fins : contradicton fondatrice et inséparable de la démocratie elle-même, mais que la Révolution porte à son degré maximum d'intensité, comme une expérience de laboratoire. Il faut lire la *Correspondance secrète* de Mirabeau[31] pour mesurer à quel point la politique révolutionnaire, quand ses acteurs n'en ont pas intériorisé les éléments comme un credo, est par excellence le domaine du *double langage*. Mirabeau, passé au service du roi, n'est pas devenu pour autant un homme qui trahit ses idées ; comme le dit son ami La Marck, destinataire des confidences et intermédiaire auprès du roi, « il ne se fait payer que pour être de son avis ». Il défend dans ses notes secrètes à Louis XVI la même politique qu'à l'Assemblée, dans ses discours publics : celle d'une monarchie populaire et nationale, ralliée à la Révolution, mandataire de la nation contre les corps privilégiés de l'Ancien Régime, et d'autant plus forte de n'avoir plus à régner que sur des individus. Mais cette politique, qui est clairement exposée dans ses notes secrètes, il faut la deviner entre les lignes de ses discours : c'est qu'à l'Assemblée constituante, guetté par ses adversaires, surveillé par les tribunes, s'adressant à l'« opinion », ce lieu qui n'est nulle part, et déjà partout, il doit parler le langage du consensus révolutionnaire, où le pouvoir est dissous dans le peuple[32].

De ce langage, il existe des spécialistes, des experts ; ce sont ceux qui le produisent, et qui se trouvent, par là même, détenteurs de sa légitimité et de son sens, les militants révolutionnaires des sections et des clubs.

31. La Marck, *Correspondance entre le comte de Mirabeau et le comte de La Marck pendant les années 1789, 1790 et 1791*, Paris, 1851, 3 vol.
32. Ce point est développé dans l'introduction que j'ai écrite aux *Discours* choisis de Mirabeau, Paris, 1973.

L'activité révolutionnaire par excellence tient dans la production de la parole maximaliste, par l'intermédiaire d'assemblées unanimes mythiquement investies de la volonté générale. A cet égard, toute l'histoire de la Révolution est marquée par une dichotomie fondamentale. Les députés font des lois au nom du peuple, qu'ils sont censés *représenter* ; mais les hommes des sections et des clubs, eux, *figurent* le peuple, sentinelles vigilantes chargées de traquer et de dénoncer tout écart entre l'action et les valeurs, et de réinstituer, à chaque instant, le corps politique. La période qui va de mai-juin 89 au 9 Thermidor 94 n'est pas caractérisée, du point de vue intérieur, par le conflit entre la Révolution et la Contre-Révolution, mais par la lutte entre les représentants des Assemblées successives et les militants des clubs pour occuper cette position symbolique dominante qu'est la volonté du peuple. Car le conflit entre Révolution et Contre-Révolution s'étend bien au-delà du 9 Thermidor, et sous les mêmes formes que dans la période précédente, alors que ce à quoi la chute de Robespierre met fin, c'est à l'existence d'un système politico-idéologique caractérisé par la dichotomie que j'essaie d'analyser.

L'incompréhension la plus courante de l'historiographie de la Révolution française est de réduire cette dichotomie à une opposition sociale, en accordant d'avance à l'un des pouvoirs rivaux ce qui est précisément l'enjeu indéfini et, à la lettre, insaisissable, du conflit, le privilège d'être la volonté du peuple. Elle consiste à substituer à l'opposition complot aristocratique/volonté du peuple l'opposition bourgeoisie/peuple, en faisant de la période « salut public » l'épisode culminant, et provisoire, au cours duquel la bourgeoisie et le peuple marchent la main dans la main, dans une sorte de Front populaire[33]. Cette rationalisation de la

33. L'expression est de Georges Lefebvre.

dynamique politique de la Révolution française a un inconvénient majeur ; c'est qu'en réifiant la symbolique révolutionnaire, en réduisant le politique au social, elle « normalise » et supprime ce qui est à expliquer : à savoir que la Révolution a installé cette symbolique au centre de l'action politique, et que c'est elle, et non pas les intérêts des classes, qui arbitre provisoirement les conflits de pouvoir.

Il n'est donc pas essentiel d'entrer dans les critiques de ce type d'interprétation et d'en souligner les incohérences par rapport aux données strictement sociales du problème : non seulement parce que cette critique a déjà été faite, notamment par Cobban[34], mais surtout parce que ce type d'interprétation est *à côté du problème posé*. Même s'il était possible de montrer, ce qui n'est pas le cas, que par exemple le conflit entre les Girondins et les Montagnards est enraciné dans les intérêts de classe contradictoires des antagonistes, ou qu'au contraire la période de domination du Comité de salut public est caractérisée par un compromis entre des intérêts « bourgeois » et des intérêts « populaires », il resterait en tout état de cause que cette démonstration raterait son objet. Le « peuple » n'est pas une donnée, ou un concept, qui renvoie à la société empirique. C'est la légitimité de la Révolution, et comme sa définition même : tout pouvoir, toute politique tourne désormais autour de ce principe constituant et pourtant impossible à incarner.

C'est pourquoi l'histoire de la Révolution française, dans son acception courte, ne cesse d'être caractérisée par le déchirement entre les différentes versions de cette légitimité, et la lutte des hommes et des groupes qui ont

34. Les principaux articles d'A. Cobban sont rassemblés dans *Aspects of the French Revolution*, New York, 1970.

pu s'en faire un drapeau. Les Assemblées successives incarnent la légitimité représentative, mais celle-ci est combattue dès l'origine par la démocratie directe, que les « journées » sont censées exprimer, et dont, dans l'intervalle des « journées », des instances multiples, journaux, clubs, assemblées de tous ordres, se disputent l'expression, c'est-à-dire le pouvoir. Le double système s'institutionnalise progressivement autour du club des Jacobins, qui fonctionne, dès 1790, comme l'image symbolique du peuple contrôlant l'Assemblée constituante, et préparant ses décisions. Même s'il garde une structure très diffuse, aussi diffuse, par définition, que la démocratie directe, chaque section, chaque réunion et même chaque citoyen étant en situation de produire la volonté du peuple, c'est bien le jacobinisme qui en a fixé le modèle et le fonctionnement, par la dictature d'opinion d'une société qui s'est approprié la première le discours de la Révolution sur elle-même.

Comment ce phénomène nouveau s'est développé, à travers la production et la manipulation de l'idéologie révolutionnaire, c'est la contribution, à mes yeux capitale, d'Augustin Cochin à l'histoire de la Révolution française. Mais attachée à en montrer le fonctionnement quasi mécanique, à partir de la confiscation du consensus par le discours de la démocratie pure, qui cache un pouvoir oligarchique, cette étude sous-estime la communauté culturelle qui est aussi une des conditions d'existence du système. Je veux dire que si l'exacte concordance entre la démocratie révolutionnaire telle qu'elle est dite et pratiquée par les militants des clubs, et le « peuple », est une représentation à la fois fondamentale et mythique de la Révolution, il reste que s'est établi, à travers elle, un lien particulier entre la politique et une partie des masses populaires : ce « peuple » concret, minoritaire dans la population, mais très nombreux par rapport aux périodes « normales » de l'histoire, qui participe aux réunions révolutionnaires, sort aux grandes « journées », et constitue le support visible du peuple abstrait.

La naissance de la politique démocratique, qui est le seul avènement de ces années-là, est en effet inséparable d'un terrain culturel commun par lequel l'action recoupe des conflits de valeurs. La rencontre n'est pas inédite, puisque les guerres de Religion du XVIe siècle, par exemple, en avaient reçu l'essentiel de leurs troupes. Ce qui est nouveau, dans la version laïcisée de l'idéologie révolutionnaire, qui fonde la politique moderne, c'est que l'action *épuise* le monde des valeurs, donc le sens de l'existence. Non seulement l'homme sait l'histoire qu'il fait, mais il se sauve ou se perd dans et par cette histoire. Cette eschatologie laïque, promise à l'avenir que l'on sait, est l'immense force à l'œuvre dans la Révolution française. On a déjà noté son rôle intégrateur, dans une société à la recherche d'une nouvelle identité collective, ainsi que l'extraordinaire fascination qu'elle exerce par l'idée simple et puissante que la Révolution n'a pas de limitations objectives, mais seulement des adversaires. A partir de là, tout un système d'interprétation naît et s'enrichit des premières victoires de la Révolution, et se constitue en un credo dont l'acceptation ou le rejet sépare les bons et les méchants.

Au centre de ce credo, l'idée d'égalité, bien sûr, vécue comme l'inverse de l'ancienne société, pensée comme la condition et la fin du nouveau pacte social. Mais elle ne fabrique pas directement de l'énergie révolutionnaire ; celle-ci passe par un relais, directement couplé avec elle, puisqu'il est le principe contraire, qui fait naître le conflit et justifie la violence : c'est le complot aristocratique.

On n'en finirait pas de recenser les usages et les acceptions de l'idée de complot dans l'idéologie révolutionnaire : c'est véritablement une notion centrale et polymorphe, par rapport à laquelle s'organise et se pense l'action ; c'est elle qui dynamise l'ensemble de convictions et de croyances caractéristique des hommes de cette époque, et c'est elle aussi qui permet à tout coup l'interprétation-justification de ce qui s'est passé. Dès les premiers événements de la Révolution française, on peut la voir fonctionner dans ces deux sens, et envahir, en les unifiant, tous les niveaux de culture : les paysans de la Grande Peur s'arment contre le complot des brigands, les Parisiens prennent successivement la Bastille et le château de Versailles contre le complot de la Cour, les députés légitiment l'insurrection en invoquant les complots qu'elle a prévenus. L'idée est propre à séduire à la fois une sensibilité morale à fond religieux, habituée à considérer le mal comme produit par des forces cachées, et la conviction démocratique nouvelle, selon laquelle la volonté générale, ou nationale, ne peut rencontrer d'opposition publique des intérêts particuliers. Surtout, elle s'ajuste merveilleusement bien aux configurations de la conscience révolutionnaire. Elle opère cette perversion du schéma causal par laquelle tout fait historique est réductible à une intention et à une volonté subjective ; elle garantit l'énormité du crime, puisqu'il n'est pas avouable, et la fonction sanitaire de son élimination ; elle dispense d'en nommer les auteurs et d'en préciser leurs plans, puisqu'elle est indéterminée dans ses acteurs, qui sont cachés, et dans ses buts, qui sont abstraits. En somme, le complot figure pour la Révolution le seul adversaire qui soit à sa mesure puisqu'il est taillé sur elle. Abstrait, omniprésent, matriciel, comme elle, mais caché, alors qu'elle est publique, pervers, alors qu'elle est bonne, néfaste, alors qu'elle apporte le bonheur social. Son négatif, son envers, son antiprincipe.

Si l'idée de complot est taillée dans la même étoffe que la conscience révolutionnaire, c'est qu'elle est une partie essentielle de ce qui est le fond même de cette conscience : un discours imaginaire sur le pouvoir. Ce discours naît, comme on l'a vu, au moment où l'espace du pouvoir devenu libre est investi par l'idéologie de la démocratie pure, c'est-à-dire le peuple devenu pouvoir ou le pouvoir devenu peuple. Mais la conscience révolutionnaire est une conscience de l'action historique : s'il a fallu l'intervention du peuple pour que cet avènement soit possible, c'est qu'il était empêché, et qu'il reste menacé par un contre-pouvoir quasiment plus puissant que le pouvoir, et qui est celui du complot. Le complot recompose ainsi l'idée d'un pouvoir absolu, abandonné par le pouvoir démocratique. Mais à la suite du transfert de légitimité opéré, qui est le signe même de la Révolution, ce pouvoir absolu est désormais caché, quoique redoutable, alors que l'autre est régnant, quoique fragile. Comme la volonté du peuple, le complot est un délire sur le pouvoir ; ils composent les deux faces de ce qu'on pourrait appeler l'imaginaire démocratique du pouvoir[35].

Ce délire s'avère d'une plasticité presque infinie : il s'adapte à toutes les situations, rationalise toutes les conduites, pénètre tous les publics. Il est d'abord une vision du pouvoir de la part des exclus du pouvoir, une fois cette vision libérée par la vacance du pouvoir : c'est la situation révolutionnaire d'origine, qui coagule

35. Cette analyse doit beaucoup à une discussion qui a eu lieu en 1977 dans le cadre du séminaire de P. Nora, à l'Ecole des Hautes Etudes en sciences sociales, sur l'idée de complot et la Révolution française. M. Gauchet et L. Theis notamment m'ont aidé à en approfondir les termes.

comme un mot d'ordre d'action la dénonciation du « complot aristocratique ». A l'époque où elle n'a encore que des adversaires très faibles, et peu organisés — en 1789-1790 —, la Révolution s'invente de formidables ennemis : à tout credo manichéen il faut sa part de dure malédiction à vaincre. L'adjectif « aristocratique » ajoute à la représentation du complot une définition de contenu, portant non plus sur les méthodes, mais sur la nature de l'adversaire. Définition en réalité bien vague, puisqu'elle englobe très vite non seulement l'aristocratie, mais le pouvoir royal, toute la société ancienne, l'inertie d'un monde en face du changement, la résistance des choses aussi bien que celle des hommes. Mais si le mot est obscur, comme il faut qu'il soit, désignation abstraite et extensible de l'ennemi, puisque celui-ci est caché, c'est qu'il est parfaitement clair au sujet des valeurs qu'il célèbre *a contrario* : l'aristocratie, c'est l'envers de l'égalité, comme le complot est un pouvoir inverse de celui du peuple. C'est l'inégalité, le privilège, la société désintégrée en « corps » séparés et rivaux, l'univers du rang et de la différence. La noblesse, moins comme groupe réel que comme principe social, symbole de cette « différence » dans le monde ancien, paye le prix fort de ce retournement des valeurs. Seule son exclusion expresse de la société peut rendre légitime le nouveau pacte national.

Le « complot aristocratique » constitue ainsi le levier d'une idéologie égalitaire à la fois fondée sur l'exclusion et fortement intégratrice. Là encore, les deux symboliques sont complémentaires : la nation ne se constitue, par l'action des patriotes, que contre ses adversaires, manipulés en secret par les aristocrates. La dérive potentielle de cet enjeu constituant est indéfinie, car l'égalité n'est jamais acquise, puisqu'elle est une valeur plus qu'un état de société ; et ses ennemis, plus que des forces réelles, répertoriées, délimitées, sont des incarnations sans cesse renaissantes des antivaleurs. La charge symbolique du combat révolutionnaire est la donnée la plus immédiate des esprits et des comportements. En ce sens, il est bien vrai qu'il n'existe pas de coupure entre deux révolutions, que figureraient successivement 89 et 92. Entre la réunion des états généraux et la dictature du Comité de salut public, c'est la même dynamique qui est à l'œuvre ; elle est en place dès 89, si elle n'est pas encore régnante, et l'histoire de la Révolution, sous ce rapport, est faite de ces années où elle envahit toute la scène du pouvoir, jusqu'à la chute de Robespierre.

C'est que la lutte contre le complot aristocratique, à l'origine discours de toute la société révolutionnaire sur le pouvoir, est devenue le moyen de conquérir et de conserver le pouvoir réel. Cette représentation centrale de l'action militante, dont Marat est peut-être le héraut le plus systématique, est en même temps le lieu des batailles entre les groupes et les hommes pour le pouvoir. C'est celui ou ceux qui occupent ce lieu qui sont dans la position provisoirement prépondérante ; c'est en fonction de son obstination à dénoncer le complot des aristocrates que le pouvoir peut gouverner légitimement : la surenchère idéologique est la règle du jeu du nouveau système. Du coup, l'obsession du complot est un discours général, tenu des deux côtés du pouvoir. Du côté des exclus du pouvoir, pour le conquérir. Du côté des gens au pouvoir, pour dénoncer au peuple cette menace constante et formidable de cet autre pouvoir moins fragile que le leur. Ainsi, la Révolution n'échappe pas à une version instrumentale du complot aristocratique : au cas où le pouvoir n'appelle à le démasquer que pour renforcer sa propre assise. Ce glissement de l'idéologie à la manipulation est inscrit dans la nature du pouvoir révolutionnaire, constitué et légitimé par de l'opinion sans qu'il existe de règles d'expression de cette opinion. C'est à l'intérieur de cette ambiguïté que Robespierre règne.

De ce phénomène fondamental, que *les lieux du pouvoir se sont déplacés de façon radicale*, il n'a pourtant pas été le seul conscient. Tous les grands leaders de la Révolution l'ont été, car tous lui doivent leur prépondérance provisoire. Tous, Sieyès et Mirabeau, Barnave et Brissot, Danton et Robespierre — pour ne citer que les leaders parlementaires — ont été les figures successives du seul grand acte révolutionnaire qui ait eu valeur de pouvoir : le discours de l'égalité. Ils ont tous rempli, au moment de leur plus grande influence, ce magistère de la communication qui est dès lors non seulement le levier du pouvoir, mais l'essentiel du pouvoir lui-même. Pourtant Robespierre est le seul qui ait systématiquement fait, de ce magistère, une idéologie et une technique du pouvoir. Toujours placé au point stratégique où se croisent la parole des rues et des clubs et celle de l'Assemblée, toujours absent aux grandes journées mais le premier toujours à leur donner un sens, cet alchimiste de l'opinion révolutionnaire transforme les impasses logiques de la démocratie directe en secrets de la domination.

L'historiographie républicaine, avec Mathiez, a fait de ses vertus morales l'explication de son rôle public, en reprenant à son compte, ici comme ailleurs, les sentiments et les passions des jacobins et des sectionnaires[36]. Le débat sur l'honnêteté de Robespierre, par rapport à la corruption de Danton, est un remake universitaire des procès de 1794 : il renvoie Danton à la guillotine et réinstalle l'Incorruptible dans sa légende, qui est la justice du peuple. Mais l'ennui, avec cette existence toute

---

36. Mathiez, *Etudes sur Robespierre*, Paris, (rééd.), 1973.

droite d'une âme tendre, du barreau d'Arras au Comité de salut public, c'est qu'on passe à côté de ce qui l'a constituée ; Robespierre ne nous intrigue pas par la simplicité de sa vie, mais par ce qui lui a donné l'étrange privilège *d'incarner*. Il y a entre la Révolution et lui comme un mystère de connivence qui l'auréole, plus étroitement et plus durablement que tout autre leader. Il a peut-être « glacé » la Révolution en imposant silence aux sections parisiennes, en inspirant les procès du printemps 94 ; mais c'est quand il meurt, en thermidor, que la Révolution meurt avec lui. D'ailleurs, son mythe lui survit comme une figure indépendante de sa vie : Robespierre commence une grande carrière posthume de héros éponyme de la Terreur et du Salut public, que lui font ses anciens amis devenus « thermidoriens ». Lui qui a tant manié la dialectique du peuple et du complot, et qui l'a portée à ses conséquences logiques de sang, le voici à son tour victime de cette dialectique : mécanisme connu, puisque cet effet boomerang a déjà frappé Brissot, Danton, Hébert et tant d'autres, mais qui, pour lui, et lui seul, prend figure d'élection historique durable. Vivant, il a incarné le peuple plus longtemps et avec plus de conviction que tout autre. Mort, ses anciens amis, qui connaissent la musique, l'installent dans le rôle central du complot contre la République, sans comprendre qu'ils vont contribuer, par là, à sa légende.

Car il y a une différence essentielle entre la littérature thermidorienne contre Robespierre, et l'idéologie révolutionnaire de l'an II telle que j'essaie de la décrire. C'est que cette idéologie cesse, non pas d'exister, mais d'arbitrer les luttes pour le pouvoir, avec la mort de Robespierre, comme s'il en avait emporté la magie dans sa tombe. Le complot qu'il est censé avoir animé, avec ses complices Saint-Just et Couthon, contre la liberté et la Révolution, n'est plus cette croyance partagée selon laquelle une menace constante et cachée pèse sur l'indispensable unité du pouvoir et du peuple. C'est une rationalisation du passé par laquelle les ex-terroristes de l'an II pensent et justifient leur propre rôle. L'image d'un Robespierre comploteur démasqué n'alimente plus une dynamique révolutionnaire, mais constitue une réponse à (en même temps qu'un rempart contre) la question centrale d'après Thermidor : comment penser la Terreur ? L'Incorruptible est devenu le bouc émissaire de la guillotine.

Du coup, le thème du complot fonctionne à l'intérieur d'un autre discours. Il n'est plus destiné à établir une communication imaginaire entre le peuple et son gouvernement, mais à justifier le comportement d'une classe dirigeante issue des événements révolutionnaires. Opératoire et cynique, il « couvre » la fameuse politique de balance que pratique le syndicat des thermidoriens, faute de pouvoir respecter sans risques les règles d'un vrai régime représentatif : frappant tantôt à droite, tantôt à gauche, tantôt contre le complot royaliste, tantôt contre le complot jacobin, présentés comme des menaces équivalentes, mais moins contre le peuple que contre sa représentation. Ainsi, en changeant de nature, non seulement il n'atteint pas la légende robespierriste, mais *il la fabrique* ; la preuve, c'est qu'il ouvre la voie à l'idéologie contre-révolutionnaire du complot révolutionnaire, et plus spécialement jacobin : l'abbé Barruel n'aura qu'à mettre ses pas dans ceux des thermidoriens pour proposer une version globale de l'histoire révolutionnaire à travers le complot des philosophes et des francs-maçons[37]. Victime de ce qui n'est plus qu'une rationalisation de ses adversaires, explicitement desti-

<hr>

37. Abbé Barruel, *Mémoires pour servir à l'histoire du jacobinisme*, 1797-1798, 4 vol.

née à servir non pas le peuple, mais ses représentants abusifs, et finalement utilisée pour avilir la Révolution elle-même, l'image de Robespierre est disponible à nouveau, quelques mois après Thermidor, pour les nostalgiques de l'an II et pour une sorte de fidélité posthume à elle-même, au-delà de la vie et de la mort d'un individu périssable[38]. Elle ne nourrit plus le charisme d'un pouvoir populaire, mais l'opposition imaginaire ou réelle à l'usurpation de ce pouvoir par les profiteurs de la Révolution.

C'est pourquoi le 9 Thermidor est une coupure si profonde dans l'histoire révolutionnaire et dans notre histoire tout court, et qu'à cette date, bien souvent, la plume de l'historien jacobin se trouve prise, sans qu'il se l'explique clairement, d'une étrange lassitude. C'est la fin de la Révolution parce que c'est la victoire de la légitimité représentative sur la légitimité révolutionnaire, le contrôle, par le pouvoir, de l'idéologie révolutionnaire du pouvoir, et comme le dit Marx[39], la revanche de la société réelle sur *l'illusion de la politique*. Si la mort de Robespierre a cette signification-là, ce ne peut être parce qu'il était honnête, et les thermidoriens corrompus. C'est parce qu'il était, plus que tout autre, la Révolution au pouvoir.

Il y a dans ce trait un paradoxe inverse de celui qui caractérise Mirabeau : si le député d'Aix-en-Provence a une vie inférieure à son génie, l'avocat d'Arras a un destin que ses talents n'expliquent pas. Dans le temps où il vit entre sa sœur et ses tantes, gâté, dira Charlotte dans ses mémoires, « par une foule de petites attentions dont les

38. Elle sera fondamentale — plus que l'idée « communiste » — dans le complot babouviste.

39. Marx, *La Sainte Famille*, Paris, 1845, Paris, Ed. Sociales, 1959, p. 149-179.

femmes seules sont capables »[40], Mirabeau a connu la révolte, le scandale, l'exil, la prison. Lui n'a rien choisi, que d'épouser un avenir d'Ancien Régime : les femmes de la famille, la situation sur mesure (avec piston de l'évêché), les plaidoyers platement éclairés, l'Académie d'Arras, la poésie pour dames, il n'y a rien dans cette vie, jusqu'à la crise révolutionnaire, que ce qui la rend pareille aux autres. Tout ce qu'il a reçu sans le choisir, le latin du collège, la vie avec Charlotte, le métier familial, le milieu de ce métier, il l'a non seulement accepté, mais cultivé.

Or, c'est probablement cette passion de la conformité qui va en faire l'élu par excellence de l'idéologie révolutionnaire. L'Ancien Régime l'avait défini. La Révolution va parler à travers lui. Il est vain de s'interroger sur sa « psychologie », car la psychologie délimite un champ de réalités tout à fait indépendant de ce qui va constituer son destin. Il avait incarné, avant 1789, les croyances de son époque et de son monde, l'exaltation de la moralité, le culte de la vertu, l'amour de l'humanité et de l'égalité, le respect du Créateur. L'idéologie révolutionnaire, aussitôt qu'elle a paru, l'investit tout entier.

Ce qu'il y a d'exceptionnel, dans son cas, c'est qu'il n'a pas d'autre échange que dans cette langue sacerdotale ; il est étranger à cet usage du double clavier qui est inséparable de ce que nous appelons la « politique », et dont Mirabeau a été, un peu plus tôt, le plus illustre exemple. Alors que Mirabeau, ou encore Danton, autre virtuose de la parole révolutionnaire, sont des artistes dédoublés, des bilingues de l'action, Robespierre est un

40. Les Mémoires de Charlotte Robespierre ont été publiés sous la monarchie de Juillet par Albert Laponneraye. On les trouvera dans le tome II des *Œuvres* de Maximilien Robespierre, éd. Laponneraye, Paris, 1840. On peut consulter à ce sujet : H. Fleischmann, *Charlotte Robespierre et ses Mémoires*, Paris, 1910.

prophète. Il croit tout ce qu'il dit, et exprime tout ce qu'il dit dans le langage de la Révolution ; aucun contemporain n'a intériorisé comme lui le codage idéologique du phénomène révolutionnaire. Ce qui veut dire qu'il n'y a chez lui aucune distance entre la lutte pour le pouvoir, et la lutte pour les intérêts du peuple, qui coïncident par définition. L'historien qui « décode » ses discours, pour en percer les finalités politiques du moment, est souvent admiratif devant ses qualités de manœuvrier parlementaire. Mais cette dissociation n'aurait eu aucun sens pour lui, puisque dans sa prose, qui est toute d'action, la défense de l'égalité, de la vertu ou du peuple, est la même chose que la conquête ou l'exercice du pouvoir.

On sait bien aujourd'hui, depuis les travaux de Guérin et de Soboul[41], à quel point, sous l'angle de la rationalité tactique, le Robespierre victorieux de 1793-1794 est un politique déchiré entre la Convention et les sections, ou, du moins, peut être objectivement décrit comme tel. Il a assis son règne d'opinion sur la défaite du principe représentatif, en bénissant l'exclusion des Girondins de la Convention, au 31 mai-2 juin 1793. Mais son consentement à ce coup de force des sections parisiennes ne s'enveloppe pas dans la même vision du peuple et du pouvoir révolutionnaire. Car ce rousseauiste est infidèle au *Contrat social* sur un point essentiel : il identifie la souveraineté du peuple à celle de la Convention (d'où il tire la sienne propre). De la sorte, il est porteur d'un extraordinaire syncrétisme entre les deux légitimités démocratiques. Idole des Jacobins, il n'a participé pour-

41. D. Guérin, *La Lutte de classes sous la Première République, Bourgeois et « bras nus », 1793-1797*, 2 vol., Paris, 1946, rééd. 1968. A. Soboul, *Les Sans-culottes parisiens en l'an II, histoire politique et sociale des sections de paris, 2 juin 1793-9 Thermidor an II*, La Roche-sur-Yon, 1958.

tant à aucune des intrigues destinées à briser la représentation nationale, ni après Varennes, ni le 20 juin, ni le 10 août 1792. Porté au pouvoir par le coup de force antiparlementaire du 31 mai-2 juin, il reste l'homme de la Convention. Adoré des sectionnaires parisiens, il leur imposera silence. C'est que lui seul a mythiquement réconcilié la démocratie directe et le principe représentatif, en s'installant tout en haut d'une pyramide d'équivalences dont sa parole garantit, jour après jour, le maintien. Il est le peuple dans les sections, le peuple aux Jacobins, le peuple dans la représentation nationale ; et c'est cette transparence entre le peuple et tous les lieux où l'on parle en son nom — à commencer par la Convention — qu'il faut constamment instituer, contrôler, établir, comme la condition de légitimité du pouvoir, mais aussi comme son premier devoir : c'est la fonction de la Terreur.

C'est pourquoi le problème n'est pas qu'il ait eu une âme tendre, un cœur compatissant, ou au contraire le goût passionné de la vengeance. Le rapport de Robespierre avec la Terreur n'est pas d'ordre psychologique. C'est à sa prédication sur les bons et les méchants que s'alimente la guillotine ; c'est le pouvoir formidable que cette prédication lui donne de définir le peuple qui remplit les prisons. Et dans cette mesure, sa propre consécration, la fête de l'Etre suprême, qui a longtemps choqué les historiens républicains plus que la guillotine, remplit pourtant les mêmes fonctions que la Terreur. Le discours sur l'égalité et sur la vertu qui donne un sens à l'action du peuple trouve son fondement dans la mort des coupables ; mais il conjure en même temps cette nécessité lugubre par l'affirmation solennelle d'une caution providentielle.

Au fond, il y a deux manières de ne rien comprendre au personnage historique de Robespierre, c'est de détester l'individu, ou au contraire de vouloir trop en faire. Bien sûr, il est absurde de faire de l'avocat d'Arras un monstre d'usurpation, de cet homme de cabinet un démagogue, de ce modéré un sanguinaire, de ce démocrate un dictateur. Mais qu'explique-t-on de son destin quand on a prouvé qu'il était bien l'Incorruptible ? Le contresens commun aux deux écoles vient de ce qu'on attribue aux traits psychologiques de l'homme le rôle historique où les événements l'ont porté et le langage qu'ils lui ont prêté. Ce qui fait de Robespierre une figure immortelle, ce n'est pas qu'il a régné quelques mois sur la Révolution ; c'est que la Révolution parle à travers lui son discours le plus tragique et le plus pur.

V

A déduire ainsi la Terreur du discours révolutionnaire, on s'expose à l'objection tirée des « circonstances », cette providence de la causalité historique. En
effet, contrainte de plaider tout le dossier face aux procureurs de l'histoire contre-révolutionnaire, et de toute
façon trop humaniste pour accepter sans gêne les répressions sanglantes qui ont marqué la période jacobine,
l'historiographie républicaine a élaboré[42] pour en rendre
compte une théorie des circonstances, qui fait invinci-
blement penser à ce que notre droit appelle les « circonstances atténuantes ». Elle a, dans le détail, montré à quel
point ces répressions ont pris des formes variées : de la
guerre civile ouverte aux assassinats sporadiques, des
massacres spontanément commis par des foules révolutionnaires à la Terreur organisée au niveau gouvernemental. Mais elle a passé ces violences au même compte
de profits et pertes : elle en a trouvé l'explication et
finalement la justification dans les conditions objectives
de la lutte qui s'instaure autour de la Révolution elle-

---

42. Elaboré ou repris ? La doctrine du salut public existe chez les
penseurs absolutistes de l'époque de Richelieu : les « circonstances »
(intérieures ou extérieures) peuvent justifier la suspension provisoire
des lois « naturelles », et des lois fondamentales du royaume.

même. Et comme la Terreur n'atteint ses épisodes mémorables et ses formes « classiques », entre septembre 92 et juillet 94, qu'avec la guerre entre la Révolution et l'Europe, elle trouve une excuse supplémentaire, et même absolutoire, dans la figure de l'intérêt national. Si les « circonstances » ne sont plus simplement l'hostilité et les intrigues de la Cour et des nobles, mais un conflit armé avec l'étranger préparé et voulu par lui ; si dès lors les ennemis de la Révolution ne sont plus des citoyens attachés à l'Ancien Régime par les intérêts ou les préjugés, mais des Français qui trahissent leur patrie en guerre, l'historien peut donner de la Terreur une « explication » qui convient à la fois à la tradition jacobine, puisque c'est exactement ce qu'elle dit, et à la pensée libérale, puisque la survie nationale est en jeu et prime toute autre considération. La doctrine du salut public, élaborée par les révolutionnaires eux-mêmes, permet d'unifier le plaidoyer des historiens républicains sur la Terreur : elle est commune au XIXᵉ siècle et au XXᵉ siècle.

Mais indépendamment des valeurs et des émotions qu'elle véhicule, elle n'est logiquement que la variante la plus générale de la doctrine des « circonstances », dont il faut examiner les implications. Faire d'un événement comme la Révolution française la réponse à un crescendo de périls qui la menacent, une fois qu'elle a paru ; expliquer son développement, et sa radicalisation entre 1789 et 1794 par les intrigues de ses ennemis, c'est tout juste passer à côté du problème posé. C'est d'abord, une fois de plus, reprendre le type d'interprétation qui est contemporain des événements eux-mêmes, donner de la thèse du complot une version désamorcée, qui accuse davantage les choses que les hommes. Mais surtout, c'est définir la Révolution par ce qui lui est extérieur, comme une escalade de réactions populaires aux événements qui la contrarient ou qui l'assiègent. La théorie des « circonstances » déplace ainsi l'initiative historique au profit des forces hostiles à la Révolution : c'est l'inévitable prix d'une disculpation de la Révolution par rapport à la Terreur. Ce qui ne gênerait personne, si l'opération n'occultait complètement — c'est sa fonction — ce qu'il s'agit précisément de comprendre. Toutes les situations d'extrême péril national ne portent pas les peuples à la Terreur révolutionnaire. Et si cette Terreur révolutionnaire, dans la France de la guerre contre les rois, a toujours ce péril comme justification elle-même, elle s'exerce, en fait, indépendamment de la situation militaire : les massacres « sauvages » de septembre 1792 ont lieu après la prise de Longwy, mais la « grande Terreur » gouvernementale et robespierriste du printemps 94 coupe ses têtes alors que la situation militaire est redressée.

Le vrai est que la Terreur fait partie de l'idéologie révolutionnaire, et que celle-ci, constitutive de l'action et de la politique de cette époque, surinvestit le sens des « circonstances » qu'elle contribue largement à faire naître. Il n'y a pas de circonstances révolutionnaires, il y a une Révolution qui se nourrit des circonstances. Le mécanisme d'interprétation, d'action et de pouvoir que j'ai tenté de décrire dans les pages qui précèdent est en place dès 1789 : il n'y a aucune différence de nature entre le Marat de 89 et celui de 93. Il n'y en a pas non plus entre le meurtre de Foulon et Berthier et les massacres de Septembre 1792 ; ou entre le procès avorté de Mirabeau après les journées d'Octobre 1789, et le jugement des dantonistes du printemps 93. Comme l'a noté Georges Lefebvre dans un article de 1932[43], le complot

43. G. Lefebvre, « Foules révolutionnaires ». On trouvera cette communication de G. Lefebvre dans *Etudes sur la Révolution française, op. cit.*

aristocratique est dès 89 le fait fondamental de ce qu'il appelle la « mentalité collective révolutionnaire », et qui me paraît le système de représentation et d'action constitutif du phénomène révolutionnaire lui-même.

Il reste que les « circonstances » forment le terrain sur lequel ce système se développe et occupe la sphère du pouvoir, et qu'elles sont à ce titre le tissu événementiel de l'histoire de la Révolution : ensemble chronologique que le récit développe comme un crescendo jusqu'au 9 Thermidor, parce qu'il existe derrière ce crescendo narratif quelque chose qui n'est jamais clairement conceptualisé, et qui est indépendant des circonstances, existant en dehors d'elles, tout en évoluant avec et à travers elles. Ce quelque chose, que l'historien nomme le plus souvent, d'après ses formes *manifestes*, un pouvoir de plus en plus « populaire », n'existe pourtant pas au niveau du social lui-même ; c'est une *représentation du social* investissant et se subordonnant le champ politique. On peut indéfiniment discuter si et en quel sens, la dictature de salut public est « populaire » ; la manière dont sont prises les décisions est strictement oligarchique ; mais la légitimité qui enveloppe ces décisions, et qui seule leur donne leur force, est celle de la volonté du peuple lui-même.

Toute histoire de la Révolution a donc à prendre en charge non seulement l'impact des « circonstances » sur le déroulement des crises politiques successives, mais aussi, et surtout, la manière dont les « circonstances » sont à la fois prévues, préparées, aménagées, utilisées dans l'imaginaire révolutionnaire et les luttes pour le pouvoir. Définir la « mentalité collective » révolutionnaire, pour elle-même et au seul niveau social, ne constitue que l'introduction à cette étude : car cette « mentalité » n'est si essentielle que parce qu'elle est le levier et le lieu du pouvoir nouveau. Dans cette mesure, les

« circonstances » qui poussent en avant la dynamique révolutionnaire sont celles qui s'inscrivent comme naturellement dans l'attente de la conscience révolutionnaire. A force de les avoir tellement anticipées, celle-ci leur donne immédiatement le sens qui leur est destiné. Le banquet des officiers des gardes du corps et du régiment de Flandre, le 1er octobre 1789, n'est qu'une manifestation maladroite de fidélité à la famille royale ; il devient la preuve du complot, et déclenche les journées du 4 et 5. Mal pensée, mal organisée, la fuite à Varennes tourne à la catastrophe pour Louis XVI ; mais c'est la preuve que Marat a raison depuis toujours, et que le roi de l'Ancien Régime n'a cessé de préparer en secret le bain de sang contre-révolutionnaire. L'importance capitale de l'épisode dans le cours de la Révolution ne vient pas de ses données factuelles, puisque Louis XVI reste, après comme avant, un monarque constitutionnel sans pouvoir, mais de sa charge symbolique : le retour du roi captif, encadré tout au long de sa route par la haie silencieuse de ses anciens sujets, n'est pas seulement un sacre à l'envers, achevant de défaire ce que Reims avait fait. C'est aussi la consécration nationale du complot aristocratique.

De cette fuite manquée du roi de France date aussi un infléchissement de l'idéologie révolutionnaire. Si celle-ci s'est cristallisée très tôt, séparant dès le printemps 89 les « patriotes » des aristocrates, ou encore la « nation » de ce qu'elle exclut, elle n'est pas pour autant belliciste ou chauvine. Les débuts de l'émigration ont attisé la méfiance à l'égard de l'étranger, mais les pays étrangers ne jouent pas de rôle central dans les représentations des patriotes : l'arrestation provisoire de Mesdames, tantes du roi, à Arnay-le-Duc, sur la route de Rome, en février 90, montre qu'il s'agit plus de conserver d'éventuels orages que de les empêcher d'armer d'éventuels adversaires. Mais la collusion bruyante des émigrés et de l'Europe des rois, et surtout l'épisode de Varennes, par ce qu'il révèle de complicité avec l'envahisseur possible, créent une situation qui ne modifie pas les traits de la conscience révolutionnaire, mais qui en enrichit et en amplifie le contenu et les acteurs : le « complot aristocratique » prend une dimension européenne, et la symbolique révolutionnaire une signification universelle. Contre l'internationale des rois, seule l'internationale des peuples peut assurer la victoire durable de la Révolution. C'est à l'intérieur de cette amplification imparable du schéma d'origine que se logent la guerre, et la croisade.

Car la guerre qui commence au printemps 92 n'est inscrite, dans sa nature essentielle, et dans sa dynamique indéfinie, ni dans des intérêts « bourgeois », du côté français, ni dans un système contre-révolutionnaire des rois, du côté européen. Bien sûr, on aperçoit ce qui peut en faire le couronnement de la vieille rivalité mercantile franco-anglaise : mais de là à élargir cet aspect du conflit jusqu'à en faire le contenu principal et la cause « objective » de l'interminable guerre, il y a un fossé qu'aucun historien de la Révolution, à part Daniel Guérin[44], n'a franchi. Quant à l'Europe des rois, il est bien vrai qu'elle a ressenti la Révolution française comme une menace : mais elle n'a pas pour autant renoncé à ses querelles et à ses décisions, abdiqué ses calculs traditionnels, sacrifié ses ambitions contradictoires à ce qui serait devenu la nécessité prioritaire d'une croisade contre-révolutionnaire. Malgré les pressions des émigrés et des Tuileries, elle a plus accepté la guerre qu'elle ne l'a déclenchée. Comme l'a bien vu Jaurès, ce sont des raisons de politique intérieure française qui sont à l'origine de l'im-

44. D. Guérin, *op. cit.* t. II, p. 501.

mense aventure qui commence en 1792. Mais quelles raisons ?

Si les Girondins sont dès la fin de 1791 les apôtres les plus éloquents de la guerre avec l'empereur, c'est qu'ils sont convaincus, comme d'ailleurs Louis XVI en sens inverse, que c'est la condition de leur pouvoir. Et les principaux leaders de la Montagne, Danton, Desmoulins, Marat, abandonnent rapidement Robespierre, provisoirement isolé par son opposition à la guerre : c'est qu'ils ont en commun, au moins, avec les Girondins, le projet de radicaliser la Révolution en la jetant dans l'aventure extérieure, à travers l'exaltation du patriotisme jacobin. Ainsi, les courants politiques qui portent la France de 1792 vers la guerre ne sont pas dissociables des calculs des hommes et des groupes en vue de conquérir, de conserver ou de reconquérir le pouvoir. A cet égard, celui de Louis XVI s'avérera suicidaire, et celui de Brissot, ou de Danton, exact, à cette réserve près, qui est capitale et qu'ils n'ont pas prévue : à savoir que la radicalisation de la Révolution les emportera, eux aussi, à la guillotine.

Seul parmi les leaders montagnards, Robespierre, il est vrai, s'oppose à la guerre. D'où cette lucidité exceptionnelle qui l'amène à dissiper comme des illusions les considérants militaires et moraux de la rhétorique jacobine : non, répond-il à Brissot, la guerre ne sera pas facile, les soldats français même vainqueurs ne seront pas reçus comme des libérateurs, et la victoire elle-même donnera à la Révolution des généraux factieux. Mais cette lucidité s'accompagne d'un aveuglement non moins exceptionnel sur la nature même de la dynamique révolutionnaire : Robespierre n'aperçoit pas le champ immense qu'ouvre la guerre à son génie manichéen. Il ne devine pas la puissance explosive de ce qui va être la première rencontre d'une eschatologie laïque et du nationalisme. Ce discours que lui et ses amis vont parler mieux que personne, et qui va le porter au sommet de la vague, il en refuse, ou il en nie, les circonstances. C'est qu'il incarne mieux que ses rivaux la pureté de l'idéologie, et que, porté par son génie du soupçon, il aperçoit au contraire ce que leur discours comporte de *dédoublé* : l'ambition du pouvoir derrière l'affirmation des valeurs. Si Brissot, comme Louis XVI, veut la guerre, qu'est-ce qu'ils peuvent avoir en commun, sinon cette ambition-là ? La dénonciation constante du pouvoir fait partie du fonctionnement de l'idéologie révolutionnaire comme pouvoir : et de ce discours-là, dans l'hiver 91-92, chez Robespierre, les circonstances font un discours contre la guerre, parce qu'il continue à parler sans fêlure le langage du soupçon.

Il y a en effet dans l'argumentation de Brissot (qui prononce les meilleurs discours en faveur de la guerre) une fêlure qui n'a pas échappé à son oreille experte : d'un côté, Brissot parle le pur langage de la Révolution, ce monde à deux dimensions où n'existent que le patriotisme et la trahison, le peuple et les complots des aristocrates, et qu'il lui suffit d'élargir à l'Europe pour justifier une offensive militaire de la Révolution française. « Oui, ou nous vaincrons et les nobles et les prêtres et les électeurs, et alors nous établirons notre crédit public et notre prospérité, ou nous serons battus et trahis... et les traîtres seront enfin convaincus, et ils seront punis, et nous pourrons faire disparaître enfin ce qui s'oppose à la grandeur de la nation française. Je l'avouerai, messieurs, je n'ai qu'une crainte, c'est que nous ne soyons pas trahis... Nous avons besoin de grandes trahisons : notre salut est là... Les grandes trahisons ne seront funestes qu'aux traîtres ; elles seront utiles aux peuples[45]. »

45. Discours du 30 décembre 1791 aux Jacobins.

Mais d'un autre côté, l'orateur girondin s'expose à l'accusation d'être d'accord avec la Cour et le ministère, c'est-à-dire avec tout ce qui incarne, pour la conscience révolutionnaire, l'ancien pouvoir, ennemi du peuple. La guerre, qui est présentée par ses thuriféraires comme le moyen de démasquer les complots des adversaires, est au contraire, pour Robespierre, une machination diabolique de ces adversaires, un piège qu'ils tendent aux patriotes, et qui est destiné à faire basculer dans le camp aristocrate cette « fraction innombrable » du « parti mitoyen ». La guerre n'existe à ses yeux que comme un enjeu de pouvoir à l'intérieur de la Révolution. Et ce qui lui donne, en face de Brissot, la force d'analyser et de prévoir les illusions de la rhétorique belliciste, ne vient pas d'une lucidité particulière, mais de ce qu'il ne sort jamais du langage manichéen du complot, donc du soupçon : « Vous étiez destiné à défendre la liberté sans défiance, sans déplaire à ses ennemis, sans vous trouver en opposition ni avec la Cour, ni avec les ministres, ni avec les modérés. Comme les routes du patriotisme sont devenues pour vous faciles et riantes[46] ! »

Or, si le cœur de la conspiration contre la liberté n'est pas à Coblence, mais en France « au milieu de nous », la fonction des patriotes est plus que jamais de veiller, de dénoncer, de dévoiler, de se méfier. Robespierre, qui n'est pas, à cette époque, parlementaire, exerce plus que jamais cette fonction capitale au nom du peuple, par l'intermédiaire du club des Jacobins. Brissot a-t-il annoncé aux patriotes de « grandes trahisons » ? Mais cette annonce même est suspecte : la trahison, par définition, s'avance masquée, elle est savante, improbable, inattendue : « Non, jamais la Cour ni ses serviteurs ne vous trahiront dans le sens grossier et vulgaire, c'est-à-dire

46. Discours du 11 janvier 1792 aux Jacobins.

assez maladroitement pour que vous puissiez vous en apercevoir, assez tôt pour que vous soyez encore à temps de réparer les maux qu'ils vous auront faits. Mais ils vous tromperont, ils vous endormiront, ils vous épuiseront ; ils vous amèneront par degrés au dernier moment de votre agonie politique ; ils vous trahiront avec art, avec modération, avec patriotisme ; ils vous trahiront lentement, constitutionnellement, comme ils ont fait jusqu'ici ; ils vaincront même, s'il le faut, pour vous trahir avec plus de succès[47]. »

Ainsi, la trahison n'est pas chez Robespierre, comme chez Brissot, une *possibilité* ouverte par la guerre, une sorte de choix qui est laissé à l'adversaire intérieur. Elle est consubstantielle à cet adversaire, elle constitue sa manière d'exister, et elle est d'autant plus dangereuse qu'elle est moins apparente et qu'elle emprunte la voix du patriotisme. Brissot plaide, dans son dernier grand discours pour la guerre[48], l'imprévisibilité des événements, le divorce entre les intentions des acteurs et l'histoire : si la Cour et l'empereur d'Autriche apparaissent comme désirant la guerre, alors qu'ils souhaitent seulement effrayer les patriotes, ils prennent dans les deux cas le risque de voir cette aventure se retourner contre eux : « Quand Louis XVI assembla les Notables, prévoyait-il la chute de la Bastille ?... encore une fois il ne faut qu'une étincelle pour l'explosion universelle. Ce n'est pas au patriotisme à en craindre les suites ; elle ne menace que les trônes. » Mais cette référence à une sorte d'objectivité historique, qui autorise l'imprévoyance éventuelle, et même, dans ce cas, probable, des intentions néfastes, est par définition étrangère à l'univers politique de Robespierre, qui implique la cohérence par-

47. Discours du 25 janvier 1792 aux Jacobins.
48. Discours du 20 janvier 1792 aux Jacobins.

faite des volontés avec les actions qu'elles animent et les effets qu'elles recherchent. Si la Cour, si les ministres veulent la guerre, ce n'est pas parce que celle-ci leur permettra de trahir la Révolution : c'est qu'ils n'ont cessé et ne cessent de la trahir, comme c'est leur fonction. Et si Brissot joint sa voix à la leur, c'est que la trahison étend jusqu'à lui son intrigue tentaculaire.

L'action n'est jamais incertaine, comme le pouvoir n'est jamais innocent. Comme la Révolution elle-même, Robespierre ne connaît que des bons et des méchants, des patriotes et des coupables, la parole publique de la vigilance et le complot caché des ministres. En soupçonnant d'emblée Brissot, en même temps que Narbonne et Louis XVI, il incorpore son rival au piège que celui-ci tend à Louis XVI et à ses conseillers. Les « grandes trahisons » que le malheureux girondin appelle, pour démasquer le roi et faire avancer la Révolution, il y est impliqué d'avance comme complice du ministère. La fameuse « légèreté » des Girondins est moins de n'avoir pas pris les moyens de leur politique (car la politique révolutionnaire n'est pas une réflexion sur les moyens) que de n'avoir parlé que la moitié du langage de la Révolution. Robespierre, qui s'identifie à ce langage, les désigne d'avance au couperet de leur propre logique.

Ainsi, le pouvoir révolutionnaire ne cesse d'être au centre du débat sur la guerre, avant que celle-ci ne devienne d'une part la condition objective de son renforcement, et ne donne de l'autre un supplément essentiel de légitimité au discours de la Terreur. Le paradoxe des Girondins est qu'en réclamant, et en obtenant, une déclaration de guerre qui est dans le droit-fil de la surenchère révolutionnaire, ils puissent être dénoncés comme courtisant un pouvoir ministériel d'Ancien Régime. Celui de Robespierre, c'est qu'en détruisant au nom d'un apparent réalisme la rhétorique du bellicisme « libérateur », il ne cesse pourtant d'approfondir la mythologie du pouvoir populaire. Il bénéficiera ainsi et du succès provisoire de ses adversaires, et de la dénonciation prémonitoire de leurs ambitions. La guerre le portera au pouvoir, mais pas au pouvoir ministériel dont ont pu rêver Mirabeau ou Brissot : à ce magistère d'opinion inséparable de la Terreur.

Car la guerre identifie sans ambiguïté les nouvelles valeurs à la patrie qui en est porteuse, et les Français soupçonnés de ne pas les chérir, à des criminels. Déjà, dans les premières années de la Révolution, l'objectif « patriote » désigne les bons citoyens, les partisans du nouvel ordre social, les manifestants unanimes de la fête de la Fédération. Les hommes et les groupes supposés hostiles à cette France nouvelle, et cachés comme des comploteurs, s'ils sont exclus de cette intégration nationale qui se définit contre eux, ne sont encore passibles que du soupçon abstrait, ou de violences épisodiques et désavouées. La guerre va les constituer en traîtres et les livrer à la justice du peuple. En spécifiant l'énormité du crime, elle permettra de nommer les comploteurs, et elle en fera même une obligation sacrée du discours révolutionnaire : mécanisme à relance indéfinie, qui fonctionne de la base au sommet, des sections aux comités, par des exclusions successives.

Les adeptes de ce que j'ai appelé « la théorie des circonstances » voudraient réduire ce mécanisme aux périodes de détresse, et de défaite, précisément pour faire des « circonstances » son principe explicatif : car l'extrême péril national donne une apparence de justification rationnelle au complot des adversaires, et aux violences de la répression. De fait, comme on peut l'observer lors des deux premières grandes journées terroristes, en août 92 et dans l'été 93, ce type de situation constitue bien un terrain particulièrement favorable à la dénonciation des ennemis et aux appels punitifs. Mais il n'en est à aucun titre le principe explicatif : cette dialectique du peuple et du complot existe, il suffit de lire *L'Ami du Peuple*, dès l'été 89, quand la contre-révolution est dans les limbes, et en tout cas sans complicités extérieures sérieuses. Elle s'épanouit jusqu'à dominer toute l'histoire politique de la France au printemps 94, après la chute des « factions », au moment de la dictature du groupe robespierriste, en plein redressement de la situation militaire, alors que la Vendée a été écrasée et qu'aucune armée étrangère ne menace plus le terrain national et les conquêtes de la Révolution. La métaphysique égalitaire et moralisante de Robespierre règne alors sans partage sur une Révolution enfin fidèle à son principe. La fête de l'Etre suprême et la Grande Terreur sont investies de la même finalité : assurer le règne de la vertu. La guillotine est l'instrument du partage entre les bons et les méchants.

Ainsi, le projet commun et successif des groupes révolutionnaires, qui consiste à radicaliser la Révolution, c'est-à-dire à la rendre conforme à son discours, ne cesse d'arbitrer les luttes politiques, et finit par porter au pouvoir la figure la plus pure de ce discours. Dans cette mesure, la métaphysique robespierriste n'est pas une parenthèse de l'histoire de la Révolution, mais un type d'autorité publique que le phénomène révolutionnaire seul a rendu possible et logique. Lieu des luttes pour le pouvoir, instrument de différenciation des groupes politiques, moyen d'intégration des masses au nouvel Etat, l'idéologie finit par être, pour quelques mois, coextensive au gouvernement lui-même. Dès lors, tout débat perd sa raison d'être, puisqu'il n'y a plus d'espace à occuper entre l'idée et le pouvoir, ni de place pour la politique, que le consensus ou la mort.

A cet égard, la victoire des thermidoriens ferme un des sens de la Révolution : ce sens qui n'a cessé, entre 89 et 94, d'investir toute la vie politique, et par lequel l'idéologie de la démocratie pure, après avoir été le vrai pouvoir de la Révolution, a fini par devenir le seul gouvernement qu'elle ait eu. Les vainqueurs de Robespierre, en tentant de restaurer la légitimité représentative, qu'ils n'arrivent pas à respecter eux-mêmes, redécouvrent l'indépendance et l'inertie du social, la nécessité de la négociation politique, l'à-peu-près des moyens et des fins. Ils font davantage que d'arrêter la Terreur ; ils la déshonorent comme type de pouvoir, ils la dissocient de la volonté du peuple. Comme de vieux intoxiqués, ils y auront encore recours, à l'occasion, notamment après le 18 Fructidor : mais honteusement, et comme à un expédient, non plus comme à un principe.

La preuve, c'est qu'ils n'arrivent plus même à la penser. Ils sont moins divisés sur l'avenir que déchirés par leur propre passé. Ils ont consenti, le 31 mai 1793, à la proscription des députés girondins et à l'amputation de la représentation nationale : comment réincarneraient-ils soudain le principe représentatif, redevenu indispensable à la légitimité républicaine ? Ils ont voté les grandes mesures terroristes de 1793 et 1794, et souvent animé eux-mêmes les épurations sanglantes : comment justifieraient-ils leur propre rôle, alors qu'ils viennent de renverser Robespierre au nom de la liberté, et de rendre à la société le droit de détester la guillotine ? Cette idéologie terroriste qui, hier encore, leur paraissait consubstantielle à la Révolution, voici que le 9 Thermidor en a supprimé l'apparente rationalité. Le crime a changé de camp. C'est pourquoi il ne suffit pas aux thermidoriens, pour conserver le pouvoir, de maintenir aux postes de commande les ex-terroristes. Il leur faut encore, et dans le même temps, exorciser la Terreur, en la dissociant de leur pouvoir, c'est-à-dire en faire la responsabilité exclusive de Robespierre et de son petit groupe. Après avoir été la Révolution elle-même, la Terreur devient le résultat d'un complot ou le moyen d'une tyrannie. Babeuf écrit tout simplement, dans les mois qui suivent le 9 Thermidor, qu'elle a été la contre-révolution. Dans ses *Mémoires*, écrits avec le recul du temps, Thibaudeau utilisera une rationalisation moins excessive, mais fondée sur la même dissociation entre Terreur et Révolution : « La Terreur de 93 ne fut pas une conséquence nécessaire de la Révolution, elle en fut une déviation malheureuse. Elle fut plus fatale qu'utile à la République parce qu'elle passa toutes les bornes, qu'elle fut atroce, qu'elle immola amis et ennemis, qu'elle ne put être avouée par personne, et qu'elle amena une réaction funeste non seulement aux terroristes, mais à la liberté et à ses défenseurs[49]. »

En abandonnant la Terreur, l'idéologie révolutionnaire cesse d'être coextensive au gouvernement de la République, et de recouvrir toute la sphère du pouvoir. Elle est une rationalisation du pouvoir, et non plus son levier. Un consensus, et non plus une légitimité. Mais si elle recède à la société son indépendance, si elle restitue au politique son autonomie et sa rationalité propres, elle n'en continue pas moins à constituer l'opinion républicaine, et le lien par lequel le syndicat thermidorien parle encore au peuple le langage de la Révolution. Elle n'est plus ni le seul pouvoir, ni le gouvernement, ni par conséquent la Terreur. Mais les valeurs qu'elle véhicule, la liberté et l'égalité, n'en restent que plus fortement attachées à l'image symbolique de la République, en face de l'Europe contre-révolutionnaire. Des deux héri-

---

49. Thibaudeau, *Mémoires*, 2 vol., Paris, 1824, tome I, pp. 57-58.

tages jacobins, la Terreur et la guerre, les thermidoriens ont liquidé le premier, mais restent prisonniers du second. Ils ont arraché le pouvoir à Robespierre en détruisant son levier : l'égalité par la guillotine ; ils ne peuvent conserver le leur qu'au prix d'un déplacement de l'investissement : l'égalité par la croisade.

Ainsi, la guerre est restée le dernier critère de la fidélité à la Révolution : faire la paix, c'est pactiser avec un ennemi irréductible, entamer un processus de restauration de l'Ancien Régime. Cette logique est la victoire posthume des Girondins, et des thermidoriens s'y heurtent comme les Montagnards, ce qui prouve que le 9 Thermidor n'a rien changé à cet égard. Ni les Feuillants, ni Danton, ni Robespierre n'ont pu traiter avec l'adversaire, bien que tous y aient pensé. Le syndicat de régicides qui leur succède ne parviendra à conclure que des trêves, suivies d'une relance du conflit et des enjeux, alors même que la guerre prépare les conditions de leur renversement par Bonaparte. C'est qu'elle n'obéit plus à cette rationalité des moyens et des fins qui faisait des guerres de l'Ancien Régime des conflits limités, autour d'enjeux négociables. Parce qu'elle est devenue le sens de la Révolution la première guerre démocratique des temps modernes est sans autre fin, que la victoire ou la défaite totale.

La guerre a fini par être ainsi le dénominateur commun de la Révolution, qui enjambe, si je puis dire, ses différentes périodes, et réconcilie d'une certaine manière la dictature montagnarde et la République thermidorienne. Il y a pourtant, à partir du 9 Thermidor, une rupture qui s'opère : elle sépare le temps où la guerre n'a été que la forme élargie du complot aristocratique, l'antipouvoir du pouvoir révolutionnaire, de celui où elle est devenue un investissement social et politique, autant qu'idéologique. En reprenant ses droits, par la

118

chute de Robespierre, la société a reconquis aussi ses pesanteurs et ses intérêts ; les représentations de l'action ont cessé de recouvrir complètement le jeu des forces sociales et les conflits politiques. Du coup, la guerre des thermidoriens révèle ce que la guerre des Montagnards cachait : qu'elle a repris en charge, en les transformant, des tendances séculaires de la société française. Elle a revitalisé l'esprit de croisade, dans un très vieux pays de chrétienté. Elle a renforcé, ou recréé, l'autorité des bureaux, et du pouvoir central, qui étaient des conquêtes de la monarchie. Elle a donné au peuple la carrière et la gloire militaires, qui avaient été si longtemps la distinction et l'honneur des nobles[50]. Si le drapeau de l'égalité réunit dans ses plis toute la nation, ce n'est pas seulement parce qu'il est neuf ; il est vrai qu'il débarrasse les Français des injustices de leur passé, mais il leur restitue en même temps, purifiées par la démocratie, les ambitions de leur histoire.

Le 9 Thermidor marque ainsi non pas la fin de *la* Révolution, mais celle de sa forme la plus pure. En rendant au social son indépendance par rapport à l'idéologie, la mort de Robespierre nous fait passer de Cochin à Tocqueville.

---

50. George Sand note, en parlant de l'Empire : « On suçait avec le lait, à cette époque [1812], l'orgueil de la victoire. La chimère de la noblesse s'était agrandie, communiquée à toutes les classes. Naître Français, c'était une illustration, un titre. L'aigle était le blason de la nation tout entière » (*Histoire de ma vie*, in *Œuvres autobiographiques*, éd. La Pléiade, t. I [1970], p. 736).

VI

En même temps que deux époques, le 9 Thermidor sépare deux concepts de la Révolution. Il met fin à la Révolution de Cochin. Mais il laisse apparaître, au contraire, la Révolution de Tocqueville. Cette charnière chronologique est aussi une frontière intellectuelle. Elle découpe les interprétations sous l'apparence de la durée.

A cet égard, Cochin est logé à la même enseigne que l'histoire universitaire de gauche du XXe siècle, puisque, comme elle, il s'intéresse prioritairement au phénomène jacobin. Il choisit donc par esprit d'analyse la période qu'elle a privilégiée par préférence implicite, et qui se termine avec la chute de Robespierre. La seule différence (qui est bien entendu fondamentale) est que l'historiographie jacobine prend au pied de la lettre le discours jacobin sur lui-même, en faisant de la participation populaire au gouvernement la caractéristique de la période. Alors que Cochin voit au contraire dans le jacobinisme un discours imaginaire du pouvoir (la volonté du peuple) devenu un pouvoir absolu sur la société. Mais dans les deux cas, c'est bien un système de pouvoir qui se brise au 9 Thermidor.

A s'en tenir aux critères implicites de l'historiographie de gauche, ce découpage est d'ailleurs de plus en plus incompatible avec les faits connus, puisque les travaux de D. Guérin et d'A. Soboul ont fait apparaître, chacun à leur manière, que la dictature robespierriste ne s'est installée que par la répression du mouvement sectionnaire, notamment à l'automne 93 et au printemps 94[51] : si bien que le caractère « populaire » du pouvoir qui tombe en thermidor est de plus en plus en question, même pour la tradition historiographique la plus « robespierriste », en l'occurrence Soboul. Si cette tradition maintient pourtant la date du 9 Thermidor comme une coupure décisive, c'est qu'elle en véhicule la vérité existentielle, beaucoup plus puissante que les progrès de l'érudition : à savoir, qu'il y a un légendaire révolutionnaire qui meurt avec Robespierre, et qui avait survécu à l'arrestation de Jacques Roux ou à l'exécution d'Hébert. De ce légendaire, c'est Cochin qui donne la clé, en définissant la Révolution par le phénomène jacobin, et le phénomène jacobin par l'appropriation symbolique de la volonté du peuple.

Car ce qui disparaît le 9 Thermidor n'est pas la participation des masses au gouvernement de la République. Cette participation est tout à fait inexistante pendant les quelques mois de la dictature robespierriste proprement dite, entre avril et juillet 94 ; elle est de toute façon, pendant toute la période dite de salut public, confisquée par des oligarchies militantes — clubs, sections, comités — en lutte avec la Convention pour être la figure du peuple. Et Robespierre, à cet égard, n'est que l'incarnation finale de cette identité mythique. Or, c'est ce système de pouvoir qui est renversé par les conjurés de thermidor. Il ne s'agit donc pas simplement de la substitution d'un pouvoir à un autre pouvoir, comme dans un coup d'Etat, ou lors d'un changement de majorité. Il

51. Cf. *infra*, p. 310.

s'agit de la substitution d'un type de pouvoir à un autre type de pouvoir : en ce sens, mais en ce sens seulement, la fin de la Révolution.

En effet, le pouvoir révolutionnaire est constitué par la représentation qu'il ne cesse de donner de lui-même — sauf à disparaître — comme homogène et transparent au « peuple » ; s'il vient à être expulsé de cette position symbolique, il cède la place au groupe ou à l'homme dont le discours dénonciateur a rétabli cette homogénéité et cette transparence menacées. La Révolution n'a pas de légalité, elle n'a qu'une légitimité. Elle tient tout entière dans un discours multiple et unique de la légitimité démocratique.

Après la chute de Robespierre, elle n'a plus de légitimité ; elle n'a qu'une légalité (même quand elle la viole). Elle tient tout entière dans les impasses de la légalité républicaine.

Ce qui veut dire que l'idéologie révolutionnaire a cessé de constituer à la fois le pouvoir politique et la société civile, et de se substituer à ces deux instances, au nom de la souveraineté du peuple. Cette rupture est signalée, au lendemain du 9 Thermidor, par l'exubérance des manifestations du corps social et la détestation générale qui s'exprime à l'égard de la Terreur. Car ce que provoque, tout de suite, et d'évidence, la chute de Robespierre, c'est le recouvrement par la société de son indépendance, à tous les niveaux, qu'il s'agisse de la vie quotidienne, des mœurs, des habitudes, des passions et des intérêts. La liberté retrouvée en thermidor a comme contenu essentiel une revanche du social sur l'idéologie : c'est pourquoi elle présente à l'observateur une espèce de pesanteur prosaïque, qui choque les admirateurs de l'Incorruptible. Mais c'est parce qu'elle révèle non pas une « réaction », mais *une autre Révolution* cachée par la précédente, distincte d'elle, puisqu'elle lui succède, et inséparable d'elle, puisqu'elle n'aurait pas vu le jour sans elle : la Révolution des intérêts.

Les paysans sont devenus des acquéreurs de Biens nationaux, la bourgeoisie est aux affaires et fait des affaires, le soldat s'enrichit et fait carrière à la guerre : « La France, écrit Tocqueville[52], qui avait cessé d'aimer la République, était restée profondément attachée à la Révolution » ; il veut dire que ce qu'il y avait de « révolutionnaire » dans la société française d'après thermidor était ses intérêts, et non plus sa politique ; sa volonté de conserver ou de défendre ses avantages acquis, et non plus le recommencement de l'histoire humaine. Ayant cessé d'être un avènement, la Révolution est devenue un bilan. Reconquise et reprise en charge par la société civile, elle offre la visibilité d'un compte de profits et pertes, où Tocqueville a pu lire, un demi-siècle plus tard, mais à partir de cet observatoire, tout ce que ce compte devait aussi à l'Ancien Régime.

Reste que les Français d'après Thermidor ont « cessé d'aimer la République ». Tocqueville veut dire que le régime politique de cette époque n'a trouvé ni support dans l'opinion, ni point d'équilibre constitutionnel, et même n'exerce pas de vrai pouvoir. Il note que la Terreur étant devenue « impossible, et, l'esprit public manquant, toute la machine du pouvoir tombait à la fois en débris »[53]. Mais comme il n'a pas élaboré de théorie de la Terreur, il n'a pas non plus d'explication sur l'impossibilité de ladite Terreur. Prisonnier de son concept de la Révolution-continuité, il a mis dans une vaste parenthèse l'étude des formes politiques successivement

52. Tocqueville, *L'Ancien Régime*, tome II, p. 282. Il s'agit du début du chapitre sur le Directoire, rédigé en 1852 et intitulé : « Comment la nation en cessant d'être républicaine était restée révolutionnaire. »

53. Tocqueville, *L'Ancien Régime*, tome II, p. 274 (note b).

créées par la Révolution française entre 1789 et le Consulat.

Or, si la Terreur est « impossible » après le 9 Thermidor, c'est bien sûr parce que la société a recouvré son autonomie par rapport au politique. Mais ce recouvrement lui-même n'a été rendu possible que parce que l'idéologie révolutionnaire a cessé d'être coextensive au pouvoir. Les représentations de l'action ne sont plus désormais dominantes, mais subordonnées à l'action. Et les valeurs qui constituent les buts de cette action sont distinctes des acteurs : elles sont devenues leur justification, en cessant d'être leur identité. Pour défendre la République contre l'offensive royaliste intérieure de 1798, les thermidoriens n'ont plus besoin d'affirmer qu'ils sont « le peuple » : c'est toute la différence entre la Terreur robespierriste et celle des fructidoriens. La première est un acte de légitimité alors que la seconde n'a plus qu'un caractère opérationnel : c'est pourquoi la première, durable et sanglante, est un acte de la Révolution, alors que la seconde, bientôt bloquée par la résistance de la société, est un expédient qui signe la fin du pouvoir thermidorien. Ce pouvoir, qui a cessé d'être investi par la Terreur, et qui ne l'est pas encore par l'administration, n'a plus ni la force de la Révolution, ni celle de la loi.

Il ne serait pas difficile de montrer, à partir des prescriptions laborieuses des administrations du Directoire sur la tenue des cérémonies républicaines, comment l'idéologie révolutionnaire s'est dégradée en rationalisation d'une politique. Ce n'est pas qu'elle soit moins nécessaire que dans la période jacobine : en un sens, elle l'est même davantage, puisque le gouvernement thermidorien n'arrive pas à se conformer à la légalité qu'il s'est donnée. Mais elle n'exerce pas les mêmes fonctions ; elle a changé de nature. Puisque le pouvoir est désormais fondé sur une suite de délégations de souveraineté, elle n'est plus ce qui le définit, et ce qui le rend conforme à la volonté du peuple. Elle est ce qui l'aide, par l'éducation républicaine des citoyens. Elle est ce qui le sert, par la pédagogie de l'égalité. Elle est ce qui traduit sa volonté et ses intérêts, non plus ce qui lui donne autorité. Le fonctionnement du régime directorial l'exclut comme principe et le présuppose comme moyen.

Peu importe, en l'occurrence, que celui-ci en ait d'autant plus besoin qu'il est plus discrédité dans l'opinion publique, et moins regardant sur le respect de la légalité. La conjoncture où il se trouve pris grossit le trait, elle n'en modifie pas la nature. L'idéologie révolutionnaire est passée du principiel au subordonné, du discours de légitimité à la propagande républicaine. Elle était, sous le régime de la démocratie pure, le lieu même du pouvoir. Elle n'agit plus que comme l'instrument de l'Etat représentatif moderne.

Elle joue, pourtant, un rôle plus profond que le donne à croire cette version purement instrumentale, adaptée du cynisme thermidorien. C'est qu'elle garde de ses origines toutes récentes la dignité suréminente d'avoir été la Révolution elle-même, et de continuer à en figurer l'image, aux yeux de ses adversaires, intérieurs et extérieurs. C'est pourquoi elle n'est pas seulement un déguisement des intérêts bourgeois ; ni un simple moyen de conservation de l'héritage révolutionnaire, unissant les députés régicides, les propriétaires enrichis et les paysans-soldats ; elle est, avec la guerre, et l'une portant l'autre, ce qui reste vivant de la Révolution, et qui constitue inséparablement la démocratie et la nation. De cette sédimentation-là, qui mêle des intérêts et des idées également puissants, la République représentative est à la fois trop oligarchique et trop faible pour assumer durablement la responsabilité. C'est Bonaparte qui en paie le double prix historique : un Etat fort, et la guerre permanente.

Ainsi, l'idéologie révolutionnaire, qui est en 1792-1793, sous sa forme chimiquement pure, à l'origine de la guerre et de la Terreur, reste-t-elle en 1799, sous une forme dégradée, semi-opinion, semi-légitimité, la clé du nouveau pouvoir qui s'installe. La bourgeoisie brumairienne cherchait un militaire libéral pour coiffer un système représentatif. Le sentiment populaire pousse un général victorieux à instaurer un Etat absolu. Comme l'explique Marx[54], c'est une version administrative de la Terreur qui clôt la Révolution française.

Par où l'on voit qu'à penser celle-ci en termes de bilan, Tocqueville a doublement raison d'avoir jugé que ce bilan est principalement politique et culturel (au sens le plus large du mot), et qu'il tient, avant tout, dans le renforcement de l'Etat centralisé, débarrassé des obstacles que lui opposait le tissu social et administratif de l'Ancien Régime. Ce que Tocqueville appelle, dans son dernier livre, la « démocratie », est une culture égalitaire bien plus qu'un état de société ; cette culture doit son extension sociale au développement de la monarchie absolue, qui a détruit et figé en même temps les hiérarchies traditionnelles, en les vidant de leur contenu, tout en les éternisant par la loi. Or, c'est le triomphe de cette culture, et d'une administration centralisée dont elle est la cause et l'effet, qui constitue le sens de la Révolution française, en réunissant Louis XIV et Napoléon.

Mais ce qui manque à cette histoire, comme j'essaie de le montrer[55], c'est l'analyse des médiations à travers lesquelles elle passe, et surtout de la plus importante et

54. Marx, *op. cit.*, p. 149-150.
55. Cf. *infra*, p. 251 et suiv.

de la plus improbable d'entre elles : la Révolution elle-même. Car la question est de comprendre comment la continuité apparemment imparable d'un phénomène se fait jour à travers la discontinuité apparemment radicale d'une Révolution.

On voit bien ce que cette Révolution enlève d'obstacles, en les détruisant, à l'exercice d'une autorité administrative centrale. Mais ce que ce livre veut suggérer va au-delà de ce constat négatif : c'est qu'il y a, dans la culture démocratique qui est le vrai avènement de la Révolution française, dans ce transfert de légitimité qui est sa nature même, quelque chose qui reconstitue, à l'envers, ou à l'endroit, l'image traditionnelle du pouvoir absolu. Entre 1789 et le 9 Thermidor 94, la France révolutionnaire fait du paradoxe de la démocratie, exploré par Rousseau, l'unique source du pouvoir. Elle intègre société et Etat par le discours de la volonté du peuple ; et les figures ultimes de cette obsession de légitimité sont la Terreur et la guerre, finalement inscrites dans la surenchère des groupes pour l'appropriation du principe démocratique. La Terreur recompose sur le mode révolutionnaire une sorte de droit divin de l'autorité publique.

Cette configuration se brise le 9 Thermidor, par l'indépendance recouvrée de la société, qui réapparaît avec ses pesanteurs, ses intérêts, ses divisions, et qui tente de refonder une loi sur la représentation élective du peuple. En un sens, la Révolution est finie puisqu'elle renonce à son langage, et fait apparaître qu'elle a des intérêts en charge. Pourtant, quelque chose d'elle continue à parler au-delà du 9 Thermidor : c'est la guerre, qui survit à la Terreur, et constitue le dernier refuge de la légitimité révolutionnaire. En même temps qu'elle impose à la France du Directoire — tout comme à l'ancienne monarchie — ses contraintes administratives de mobilisation des ressources et des hommes, elle est ce par quoi le génie de la Révolution murmure encore aux Français la parole messianique des origines. Au bout de cette logique ambiguë, il y a Bonaparte, c'est-à-dire un roi de la Révolution. L'image ancienne du pouvoir, liée à la légitimité nouvelle.

A faire faire ainsi à Tocqueville, au mépris de la chronologie, un détour par Augustin Cochin, on obtient une Révolution française dont la *nature* tient dans une dialectique du pouvoir et de l'imaginaire, et le premier *bilan*, dix ans après qu'elle a éclaté, dans l'instauration d'une royauté de la démocratie. La Révolution est un imaginaire collectif du pouvoir, qui ne casse la continuité, et ne dérive vers la démocratie pure, que pour mieux assumer, à un autre niveau, la tradition absolutiste. C'est le procès par lequel la société française recompose à la fois sa légitimité politique et son pouvoir administratif central. Augustin Cochin permet de comprendre comment la légitimité démocratique s'est substituée à l'ancienne légitimité de droit divin, comment elle a envahi l'espace abandonné par celle-ci, espace immense et à proprement parler infini, puisqu'il contenait tout l'ordre politique et social dans son principe. La légitimité démocratique de la Révolution est à la fois son contraire et son envers : je veux dire qu'elle récupère le même espace, qu'elle refuse de le morceler, et qu'elle l'investit du même sens homogène et principiel pour tout l'ordre nouveau, mais à partir de la volonté du peuple.

De cette légitimité, aucune bourgeoisie « libérale » n'a jamais pu, pendant ces années-là, être l'incarnation ou l'interprète. Aucune représentation parlementaire n'a réussi à transformer durablement en lois les droits et les devoirs des nouveaux citoyens. La démocratie pure a culminé dans le gouvernement de la Terreur. Et si Bonaparte peut « fermer » la Révolution, c'est qu'il en constitue la version plébiscitaire : c'est-à-dire la forme enfin trouvée sous laquelle la société fonde un pouvoir qui tienne tout d'elle-même en restant indépendant d'elle, supérieur à elle, comme la Terreur, mais qui rende à un nouveau roi ce qu'elle cherche en vain depuis 89, puisque c'était une contradiction dans les termes : la condition de possibilité d'une administration démocratique. La Révolution est terminée puisque la France retrouve son histoire, ou plutôt réconcilie ses deux histoires.

Il suffit, pour le comprendre, d'accepter de la considérer dans son centre conceptuel, et de ne pas la diluer dans un vague évolutionnisme destiné à donner un surcroît de dignité aux vertus de ses acteurs. Ce qui fait l'originalité de la France contemporaine n'est pas qu'elle soit passée de la monarchie absolue au régime représentatif, ou du monde nobiliaire à la société bourgeoise : l'Europe a parcouru le même chemin sans révolution et sans Jacobins — même si les événements français ont pu, ici et là, accélérer l'évolution et fabriquer des imitateurs. Or, la Révolution française n'est pas une transition, c'est une origine, et un fantasme d'origine. C'est ce qu'il y a d'unique en elle qui fait son intérêt historique, et c'est d'ailleurs cet « unique » qui est devenu universel : la première expérience de la démocratie.

Deuxième partie

TROIS HISTOIRES POSSIBLES
DE LA RÉVOLUTION FRANÇAISE

I

*Le catéchisme révolutionnaire**

> *Le drame des Français, aussi bien que des ouvriers, ce sont les grands souvenirs. Il est nécessaire que les événements mettent fin une fois pour toutes à ce culte réactionnaire du passé.*
>
> **Marx**
> *« Lettre à César de Paepe »,*
> 14 septembre 1870.

I

Sommes-nous donc revenus aux batailles du bon vieux temps ? Le fantôme de la contre-révolution menace-t-il l'œuvre des grands ancêtres ? On pourrait le croire, en dépit du calme un peu morne de notre vie publique, à lire un petit livre de Claude Mazauric paru récemment[1] et préfacé par Albert Soboul : l'auteur y dénonce gravement une histoire de la Révolution, destinée au grand public, que j'ai publiée il y a cinq ans avec

---

* Cet article a paru dans *Les Annales*, n° 2, mars-avr. 1971. En le republiant, j'y intercale un développement sur l'Etat d'Ancien Régime (p. 145-151).

1. C. Mazauric, *Sur la Révolution française*, Ed. sociales, 1970.

Denis Richet[2]. Le livre est suspect de contrevenir à celle des interprétations marxistes qu'ont retenue Albert Soboul et ses disciples, et par là même, aux livres de grands prédécesseurs que ceux-ci monopolisent à leur profit, de Jaurès à Georges Lefebvre, avec la bonne conscience des croyants. Du coup, car le raisonnement a sa logique manichéenne, Richet et moi sommes accusés de faire le jeu de « l'idéologie bourgeoise » qui aurait orchestré notre ouvrage d'une « puissante campagne publicitaire dans la presse, sur les ondes, à la télévision ». N'écoutant que son courage, Claude Mazauric n'hésite pas à modifier à son profit, par une innovation sans précédent, les règles qui sont de rigueur en matière scientifique : il mobilise, en effet, le patriotisme de ses lecteurs pour mieux stigmatiser ce qu'il appelle le « parti pris antinational » de ses adversaires, soupçonnés de tiédeur à l'égard de l'expansionnisme jacobin : « Je le dis comme je le pense », précise-t-il à ce propos, dans un retour sur lui-même suscité par ce coup d'audace cocardier. En fin de compte, au terme d'un long exposé, l'intrépide chercheur nous livre le secret de sa perspicacité : « La méthode de l'historien est donc théoriquement identique à celle du parti ouvrier léniniste. » Ainsi se trouvent posés, contre un livre suspect d'hérésie, les principes d'un double procès ; l'avocat général est drapé à la fois dans nos gloires nationales et dans la théorie léniniste. On conçoit que le verdict ne soit pas tendre. Les accusés, vraiment, l'avaient cherché.

Le lecteur aura compris que ce débat, dans son aspect politico-théâtral, est en réalité une farce, ou un combat d'ombres. Sur le plan politique, rien ni personne ne

2. F. Furet et D. Richet, *La Révolution française*, 2 vol., Hachette, 1965-1966. Le livre a été réédité sous une forme moins coûteuse, Fayard, 1973, et Verviers (Belgique), Marabout, 1979.

menace, dans la France actuelle, l'œuvre de la Révolution française : la droite a cessé, depuis la défaite du fascisme, de se définir contre la Révolution de 1789-1794 et contre la République. Sur le plan universitaire, l'historiographie « marxiste » (que j'appellerais plutôt jacobine) de la Révolution française est plus que jamais aujourd'hui l'historiographie dominante : elle a ses ancêtres, ses traditions, ses canons, sa vulgate, et on ne peut pas dire qu'elle cultive le goût de l'impertinence ou du non-conformisme. Bref, la Révolution française est au pouvoir dans la société et dans les institutions, notamment universitaires. Je veux simplement dire par là que tout débat historique à son propos ne comporte plus aucun enjeu politique réel.

Si pourtant l'historien continue à le croire, c'est qu'il a besoin de le croire : la participation imaginaire aux luttes de la cité conforte d'autant plus l'homme de cabinet qu'elle est illusoire ; elle paie d'un maximum de satisfaction psychologique un minimum de dérangement. Mais si, à son tour, cette illusion est ressentie comme une réalité, c'est que, à travers l'histoire de la Révolution française, l'intellectuel partage ou exalte des valeurs toujours vivantes. A constituer les fondements mêmes de notre civilisation politique, celles-ci n'ont rien perdu de leur pouvoir d'exaltation ; en cessant d'être les enjeux de luttes réelles, elles ne quittent pas du même coup la mémoire des hommes. Non seulement parce que cette mémoire nationale, objet de tant de soins pédagogiques, retarde sur les événements de notre vie sociale, mais surtout parce qu'elle est d'une élasticité quasi indéfinie ; car il est clair que toute révolution, depuis la Révolution française, mais tout spécialement la Révolution française elle-même, a tendance à se penser comme un commencement absolu, un point zéro de l'histoire, riche de tous les accomplissements à venir, implicitement contenus dans l'universalité de ses principes. C'est pourquoi les sociétés qui se réclament d'une « fondation » révolutionnaire, surtout si celle-ci est relativement récente, ont une difficulté particulière à écrire leur histoire contemporaine[3]. Toute histoire de ce genre est commémoration des origines, et la magie de l'anniversaire est faite de la fidélité des héritiers, non de la discussion critique de l'héritage.

En ce sens, il est peut-être inévitable que toute histoire de la Révolution française soit, jusqu'à un certain point, une commémoration. Commémoration royaliste, où l'on pleure les malheurs du roi et la légitimité perdue. Commémorations « bourgeoises », où l'on célèbre la fondation d'un nouveau contrat national. Commémoration révolutionnaire, où l'accent est mis sur la dynamique de l'événement fondateur, et ses promesses d'avenir. De ce point de vue, toute l'historiographie de la Révolution française peut légitimement être rapportée à l'évolution de la conjoncture politique et sociale des XIXe et XXe siècles[4] : ainsi s'obtient un produit un peu étrange, une sorte d'histoire résiduelle, définie à chaque étape par la part du présent qu'elle véhicule dans son interprétation du passé. Cet exercice est utile incontestablement, et salutaire même, dans la mesure où il est prise de conscience des conditions ambiguës où s'enracinent et se mêlent l'historique et l'actuel ; mais, sauf à conduire à la conception d'une histoire complètement relativisée, soumise à la demande sociale, point d'ancrage illusoire dans une dérive incontrôlable, il ne peut se borner à la simple constatation de la part du présent

3. Cf. l'article de Mona Ozouf, « De Thermidor à Brumaire : le discours de la Révolution sur elle-même », dans *Revue historique*, janv.-mars 1970, p. 31-66.
4. Cf. Alice Gérard, *La Révolution française, mythes et interprétations 1789-1970*. Coll. Questions d'histoire, Flammarion, 1970.

dans toute histoire de la Révolution ; il doit être accompagné d'une expertise particulière, aussi précise que possible, des contraintes de *notre* présent.

La Révolution, passé ou avenir ?

Il est clair que ces contraintes sont loin d'être également fécondes ou également stérilisantes. Le préjugé contre-révolutionnaire, par exemple, même s'il constitue la toile de fond d'histoires de la Révolution d'un intérêt nullement négligeable comme celle de Taine, me paraît le plus néfaste à l'intelligibilité du phénomène ; il a constamment tendance à le réduire, ou à le nier ; il conduit, comme naturellement, à des types d'explications moralisantes (providence, complot, etc.) peu propres — et c'est leur fonction même — à rendre compte d'événements ou de périodes caractérisés par l'activité exceptionnelle des masses populaires. Pour comprendre la Révolution, encore faut-il, d'une certaine manière, l'accepter : mais, précisément, tout est dans la manière. Les plus grands historiens de la première moitié du XXe siècle sont encore hypnotisés par l'événement qui a dominé leur vie ; mais aucun d'entre eux, ni Guizot, ni Michelet, ni bien sûr Tocqueville ne se croient pour autant autorisés à le considérer comme familier, « normal », facile à comprendre. Au contraire, c'est l'étonnement devant l'*étrangeté* du phénomène qui constitue la détermination existentielle de leur œuvre historique. Tous « décentrent » l'immense événement, dont ils décomposent les éléments et les périodes, et qu'ils resituent dans une évolution longue, pour conceptualiser sa ou ses signification(s). Car toute analyse véritablement historique de la Révolution commence par la critique, implicite au moins, de ce qui en constitue la conscience manifeste, la coupure ancien/nouveau située au cœur de l'idéologie révolutionnaire : de ce point de vue, c'est Tocqueville qui va intellectuellement le plus loin, en renversant l'idée que les acteurs de la Révolution ont eue d'eux-mêmes et de leur action, et en montrant que loin d'avoir été les agents d'une rupture radicale, ceux-ci ont en fait achevé l'État bureaucratique centralisé, commencé par les rois de France. Quant à Guizot, c'est son conservatisme politique qui le libère de la mythologie de l'événement fondateur : la Révolution française doit être un aboutissement, et non un commencement. Michelet, des trois, est celui qui a le plus intériorisé l'idéologie révolutionnaire. Mais il aborde l'histoire de la Révolution après avoir parcouru toute l'histoire de France ; et cette passion du passé pour le passé, jointe à l'extraordinaire diversification de son analyse de l'histoire révolutionnaire, le délivre de la téléologie : car, pour que la révolution annonce et fonde l'avenir, il faut qu'elle soit, comme on disait sous la IIIᵉ République, un « bloc ».

Ce qui a renforcé l'idéologie spontanée de la Révolution mère, ce sont les luttes des débuts de la IIIᵉ République, mais aussi, et surtout, le développement du mouvement socialiste. Car celui-ci est porteur potentiel d'une seconde révolution, dialectiquement destinée à nier l'état des choses instauré par la première et à réaliser, enfin, ses promesses. Ainsi naît cette configuration bizarre, cette idéologie naïve, ce schéma linéaire selon lesquels la révolution mère[5] retrouve au XXᵉ siècle le sens fondateur que lui avaient donné, sur le moment, ses propres acteurs ; mais c'est un sens différent, et comme

5. Il serait intéressant d'étudier pourquoi la Révolution anglaise du XVIIᵉ siècle ne joue jamais le rôle de révolution mère, par rapport aux révolutions européennes des XVIIIᵉ-XXᵉ siècles.

amputé d'une grande part de la richesse empirique de l'événement, car c'est un sens étroitement sélectif : la Révolution française n'est plus ce bouleversement des valeurs, ce remaniement des statuts sociaux et du personnel dirigeant à travers lesquels s'installent l'Etat et la société française contemporaine, de Mirabeau à Napoléon ; cette révolution, dit « bourgeoise », on l'arrête au 9 Thermidor, lorsque se termine, précisément, l'épisode non « bourgeois » de son déroulement : son cœur se situe désormais dans sa période jacobine, au moment où l'idéologie moralisante et utopique masque au maximum le procès historique réel, les rapports réels de la société civile et de l'Etat. L'investissement affectif de l'historien naïf sur ces valeurs et sur cette idéologie lui permet de reprendre à son compte l'illusion des acteurs de l'an II, et d'affecter la Révolution française d'une sorte de redoublement fondateur, à valeur non plus nationale, mais universelle. Quand Albert Soboul parle de « notre mère à tous », je crains que cette référence classique[6] n'ajoute guère à la clarté du débat ; mais au moins éclaire-t-elle, comme un cri du cœur, la profondeur d'une passion.

Car, à partir de 1917, la Révolution française n'est plus cette matrice de probabilités à partir de laquelle peut et doit s'élaborer une autre révolution définitivement libératrice ; elle n'est plus ce champ des possibles découvert et décrit par Jaurès dans toute la richesse de ses virtualités. Elle est devenue la mère d'un événement réel, et son fils a un nom : Octobre 1917, et plus généralement la Révolution russe. Dès 1920, dans une petite

---

6. Cf. notamment D. Guérin, *Bataille autour de notre mère*, t. II de la réédition 1968 de *La Lutte des classes sous la Première République*, p. 489-513. Cette référence « maternelle » est courante au XIXe siècle, on la trouve notamment chez Michelet et Kropotkine.

brochure[7], Mathiez souligne la parenté entre le gouvernement des Montagnards, de juin 93 à juillet 94, et la dictature bolchevique des années de guerre civile : « Jacobinisme et bolchevisme sont au même titre deux dictatures, nées de la guerre civile et de la guerre étrangère, deux dictatures de classe, opérant par les mêmes moyens, la terreur, la réquisition et les taxes, et se proposant, en dernier ressort, un but semblable, la transformation de la société, et non pas seulement de la société russe ou de la société française, mais de la société universelle » (p. 3-4). Au reste, comme Mathiez le souligne, les bolcheviks russes n'ont pas cessé d'avoir présent à l'esprit l'exemple de la Révolution française, et tout particulièrement de sa période jacobine. Dès la scission du parti social-démocrate russe en bolcheviks et mencheviks, en 1903, Lénine a excipé du modèle jacobin : « Le jacobin lié indissolublement à l'*organisation* du prolétariat *devenu conscient* de ses intérêts de classe, c'est justement le *social-démocrate révolutionnaire*[8]. » Cette référence a alimenté toute une polémique avec Trotski, qui, à cette époque, penche du côté menchevik ; dans un livre trop peu connu[9], et récemment réédité, Trotski souligne l'anachronisme de l'analyse de Lénine. Car, ou bien « le jacobin... se lie à ''l'organisation du prolétariat devenu conscient de ses intérêts de classe'', et il cesse d'être jacobin[10] ; ou bien... il est

---

7. *Le Bolchevisme et le Jacobinisme*, Paris, 1920, Librairie de « L'Humanité ».

8. Lénine, « Un pas en avant, deux pas en arrière », dans *Œuvres choisies*, Moscou, 1954, t. I, p. 617. C'est Lénine qui souligne.

9. Trotski, *Nos tâches politiques*, Ed. Pierre, Belfond, 1970. Trotski a volontairement laissé dans l'ombre ce livre, paru en août 1904 ; il ne souhaitait pas, après son ralliement aux bolcheviks en 1917, que son image politique fût ternie par cette opposition « de droite » à Lénine.

10. *Op. cit.*, p. 184.

jacobin, c'est-à-dire radicalement différent du social-démocrate révolutionnaire : « Deux mondes, deux doctrines, deux tactiques, deux mentalités, séparés par un abîme... »[11], conclut-il au terme d'une longue analyse historique des impasses et des folies idéologiques du terrorisme jacobin. Mais ce rappel à l'ordre intellectuel, d'une orthodoxie marxiste irréprochable, n'a naturellement pas empêché le télescopage permanent des deux révolutions dans la conscience des révolutionnaires russes. On sait, par exemple, qu'après la mort de Lénine, au moment où rôde le spectre de « Thermidor », Staline noue son alliance tactique avec Zinoviev et Kamenev sur la base de leur crainte commune d'un nouveau Bonaparte, qui n'est autre que Trotski, ex-chef de l'Armée rouge.

Cette contamination n'a pas seulement joué dans la tête des acteurs de l'histoire du XXe siècle ; elle existe aussi dans l'esprit des historiens de la Révolution française, et d'autant plus fortement que l'historiographie de la Révolution, en France au moins, a été majoritairement de gauche. Le « déplacement » de la Révolution française par la Révolution russe, en transférant l'accent et la curiosité de 89 à 93, a d'ailleurs eu des conséquences positives dans le domaine de l'érudition : il a constitué une puissante incitation à étudier de plus près le rôle des classes populaires urbaines dans le processus révolutionnaire, et des livres importants comme *La Vie chère* de Mathiez[12], les *Bras nus* de Daniel Guérin[13], ou les *Sans-culottes* d'Albert Soboul[14] lui doivent probable-

11. *Op. cit.*, p. 189.
12. A. Mathiez, *La Vie chère et le mouvement social sous la Terreur*, Paris, 1927, rééd. Payot, 1973, 2 vol.
13. D. Guérin, *Les Luttes de classes sous la Première République*, 2 vol., *op. cit.*
14. A. Soboul, *Les Sans-culottes parisiens en l'an II*, La Roche-sur-Yon, 1958.

ment d'avoir été conçus[15]. Il est clair, en effet, et il en existe bien des exemples, de Tocqueville à Max Weber, que l'interrogation sur le présent peut aider à l'interprétation du passé.

A condition, évidemment, que cette interrogation demeure une interrogation, une série d'hypothèses nouvelles, et non pas une projection mécanique et passionnelle du présent sur le passé. Or, à être accompagné, comme en mineur, d'un autre discours, implicite, sur la Révolution russe, l'interprétation de la Révolution française n'a pas gagné en richesse et en profondeur ; le discours latent a proliféré comme un cancer à l'intérieur de l'analyse historique, jusqu'à en détruire la complexité et la signification même. J'aperçois au moins trois cheminements du phénomène : d'abord, la recherche, dans l'histoire de la Révolution française, de précédents justificateurs de l'histoire révolutionnaire et post-révolutionnaire russe[16]. Prenons comme exemple les épurations à l'intérieur du groupe dirigeant de la Révolution, qui constituent une caractéristique commune aux deux histoires : Staline, comme Robespierre, a liquidé ses anciens compagnons au nom de la lutte contre la contre-révolution. Dès lors, les deux interprétations « spontanées » de l'épuration, l'exemple français venant au secours de l'autre, se sont renforcées et coagulées autour de l'idée que la contre-révolution est dans la révolution, d'où il s'agit de la débusquer. Une comparaison véritable et éventuellement féconde des deux phénomènes aurait consisté à examiner, dans les deux cas — et ils

15. On pourrait y joindre les travaux importants de l'école anglaise, notamment ceux d'E. Hobsbawm et G. Rudé. Plus indifférent au marxisme, R. Cobb me paraît relever d'une inspiration différente.

16. La Révolution russe a en effet ce privilège, dans l'historiographie « léniniste » d'être affectée d'une élasticité indéfinie : elle n'est jamais terminée.

sont naturellement très différents — comment fonctionne le processus effectivement identique de division et de liquidation du groupe initialement dirigeant. Au lieu de cela, a joué le mécanisme de justification du présent par le passé, caractéristique de l'histoire téléologique.

Second cheminement : la substitution d'un marxisme extraordinairement simplifié et simplificateur aux quelques analyses, parfois contradictoires, que nous ont laissées Marx et Engels à propos de la Révolution française[17]. Il s'agit d'une sorte de simple schéma linéaire de l'histoire, où la révolution bourgeoise, en rassemblant derrière elle paysannerie et masses populaires urbaines, permet le passage du mode de production féodal au mode de production capitaliste ; la dictature montagnarde, montée en épingle comme l'épisode le plus « populaire » du processus, est investie du même coup de la signification la plus « progressiste » : celle de mener « jusqu'au bout », par la guerre et la terreur, les tâches assignées à l'avance à la révolution bourgeoise, en même temps que celle d'annoncer les libérations à venir, et notamment, spécifiquement, la Révolution d'octobre 1917. La révolution se trouve, ainsi, de plus en plus décentrée par rapport à sa propre réalité chronologique, tirée de 89 vers 93, puis subitement interrompue en

17. La rédaction de cet article m'a amené à relire Marx et Engels ; les textes que ceux-ci consacrent à la Révolution française sont passionnants, mais presque toujours allusifs, parfois difficiles à concilier ; ils mériteraient un inventaire et une analyse systématiques, que j'espère pouvoir publier un jour, avec l'aide de mon ami Kostas Papaioannou. Je me bornerai ici, par un usage nécessairement éclectique des œuvres de Marx et d'Engels, à montrer combien l'interprétation qu'en propose Mazauric leur est infidèle. En ce qui concerne les textes de Marx et d'Engels non encore traduits en français, je me référerai à l'édition allemande des œuvres complètes : Marx-Engels, *Werke*, 39 vol., éd. Dietz, Berlin, 1961-1968.

juillet 94, alors qu'elle embrase l'Europe et s'installe en France. Le concept de « révolution bourgeoise » en devient flottant, habillant beaucoup trop large un processus chronologique rétréci à ses deux extrémités.

Si cette contradiction évidente ne gêne pas l'historien « marxiste » (au sens défini ci-dessus), c'est que cet historien est moins marxiste que néo-jacobin. Il plaque un schéma marxiste, véhiculé par la Révolution soviétique, sur un investissement politico-affectif autrement puissant et qui est l'interprétation de la Révolution française par elle-même, à la fois comme fondatrice de la « grande nation » et comme libératrice de la société universelle, c'est-à-dire comme « jacobine », beaucoup plus que comme « constituante ». Ce qu'il aime dans la Révolution soviétique, c'est ce qu'avait perçu, dès 1920, Mathiez, qui n'était pas marxiste : la superposition de deux images libératrices, qui constituent le tissu de notre histoire contemporaine en religion du progrès, et où l'Union soviétique joue dans la seconde le rôle exercé par la France dans la première. Peu importe que l'histoire de ces dernières décennies ait apporté à cette construction des démentis auxquels elle n'aurait pas dû survivre : l'idéologie a précisément pour fonction de masquer la réalité, et donc de lui survivre. L'historien néo-jacobin, intoxiqué par l'idée d'une nation investie du rôle d'éclaireur de l'humanité, rechigne à sortir de la tente à oxygène. Le voici au contraire qui, une fois de plus, par la voix d'Albert Soboul, renouvelle les « leçons » d'une histoire qui est pédagogie du progrès, et parle de 93 au présent : « Qui ne reconnaîtrait que quelques-uns des problèmes qui se posent aujourd'hui au mouvement révolutionnaire étaient déjà, sous telle autre forme, au cœur du complexe et terrible jeu social et politique de l'an II[18] ? »

18. Préface d'A. Soboul au livre cité de C. Mazauric, p. 2.

144

Ainsi s'est constituée, au niveau de l'interprétation de la Révolution française, une sorte de vulgate lénino-populiste, dont le *Précis*[19] de Soboul est sans doute le meilleur exemple, et dont les canons semblent d'autant plus fortement établis qu'ils annexent en renfort toute l'historiographie « de gauche » de la Révolution, de Jaurès à Georges Lefebvre[20]. Malheur à qui s'en écarte, car du coup il trahit Danton et Jaurès, Robespierre et Mathiez, Jacques Roux et Soboul. Dans cet amalgame extravagant, qui est à peine forcé, on reconnaîtra l'esprit manichéen, sectaire et conservateur d'une historiographie qui substitue le jugement de valeur au concept, la finalité à la causalité, l'argument d'autorité à la discussion. Les nouveaux Teilhard de Chardin de la révolution jacobine doublement fondatrice retrouvent leur vieille berceuse, le monde politique imaginaire à deux dimension où ils sont investis du rôle de défenseurs du peuple. Ainsi survit par eux, à la fois comme héritage, comme présent et comme avenir, l'alternative révolution/contre-révolution qu'ils sont chargés de raconter et de transmettre à travers une histoire qui est inséparablement communion et pédagogie. Toute *autre* histoire de la Révolution, c'est-à-dire toute histoire qui essaye d'échapper à ce mécanisme d'identification spontanée à l'objet et aux valeurs qu'elle est précisément chargée d'expliciter, est, de ce fait, nécessairement contre-révolutionnaire, voire antinationale : « la logique » du raisonne-

---

19. A. Soboul, *Précis d'histoire de la Révolution française*, Paris, 1962. On trouvera une illustration un peu caricaturale de cette interprétation canonique de la Révolution dans la postface du même auteur à la réédition récente du *Quatre-vingt-neuf* de Georges Lefebvre : « La Révolution française dans l'histoire du monde contemporain. »

20. Je reviendrai ci-dessous sur l'importance et la signification de l'œuvre de G. Lefebvre, qui me paraissent illégitimement annexées, même au niveau de l'interprétation, par Albert Soboul et ses disciples.

ment est impeccable, à cela près qu'il ne s'agit pas d'un raisonnement, mais du rituel renouvelé, et désormais sclérosé, de la commémoration. C'est le tombeau du soldat inconnu ; non celui de la Marne, mais celui de Fleurus.

II

Le dernier livre d'Albert Soboul[21] constitue une parfaite illustration de ce type d'histoire ; de ce point de vue, il n'est pas aussi négligeable que le donneraient à penser ses procédés de composition[22]. Car, dans sa simplicité même, son architecture dévoile tous les secrets de cette conscience historique à la fois commémorative et finaliste.

Historien de la Révolution française, A. Soboul propose un titre prometteur, emprunté au programme de la collection[23] : *La Civilisation et la Révolution française.* Infidèle à cette annonce alléchante, qui nous eût promenés à travers le monde, à la recherche de l'immense héritage culturel, il nous offre plus classiquement une « crise de l'Ancien Régime », qui est un survol du XVIIIᵉ siècle français. Dès les premières pages, il est clair que c'est tout le siècle qui est une crise ; que tous les éléments d'analyse, à tous les niveaux de l'histoire, convergent vers 1789, comme aspirés par l'inévitable couronnement qui les fonde *a posteriori* : « La philosophie, s'in-

21. A. Soboul, *La Civilisation et la Révolution française*, t. 1 : *La crise de l'Ancien Régime*, Arthaud, 1970.
22. Cf. la mise au point parue dans les *Annales E.S.C.*, septembre-octobre 1970, p. 1464-1496.
23. *Les Grandes Civilisations*, Arthaud.

sérant étroitement dans la ligne générale de l'histoire, en concordance avec le mouvement de l'économie et de la société, a contribué à cette lente maturation qui se mua brusquement en révolution couronnant le Siècle des lumières » (p. 22).

Un peu interloqué par cet exorde, qui le saisit « à froid » et lui assène d'un coup tant de propositions métaphysiques, le lecteur se jette sur la « table des matières » ; il veut savoir s'il doit continuer ! Là, une autre surprise l'attend : le plan. Quatre parties : les paysans, l'aristocratie, la bourgeoisie, le « quatrième état », c'est-à-dire les classes populaires urbaines. Bien sûr, tout plan est arbitraire, et possède par définition des contraintes logiques. Mais celui-ci oblige l'historien du XVIIIᵉ siècle à des acrobaties. Il lui faut morceler en catégories sociales la démographie, la conjoncture économique, la politique, la culture, traiter par exemple des « Lumières » dans la seconde partie, consacrée à l'aristocratie, puis des « philosophes » dans la troisième, à propos de la bourgeoisie ; ou encore n'introduire l'Etat absolutiste qu'« à propos de » l'aristocratie, et comme en passant, à travers les seuls liens que la monarchie entretient avec la noblesse. Albert Soboul se livre imperturbablement à cette chirurgie néo-aristotélicienne, où les classes fonctionnent comme des catégories métaphysiques.

S'il a pris les risques d'un découpage aussi artificiel, on voudra croire que ce n'est pas seulement par lassitude d'avoir à réorganiser une matière qu'il avait déjà enseignée dans ce cadre conceptuel, quoique sous un titre différent et d'ailleurs plus exact[24]. C'est plutôt qu'à ses yeux, quel que soit le titre formel dont on l'ha-

---

24. A. Soboul, *La société française dans la seconde moitié du XVIIIᵉ siècle*, C.D.U., 1969.

bille, toute histoire du XVIIIe siècle français renvoie implicitement à deux propositions fondamentales : 1. Le XVIIIe siècle est caractérisé par une crise générale de l'Ancien Régime, que signalent les « concordances » de l'évolution, à tous les niveaux de la réalité historique. 2. Cette crise est essentiellement de nature sociale, et doit être analysée en termes de conflit de classes. Or, de ces deux propositions, la première est ou bien tautologique, ou bien téléologique, ou les deux à la fois. Elle échappe en tout cas, par son imprécision même, à tout critère rationnel de jugement. La seconde est une hypothèse historique ; l'intéressant est que ce soit celle de la Révolution française sur elle-même, au moment où surgit l'événement, et même un tout petit peu avant. Le XVIIIe siècle de Soboul, c'est celui de Sieyès et de son pamphlet : *Qu'est-ce que le Tiers Etat* ; un siècle tout entier happé, déterminé par le conflit aristocratie/Tiers Etat, et dont toute l'évolution est fonction de cette contradiction sociale. Jamais la tyrannie exercée sur l'histoire du XVIIIe siècle par l'événement révolutionnaire n'a été plus naïvement mise en évidence. On peut, en effet, se demander si c'est une grande réussite intellectuelle, pour un historien, après cent quatre-vingts ans de recherches et d'interprétations, après tant et tant d'analyses de détail et d'ensemble, que de partager cette image du passé que se faisaient les propres acteurs de la Révolution française ; et si ce n'est pas une performance un peu paradoxale, pour une historiographie prétendument marxiste, que de s'aligner sur la conscience idéologique contemporaine de l'événement qu'on cherche à expliquer. Pour Soboul comme pour Sieyès, la Révolution de 89 n'est pas un des avenirs possibles de la société française du XVIIIe siècle ; c'est son seul futur, son couronnement, sa fin, son sens même. Comme le melon de Bernardin de Saint-Pierre est fait pour être mangé en famille, le XVIIIᵉ siècle de Soboul est découpé pour être dégusté en 1789. Mais qu'en reste-t-il ?

L'auteur a dû, j'imagine, en ressentir une certaine gêne, car il a superposé, *in extremis*, à son découpage sociologique, un chapitre de conclusion dont le titre reprend purement et simplement l'intitulé du livre : « La crise de l'Ancien Régime. » Or, il ne s'agit pas d'une véritable conclusion, mais d'un nouvel exposé, au demeurant classique, des origines immédiates de la Révolution : l'intercycle économique de régression de Labrousse, la crise sociale, l'épuisement des « Lumières », l'impuissance de l'Etat, la révolte aristocratique. Dès lors, où se situe la « crise » de l'Ancien Régime ? Dans ces années 80 que Soboul décrit en conclusion, ou dans l'épaisseur chronologique des contradictions sociales du siècle ? Tout cela n'est jamais bien clair pour le lecteur, mais il semble que la réponse, au moins implicite, soit : ici et là. Le siècle accumule les matériaux de l'incendie, et les années 80 apportent l'étincelle. De la sorte, l'irruption ultime de la temporalité dans l'analyse des stratifications sociales ne modifie ni le découpage conceptuel, ni la philosophie finaliste de l'analyse. Au contraire, elle intervient pour les confirmer. C'est la nouvelle Providence du nouveau théologien.

Dans ce lit de Procuste, que devient ce pauvre XVIIIᵉ siècle ? Un vaste champ de contradictions sociales latentes, porteuses de l'avenir qu'on leur assigne, c'est-à-dire des fronts de classe de 1789-1793 : d'un côté la bourgeoisie et ses alliés « populaires », paysans et « quatrième état » des villes, de l'autre l'aristocratie.

Le problème des droits seigneuriaux et de la « réaction féodale »

Dans cette analyse, les paysans se taillent la part du lion et près de la moitié du texte : 200 pages leur sont consacrées, à mon avis les meilleures du livre. Albert Soboul fait la synthèse des nombreux travaux sur la paysannerie d'Ancien Régime, et analyse très complètement les différents aspects de la vie rurale, encadrement social, technologie, démographie, travaux quotidiens, cultures et croyances, etc.

Il émane de ces pages une sympathie concrète pour le monde des campagnes, et une intelligence de la vie des humbles, qui leur donnent une saveur indéniable. Sur le plan de l'interprétation fondamentale, pourtant, l'analyse soulève un immense problème qu'elle tranche un peu vite : celui des droits seigneuriaux et du poids de la féodalité dans les campagnes françaises au XVIIIe siècle.

Le siège de Soboul est fait : sur le plan conceptuel, bien qu'il n'ignore évidemment pas la distinction entre « féodal » et « seigneurial », pas plus que les juristes de la Révolution française ne l'ignoraient[25], il mêle constamment les deux notions, comme les a mêlées l'idéologie révolutionnaire. Ce qui lui permet, au niveau de l'analyse historique, de parler d'un « complexe » ou d'un « régime féodal » comme définissant l'essentiel des rapports économiques et sociaux à la campagne. Au prix d'une confusion de vocabulaire constante entre « féodal », « seigneurial », « aristocratique », l'historien s'aligne là encore sur la conscience contemporaine ou im-

25. Cf. Merlin de Douai (cité par A. Soboul, p. 67) et ses rapports à l'Assemblée constituante au nom du Comité féodal le 4 septembre 1789 et le 8 février 1790.

médiatement postérieure de l'événement qu'il décrit[26] ;
le voilà prisonnier du partage qu'a fait l'idéologie de 89
entre l'« ancien » et le « nouveau », l'ancien étant défini
comme « féodal ». Du coup, le voilà contraint de mettre
au débit de cette « féodalité » tous les aspects négatifs et
finalement « explosifs » de la société rurale, l'exploitation
du paysan, sa misère, le blocage de la productivité
agraire, la lenteur du développement capitaliste.
Comme ce « régime féodal » a quand même subi de
rudes assauts en France depuis quatre ou cinq siècles, la
vieille idée d'une « réaction aristocratique »[27] (p. 89)
vient à la rescousse d'un concept menacé. Pour un peu,
on se croirait en séance, au soir de la fameuse nuit du
4 Août.

Comme chacun sait, l'analyse chiffrée, au niveau national, du poids relatif des droits seigneuriaux dans la
rente foncière — et dans le revenu paysan et nobiliaire
— n'est pas disponible et ne le sera pas de sitôt : les
droits sont incroyablement divers et les sources sont
éparses, les données des terriers peu susceptibles d'être
groupées en séries statistiques. Soboul écrit p. 44 : « La
rente foncière, *féodale pour l'essentiel*, domine la vie
agricole... » La proposition (dans ce que j'en ai souligné)
est évidemment fausse pour la France du XVIIIe siècle,
où les revenus du fermage, du métayage et du faire-
valoir direct sont incontestablement plus importants que
ceux des droits seigneuriaux, et elle surprend chez un
spécialiste ; mais quel est, si j'ose dire, son degré
d'inexactitude ? C'est là l'important. Les monographies
nombreuses dont nous disposons témoignent à cet égard

26. Même procédé chez Mazauric, *op. cit.*, p. 118-134. Le
« marxisme » est réduit à un mécanisme de justification de la conscience contemporaine de l'événement.

27. Soboul identifie ici, comme ailleurs, aristocratique, seigneurial
et féodal.

d'une réalité très différenciée : les paysans de Le Roy Ladurie, dans un Midi qui a été relativement peu « féodalisé », semblent avoir liquidé la rente seigneuriale très tôt, dès le début du XVIᵉ siècle[28]. Dans la Sarthe de P. Bois[29], le taux de la redevance seigneuriale semble très faible, et même infime à l'intérieur de la rente foncière, par rapport au montant du fermage. Et la révision des terriers qui s'opère au XVIIᵉ siècle ne fait pas apparaître de droits supplémentaires. « On peut dire, conclut P. Bois, en exagérant à peine, que la question des rentes seigneuriales ne concerne pas le paysan. » Même son de cloche dans l'Auvergne d'A. Poitrineau[30], où le pourcentage des droits seigneuriaux par rapport au produit net ne semble pas dépasser 10 %, mais avec, cette fois-ci, une tendance à la hausse au cours du siècle. Par contre, dans la Bretagne de J. Meyer[31] comme dans la Bourgogne de Saint-Jacob[32], récemment réétudiée par R. Robin[33], le prélèvement seigneurial sur le produit net reste important, notamment par l'intermédiaire des droits en nature ; le champart en Bourgogne et, en Bretagne, les droits attenant au domaine congéable, semblent les vrais droits seigneuriaux économiquement lourds.

28. Le Roy Ladurie, *Les paysans de Languedoc*, S.E.V.P.E.N., cf. t. I, p. 291-292.

29. P. Bois, *Paysans de l'Ouest*, Mouton, 1960, cf. p. 382 et suiv.

30. A. Poitrineau, *La vie rurale en Basse-Auvergne au XVIIIᵉ siècle, 1726-1789*, Paris, 1965. Cf. t. I, pp. 342 et suiv.

31. J. Meyer, *La Noblesse bretonne au XVIIIᵉ siècle*, S.E.V.P.E.N., 1966. Cf. notamment le t. II. La lourdeur relative des prélèvements seigneuriaux en Bretagne n'empêche pas J. Meyer de conclure (p. 1248) que « les droits seigneuriaux proprement dits, pour élevés qu'ils soient, représentent un pourcentage assez faible des revenus de la noblesse ».

32. P. de Saint-Jacob, *Les paysans de la Bourgogne du Nord au dernier siècle de l'Ancien Régime*, 1960.

33. R. Robin, *La société française en 1789 : Semur-en-Auxois*, Plon, 1970.

Il n'est donc pas possible, dans l'état actuel de nos connaissances, de parler d'une « réaction féodale » au XVIIIᵉ siècle comme d'un processus objectif à l'intérieur de l'économie et de la société agraire au XVIIIᵉ siècle. Il n'est même pas sûr que les droits seigneuriaux réels, qui pesaient prioritairement sur le propriétaire, puisque, comme la dîme, ils venaient généralement en déduction de la valeur locative, aient affecté sensiblement le niveau de vie du plus pauvre des paysans : le petit exploitant. Mais même si l'inverse était exact, même si une croissance du prélèvement seigneurial était à l'origine d'une paupérisation paysanne à la fin du XVIIIᵉ siècle, il ne s'ensuivrait pas que le mouvement ait été de nature aristocratique et « féodale » (au sens de Soboul, c'est-à-dire à la fois nobiliaire et anticapitaliste) : A. Poitrineau a publié naguère[34] une courbe très intéressante qui montre l'accroissement de la commercialisation des seigneuries en Auvergne dans la seconde moitié du siècle, et leur intégration croissante à la production pour le marché. Et à propos de la Bourgogne du milieu du XVIIIᵉ siècle, P. de Saint-Jacob (qui semble d'ailleurs réservé sur l'emploi du terme « réaction seigneuriale »[35]) a montré comment la seigneurie, par l'intermédiaire du fermier des droits, s'intègre à ce qu'il appelle la « révolution physiocratique », c'est-à-dire le développement du capitalisme à la campagne[36]. Plutôt que d'une « réaction aristocratique », ne serait-on pas en droit de parler, comme le demandait Cobban[37], d'un embourgeoisement de la seigneurie ? De ce point de vue, la résistance paysanne à la seigneurie peut n'être pas antiaristocra-

34. A. Poitrineau, *op. cit*, t. II, p. 123.
35. P. de Saint-Jacob, *op. cit.*, p. 434.
36. P. de Saint-Jacob, *op. cit.*, pp. 469-472.
37. A. Cobban, *The social interpretation of the French Revolution*, Cambridge University Press, 1964, p. 47.

tique ou « antiféodale », mais antibourgeoise et anticapitaliste. Et l'enthousiasme de la nuit du 4 Août n'est pas celui d'un front de classes rallié par l'intérêt commun, mais le masque d'un désaccord, ou au moins d'un malentendu radical. D'ailleurs, il n'est que trop évident que l'abolition des droits seigneuriaux n'a pas levé, dans l'histoire de la société rurale française, les résistances au développement du capitalisme. Comme le suggère le livre de P. Bois, l'hostilité du paysan à la seigneurie peut n'être que la forme archaïque de son opposition au changement économique.

De ce point de vue, un article allemand récent[38] suggère une hypothèse intéressante ; à partir d'une comparaison entre la Bavière et la France, il montre qu'à la différence de l'Allemagne à l'ouest de l'Elbe, où le clergé et la noblesse, tout en conservant leur propriété éminente, ont abandonné toute l'ancienne réserve aux paysans tenanciers, qui ont de ce fait 80 à 90 % de la propriété utile, en France, au contraire, le phénomène essentiel de l'évolution de la seigneurie a été le fermage de la réserve, qui s'étend du XVIe au XVIIIe siècle au détriment de la censive, détestée par les nobles en raison de la dévalorisation des cens : à la fin du XVIIIe siècle, les paysans-tenanciers français n'ont guère plus d'un tiers du sol, ce qui, contrairement à une opinion répandue, n'est pas beaucoup. C'est analyse comparée de l'évolution de la seigneurie en France et en Allemagne occidentale a l'avantage d'expliquer la paupérisation rurale française à la veille de la Révolution, et la présence d'un vaste prolétariat paysan dont on ne trouve pas

38. Eberhard Weis, « Ergebnisse eines Vergleichs der grundherrschaftlichen Strukturen Deutschlands und Frankreichs vom 13. bis zum Ausgang des 18. Jahrhunderts », dans *Vierteljahrschrift für sozial und Wirtschaftsgeschichte*, 1970, p. 1-14.

l'équivalent de l'autre côté du Rhin, où 90 % de la terre circule entre les mains des exploitants-propriétaires. Mais elle souligne, en même temps, que le développement du capitalisme rural, en France, est passé par le fermage de la réserve. Loin d'y avoir fait obstacle, la seigneurie, avec ses régisseurs et ses intermédiaires bourgeois, en a été le véhicule[39]. Et il y a toutes chances que P. Bois ait raison, et qu'en protestant contre des droits seigneuriaux résiduels et secondaires, mais d'autant plus ressentis, psychologiquement, qu'ils constituaient une ponction marginale sur une exploitation marginale, les paysans français de la fin du XVIIIe siècle aient mis en cause, en réalité, le capitalisme foncier.

Si pourtant, l'idée confuse d'une réaction aristocratique caractérisée par une aggravation des droits seigneuriaux est, depuis si longtemps, acceptée par les historiens, ce ne peut être seulement parce qu'elle cadre bien avec une vision simpliste de la lutte des classes et de la disposition des alliances ; ou parce qu'elle permet à Albert Soboul de retrouver un marxisme d'école élémentaire, en écrivant que « la transformation capitaliste de l'agriculture exigeait l'abolition de la féodalité et du privilège » (p. 89). C'est surtout parce qu'elle prend appui sur une série de témoignages « littéraires » du XVIIIe siècle, et d'abord sur les Cahiers des états généraux. Or, la discussion sur la valeur documentaire des Cahiers — et Dieu sait si cette discussion a été riche depuis le début du siècle — a jusqu'ici essentiellement porté sur le point de savoir si, et dans quelle mesure, les rédacteurs de chaque Cahier avaient été fidèles aux vœux réels de leurs communautés. A supposer que la réponse à cette

---

39. On trouve de remarquables illustrations de ce fait dans les *Etudes orléanaises* (Paris, 1962-1963) de Georges Lefebvre, t. I, chap. Ier, « Les campagnes orléanaises ».

question soit positive — ce qu'elle est, le plus souvent —
il existe un second préalable à l'utilisation des Cahiers,
probablement plus fondamental. Ces textes doivent-ils
être lus comme des témoignages sur la réalité ou comme
des documents sur l'état d'esprit politique et l'idéologie
de la société française de 89 ? Je penche, avec R. Robin,
qui a, sur ce point, montré l'exemple[40], vers le second
type de lecture. Au moins me paraît-il préalable au
premier ; il faut décrire d'abord le contenu des Cahiers,
à chaque niveau sociologique, avant d'opérer la comparaison avec la vie sociale réelle dont ils sont issus.

Il est vrai que les Cahiers paysans sont souvent pleins
de doléances contre les droits seigneuriaux. Moins pourtant que contre la dîme, il me semble, et la taille, qui
sont les deux plaies par excellence des communautés
rurales. Des droits seigneuriaux, les Cahiers paysans
attaquent souvent moins les droits réels que les droits
personnels, les banalités, la chasse. Quant à l'idée d'une
aggravation de ces droits dans un passé récent, il est vrai
qu'on la trouve aussi, notamment sous la forme de
l'hostilité aux commissaires à terrier ; mais à supposer
même, ce qui est loin d'être vrai sous cette forme, que
les Cahiers paysans soient unanimes à se plaindre d'un
accroissement récent du prélèvement seigneurial,
qu'est-ce que cela prouve ? A peu près rien.

J'imagine, en effet, que si l'on organisait, dans la
France rurale d'aujourd'hui, une consultation du type
89, avec rédaction des doléances, ces modernes Cahiers
seraient unanimes contre l'impôt, alors que les paysans
français sont une catégorie sociale notoirement sous-
imposée depuis cent cinquante ans. Il est dans la nature
d'un texte politique, et de la conscience politique, si
fruste soit-elle, d'imputer le mal aux hommes et non aux

40. R. Robin, *op. cit.*, p. 255-343.

choses ; c'est ce qu'Ernest Labrousse[41], qui demeure le grand historien marxiste des origines de la Révolution française, appelle très justement « l'imputation au politique ». La misère de la fin du XVIIIe siècle, dont il est tant de traces irrécusables, peut être due à la croissance démographique ; il a bien fallu que ces 5 ou 6 millions de sujets supplémentaires du roi de France se fassent une petite place au soleil. Elle est inscrite aussi dans les admirables courbes d'E. Labrousse, où les prix des baux — c'est-à-dire de la rente foncière, sous sa forme la plus « bourgeoise » — grimpent tellement plus vite que les salaires et même que les prix[42]. Mais comment les paysans, ou même le notaire local, pourraient-ils le savoir ? Comment ne se retourneraient-ils pas, comme spontanément, contre le château et contre ses hommes qui constituent l'image locale du pouvoir ? Comme l'a mentionné R. Robin à propos des Cahiers de l'Auxois[43], la doléance de la communauté rurale n'est pas celle de l'analyse historique ou économique, mais celle de la vie concrète, l'impôt, la dîme, la chasse : ce qu'on lui enlève, ce qu'on lui interdit. Au surplus, la consultation a lieu au printemps 89, en pleine conjoncture courte de crise ; comment la masse immense des pauvres paysans n'aurait-elle pas cherché dans le passé récent et dans la croissance du prélèvement opé-

41. E. Labrousse, *La crise de l'économique française à la fin de l'Ancien Régime et au début de la Révolution*, Paris, 1943. Introduction générale, p. 47.

42. E. Labrousse, *Esquisse du mouvement des prix et des revenus en France au XVIIIe siècle*, Paris, 1932. Cf. livre VII, chap. 2 : Labrousse suggère d'ailleurs explicitement, dans *La crise de l'économie française...*, l'idée que je développe ici : que la « réaction seigneuriale » tient essentiellement sur le plan économique, dans la hausse des fermages en valeur réelle, en pourcentage du produit net. (Introduction générale, p. 45.)

43. R. Robin, *op. cit.*, p. 298-313.

ré sur son travail les raisons des difficultés présentes ?

Que le seigneur, ou, dans le cas de la dîme, le clergé, ait probablement joué le rôle de bouc émissaire de la crise, personne ne l'a mieux montré que P. Bois sur l'exemple limité, il est vrai, du département de la Sarthe, dans le chapitre de son livre consacré à l'analyse des Cahiers[44]. On constate, en effet, qu'il n'existe aucune relation entre l'intensité de la doléance paysanne contre les abus des ordres privilégiés, la réalité objective du prélèvement seigneurial, ou décimal, et le comportement politique des communautés considérées. Bien au contraire, c'est dans l'ouest du département que l'âpreté des Cahiers contre les ordres privilégiés et, surtout, contre le clergé[45], est vive, sans qu'on en trouve aucune justification objective dans l'étendue de la propriété ecclésiastique ou le taux de la dîme ; et c'est cette partie du département qui sera terre de chouannerie ; alors que le Sud-Est, dont les Cahiers sont au contraire particulièrement modérés à l'égard des privilégiés, constituera le réduit de la fidélité républicaine. En d'autres termes, ce n'est pas dans l'agencement *post factum* d'un imaginaire front de classes anti-« féodal », consolidé par une « réaction aristocratique » à la campagne, qu'il faut chercher les secrets de l'état d'esprit et du comportement paysans.

D'où vient alors cette espèce de frustration diffuse, mais fondamentale, mais très vive, dans la société française de la fin du XVIIIe siècle, par rapport à la noblesse et aux ordres privilégiés ? Il me semble que la « réaction aristocratique » est beaucoup plus une réalité psychologique, politique et sociale qu'une donnée de la vie éco-

44. P. Bois, *op. cit.*, p. 165-219.
45. L'ensemble des Cahiers de ce qui deviendra le département n'est que faiblement antinobiliaire.

nomique. Le XVIIIᵉ siècle voit se produire comme une exaspération du snobisme nobiliaire[46], et, par ricochet tout le long de la pyramide sociale, une exaspération du monde de la *différence*. Dans une des notes de sa thèse, J. Meyer cite un texte bien amusant à cet égard[47] ; il s'agit d'un pamphlet anonyme, contre les présidents à mortier du parlement de Bretagne, qui constitue un manuel ironique du bon usage de la présidence à mortier : « Comme nous sommes un petit nombre, nous ne pouvons toujours être ensemble. Il faut savoir être seul et s'ennuyer avec dignité ; c'est nostre continuelle estude ; l'habitude s'en forme et je préfère présentement l'honneur de m'ennuyer moi-même ou avec quelque président, au plaisir que je pourrais avoir avec quelques conseillers ou gentilshommes ; on ne parvient à ce degré de perfection que par une longue habitude de la présidence. »

Robe, finance, ou épée — mais ces distinctions intra-nobiliaires ont de moins en moins de sens au fur et à mesure qu'on avance dans le siècle, comme si elles ne s'affaiblissaient que pour renforcer l'autre, celle du grand « passage » social, qui sépare noblesse et roture —, il y a bien une exaspération du « racisme » nobiliaire. Mais cette crispation de la noblesse sur le protocole et sur les apparences de son pouvoir n'est pas nécessairement en rapport avec un renforcement de sa ponction économique sur la paysannerie. Au contraire, elle peut être le signe que les nobles, privés du pouvoir par l'absolutisme, ou croyant l'être, ce qui revient en l'occurrence au même, exaspèrent jusqu'à la caricature les apparen-

---

46. Cf. notamment l'article de M. Reinhard, « Elite et noblesse dans la seconde moitié du XVIIIᵉ siècle », *Revue d'histoire moderne et contemporaine*, 1956, p. 5-37.

47. J. Meyer, *op. cit.*, t. II, p. 961.

ces de la domination et les rites de la séparation[48]. Toute une société joue ainsi, à leur exemple, le psychodrame de la domination et de la servitude, les nobles contre les non-nobles, les grands contre les petits nobles, les riches contre les pauvres, les Parisiens contre les provinciaux, les urbains contre les ruraux : le problème est moins un problème de propriété économique que de domination sociale. Comme l'a bien vu Tocqueville[49], la société fran-

48. On trouve dans la thèse de J. Meyer, t. I, p. 793, ce jugement des Etats de Bretagne de 1772 sur les « droits féodaux » : « Si les droits féodaux ne sont pas ordinairement fort considérables par rapport à l'intérêt, ils sont doux et précieux par rapport à l'agrément et à l'opinion. »

49. Tocqueville, *L'Ancien Régime et la Révolution*, éd. Gallimard, livre II, chap. 9.

Je note ici, par parenthèse, que la référence à Tocqueville est, chez Soboul, purement révérentielle, et constamment fautive. Par exemple : à l'appui de son analyse du poids des droits féodaux et du « régime féodal » dans les campagnes de la France du XVIIIe siècle, il utilise (p. 64) une page de *L'Ancien Régime*, empruntée au chap. 1 du livre II, et consacrée au mécontentement paysan contre les droits féodaux. Il renouvelle ainsi un contresens qu'il avait déjà commis dans un article des *A.H.R.F.* : « La Révolution française et la féodalité », juillet-septembre 1958, p. 294-297. Car il est clair pour n'importe quel lecteur attentif de *L'Ancien Régime* que la thèse de Tocqueville est la suivante :

a) Les droits « féodaux » pèsent moins sur le paysan français devenu propriétaire que sur ses voisins d'Europe continentale, dont beaucoup sont encore corvéables à merci. Si le mécontentement rural à leur égard est si fort, ce n'est donc pas parce qu'ils sont particulièrement lourds, c'est parce qu'ils sont *résiduels*, et coupés de leur complément naturel, qui est l'administration locale et « paternelle » du seigneur.

b) Si la situation du paysan français est « quelquefois » pire au XVIIIe siècle qu'au XIIIe siècle, c'est parce que le paysan du XVIIIe siècle est livré à l'arbitraire royal, et notamment à l'arbitraire fiscal, sans recours possible à l'intercession seigneuriale. (II., chap. 12.)

c) Comme chez le jeune Marx (cf. notamment *La question juive*), la féodalité est pour Tocqueville une institution politique aussi bien que civile et socio-économique : une des origines de la Révolution, c'est çaise du XVIIIe siècle est un monde *désintégré* par la centralisation monarchique et la poussée concomitante de l'individualisme. Dans cette optique, la Révolution peut être considérée comme un immense procès d'intégration socio-culturelle, à travers le patriotisme « anti-féodal » de 89 et l'idéologie jacobine qui prend le relais. L'égalitarisme est l'envers de l'humiliation, la communion « républicaine » l'envers de la solitude « monarchique ». Il est, par là même, normal que la noblesse, modèle de la différence, paye le prix fort de cette intégration nationale.

Les classes dominantes du XVIIIe siècle

Cette longue parenthèse me ramène au livre d'Albert Soboul et à son analyse de la noblesse et de la bourgeoisie : la partie centrale du livre, mais la plus navrante aussi. Est-ce parce que disparaît soudain la sympathie attentive que l'historien portait au monde rural, à ses « travaux » et à ses « jours » ? Ou parce qu'il sort de son champ habituel d'investigation ? Le ton baisse d'un cran, la description se fait sèche, l'interprétation de plus en plus schématique. L'arbitraire du plan aggrave ses

qu'elle a cessé d'exister au niveau politique, détruite par la monarchie, et qu'elle survit de façon résiduelle, *donc* insupportable, au niveau de la société civile.

Il y aurait également beaucoup à dire sur l'utilisation que fait Albert Soboul de certains passages de Tocqueville soigneusement coupés de leur contexte dans sa postface à la réédition du *Quatre-vingt-neuf* de Georges Lefebvre, Paris, 1970 (p. 260, 263, 283). Il faut, ou bien n'avoir pas lu sérieusement Tocqueville, ou bien témoigner d'une grande indifférence à la signification des textes, pour suggérer que *L'Ancien Régime et la Révolution française* conduirait à une interprétation du type de celle que Soboul propose. C'est très exactement l'inverse qui est vrai.

ravages dans la réalité historique. Le clergé, par exemple, est traité avec la noblesse en tant qu'il est « haut », avec la bourgeoisie dans la mesure où il ne l'est pas, et une institution socioculturelle aussi caractéristique de l'Ancien Régime disparaît du coup dans la chirurgie sociologique. En même temps qu'elle vit de la dîme et attire sur elle une hostilité ou une jalousie générales, et pas seulement dans la paysannerie — on le verra bien dans les débats qui suivent le 4 Août —, l'Eglise participe activement à la dislocation culturelle de l'Ancien Régime. Rien n'en transparaît dans l'analyse de Soboul, si ce n'est le richerisme du bas clergé. Mais dans cette lecture populiste de l'histoire, où sont les prédicateurs de Groethuysen[50], diffuseurs de « l'esprit bourgeois », où les jésuites du P. de Dainville[51], éducateurs de la France des Lumières, où les jansénistes et, plus encore, le jansénisme, crise fondamentale, décisive, sans doute, de la France catholique ? *De minimis non curat praetor.*

Autre problème : le monde de la « finance » est abordé, à la fin des chapitres consacrés à la bourgeoisie, avec la « bourgeoisie d'entreprise ». C'est d'abord un double contresens. La « finance » n'a rien à voir avec l'entreprise ni avec la banque, dont elle est de plus en plus soigneusement distincte[52], et d'ailleurs rivale, même s'il arrive aux deux activités de se croiser ; ce capitalisme privilégié et fermé, qui vit de la gestion des finances d'un

50. Groethuysen, *Les origines de l'esprit bourgeois*, Gallimard, 1927.

51. Dainville, *La naissance de l'humanisme moderne*, Paris, 1940.

52. Cf. H. Lüthy, *La banque protestante en France*, 2 vol. S.E.V.P.E.N. 1959-1961 ; compte rendu par J. Bouvier, dans *A.H.R.F.*, juill.-sept. 1962, p. 370-371 ; cf. aussi G. Chaussinand-Nogaret, *Les financiers de Languedoc au XVIIIe siècle*, S.E.V.P.E.N., 1970, et l'article du même auteur : « Capital et structure sociale sous l'Ancien Régime », dans *Annales E.S.C.*, mars-avr. 1970, p. 463-476.

royaume agricole, est, de ce point de vue, le contraire du capitalisme d'entreprise de type schumpetérien ; et le relais de la « finance » officielle par la « banque » privée, dans la tentative de sauvetage des finances royales — relais dont la promotion ministérielle de Necker est le symbole —, constitue un des signes importants de la crise des structures socio-étatiques de l'Ancien Régime. D'autre part, la finance n'est pas, tout uniment, un monde « bourgeois » : au contraire, c'est au XVIIIe siècle le lieu par excellence du passage de la ligne fatidique, de la roture à la noblesse. Le gratin de la finance, les fermiers généraux, les trésoriers généraux, les receveurs généraux, achète des offices de secrétaires du roi, fait de ses fils des parlementaires, marie ses filles à des ducs. Si Soboul n'était pas enfermé dans son schéma d'une aristocratie « féodale » — que démentent même les types de revenu aristocratique qu'il cite, pp. 220-224[53] —, il aurait jeté un coup d'œil sur les structures de la fortune des grands officiers de finance, telles que les suggèrent les travaux de G. Chaussinand[54] : l'investissement en offices et en rentes d'Etat de toutes sortes y domine de façon écrasante. L'acquisition d'une seigneurie n'en est que le snobisme, l'écurie de course de l'époque. Le symbole du statut et de la domination, non la réalité de la richesse.

En fait, le point sensible par excellence de la société d'Ancien Régime est cette zone de passage — ou de non-passage selon les cas et les périodes — entre ce qu'on pourrait appeler la haute bourgeoisie et la haute noblesse. En effet, il est plus difficile, dans cette société à

53. En effet, il s'en faut de beaucoup que les sommes tirées des droits seigneuriaux constituent une part majoritaire, ou même très importante, de l'ensemble de ces revenus.
54. G. Chaussinand-Nogaret, *art. cit.*

ordres, de passer de la petite à la grande noblesse, que de quitter la roture pour l'aristocratie dirigeante à travers la constitution d'une grande fortune roturière et l'accès aux grands emplois de l'Etat. La sociologie rigide et strictement verticale de Soboul, reprise à la fois des idéologues réactionnaires et révolutionnaires, de Boulainvilliers et de Sieyès, masque et ignore ce fait capital qui me paraît à l'origine de la crise des classes dirigeantes du royaume du XVIIIe siècle. Il est vrai que, pour le prendre en compte, il eût fallu, au moins, examiner le rôle de l'Etat monarchique dans la société et dans la crise de cette société. Or, dans ce gros livre de près de 500 pages, la tyrannie du sociologisme est telle que pas un chapitre n'est consacré au fonctionnement de l'absolutisme. Soboul nous donne d'ailleurs, p. 253, la clé de ce stupéfiant silence. L'Etat monarchique est, à ses yeux, dès Louis XIV, un appendice de l'« aristocratie » (qui est, dans son vocabulaire constamment imprécis, un autre mot pour noblesse). La preuve ? C'est 1789, la contre-révolution souhaitée, et puis Varennes, et puis la guerre défaitiste organisée en sous-main. Bref, la vieille preuve tautologique des « causes finales ».

Il est amusant de remarquer que, ce faisant, Soboul abandonne une des principales idées de Marx[55] sur l'An-

55. Les textes de Marx et d'Engels concernant l'indépendance de l'Etat absolutiste par rapport à la bourgeoisie et à la noblesse sont à la fois épars et nombreux. On pourra consulter notamment : Marx, *Critique de la philosophie hégélienne de l'Etat* (1842-43), éd. Costes, 1948, p. 71-73 et 166-167 ; Marx, *L'idéologie allemande*, éd. Costes, 1948, p. 184-185 ; Engels, « Lettre à Kautsky du 20.2.1899 », *Werke*, t. XXXVII, p. 154 ; Engels, « Lettre à Conrad Schmidt du 27.10.1890 », dans *Etudes philosophiques*, éd. Sociales, 1951, p. 131 ; Engels, préface de 1891 à « La guerre civile en France », *Werke*, t. XVII, p. 624.

Ces textes infirment la thèse, avancée par Mazauric (*op. cit.*, p. 89, note), que Marx et Engels avaient renoncé, dans leur maturité, à l'idée

cien Régime français et sur l'histoire de France en général : celle de la relative indépendance de l'Etat d'Ancien Régime par rapport à la noblesse et à la bourgeoisie. L'idée appartient aussi et tout particulièrement à Tocqueville, dont c'est un des concepts fondamentaux[56] ; mais elle fait si incontestablement partie de la pensée de Marx et d'Engels que l'héritier par excellence de cette pensée, le Kautsky de 1889, lui consacre le premier chapitre de son analyse des origines de la Révolution française[57]. Et ce chapitre est précisément précédé d'une mise en garde liminaire contre les simplifications « sociologiques » du marxisme, qui me paraît s'appliquer parfaitement au cas d'Albert Soboul : « On n'est que trop disposé, lorsqu'on ramène le devenir historique à une lutte de classes, à ne voir dans la société que deux causes, deux classes en lutte, deux masses compactes,

de l'Etat absolutiste arbitre entre bourgeoisie et noblesse. La preuve, c'est qu'on trouve cette idée dans des textes tardifs, et tout particulièrement dans la correspondance Engels-Kautsky, au moment où Kautsky, travaillant à son livre sur la lutte des classes dans la France de 1789, demande conseil à Engels sur ce sujet.

Il n'y a, à ma connaissance, pas trace d'une modification apportée à cette thèse dans *La guerre civile en France* et *La critique des programmes de Gotha et d'Erfurt*, que Mazauric cite comme témoignages d'une nouvelle théorie de Marx à ce sujet. La vérité, c'est qu'il fait une double confusion : il attribue à Marx, sur l'Etat d'Ancien Régime, une théorie qui est celle de Lénine sur l'Etat bourgeois (de même que, p. 211, il attribue à Lénine une phrase célèbre de *Misère de la philosophie* : « L'histoire avance par son mauvais côté. »). Cet amalgame est d'ailleurs caractéristique d'une grande ignorance des textes de Marx et d'Engels chez Mazauric. Ce que je ne songerais pas à lui reprocher, s'il ne se réclamait précisément de Marx, alors qu'il reflète à la fois Sieyès et Lénine, ce qui n'est pas la même chose.

56. Marx a lu attentivement *De la Démocratie en Amérique*, qu'il cite dès 1843 (dans *La question juive*).

57. K. Kautsky, *La lutte des classes en France en 1789*, Paris, 1901. Kautsky a longuement discuté de ce livre avec Engels : cf. leur correspondance entre 1889 et 1895 (*Werke*, t. XXXVII-XXXIX.)

homogènes : la masse révolutionnaire et la masse réactionnaire, celle qui est en bas, celle qui est en haut. A ce compte, rien de plus aisé que d'écrire l'histoire. Mais, en réalité, les rapports sociaux ne sont pas si simples[58]. »

Au vrai, la monarchie française joue depuis des siècles, et continue à jouer plus que jamais, au XVIIIe siècle, un rôle actif de dislocation de la société à ordres. Liée au développement de la production marchande, hostile aux pouvoirs locaux, porteuse du fait national, elle a été, avec l'argent, en même temps que l'argent, et plus encore que l'argent, l'élément décisif de la mobilité sociale. Progressivement, elle a miné, grignoté, détruit la solidarité verticale des ordres, et notamment celle de la noblesse, sur le double plan social et culturel : social, en constituant, par les offices notamment, une autre noblesse que celle de l'époque féodale, et qui est, majoritairement, la noblesse du XVIIIe siècle. Culturel, en proposant aux groupes dirigeants du royaume, rassemblés désormais sous son aile, un autre système de valeurs que l'honneur personnel : la patrie et l'Etat. Bref, en devenant le pôle d'attraction de l'argent, du fait qu'il est distributeur de la promotion sociale, l'Etat monarchique, tout en conservant l'héritage de la société à ordres, a créé une structure sociale parallèle et contradictoire avec la première : une élite, une classe dirigeante. Le roi de France est toujours le premier des seigneurs du royaume, mais il est surtout le grand patron des bureaux de Versailles.

Il est clair, au XVIIIe siècle, qu'il n'y a pas de solidarité politique de la noblesse en tant qu'ordre. C'est la révolution qui recréera cette solidarité par le malheur, et en transmettra l'image à l'historien. L'époque est, au contraire, pleine de conflits intra-nobiliaires, et c'est le

---

58. K. Kautsky, *op. cit.*, p. 9.

ressentiment de la petite noblesse à l'égard de la grande, plus encore que le mépris commun pour la roture, qui sera à l'origine du règlement de 1781[59]. De la part de la petite noblesse d'épée, l'hostilité à l'argent, aux parvenus, à la mobilité sociale, c'est l'hostilité même à la classe dirigeante qu'a constituée la monarchie. Le livre du chevalier d'Arc[60] est, à ce titre, un des témoignages les plus intéressants de l'époque.

Mais il n'y a pas non plus, au XVIIIe siècle, de solidarité entre ce qu'on peut appeler, plutôt que la grande noblesse, la noblesse dirigeante ou l'aristocratie, au sens propre du mot ; car celle-ci regroupe, du fait même des conditions de sa formation, et de son emploi, des éléments très disparates : très vieilles familles « féodales » qui constituent la référence historique et mondaine de la hiérarchie sociale, haute noblesse militaire, désireuse de reconquérir le terrain perdu sous Louis XIV, évêques courtisans, magistrats révoltés ou passés au service du roi, financiers parvenus alliés aux plus grandes familles, intendants et membres de la haute bureaucratie de Versailles, tout ce qu'on appelle la « noblesse de Cour », qui suscite l'hostilité globale du reste de l'ordre[61], est en réalité brisé, tronçonné en clans et en coteries que l'on chercherait en vain à définir en termes d'intérêts matériels. De la même façon, la grande noblesse de robe, qui, lorsqu'elle n'est pas appelée aux grands emplois de Ver-

59. Sur ce conflit entre pauvre noblesse « d'épée » et haute noblesse « financière », le livre essentiel est celui de E.-G. Léonard, *L'armée au XVIIIe siècle*, Plon, 1958.

60. *La noblesse militaire ou le patriote français*, 1756.

61. Cf. dans l'ouvrage cité de J. Meyer, p. 908, cette citation de Loz de Beaucours, dernier avocat général du parlement de Bretagne : « C'est une remarque du comte de Buat que la noblesse de Cour a, dans tous les temps, été l'ennemie la plus prononcée et la plus dangereuse des autres nobles. »

sailles, vit hors de la Cour et domine la civilisation mondaine en plein essor, passe sa vie, à travers l'opposition parlementaire, à lutter contre les gens de Versailles et leur représentant local, l'intendant. Mais cet intendant, neuf fois sur dix, est d'origine parlementaire[62].

Il faut donc bien admettre que les attitudes politiques et culturelles de cette aristocratie française du XVIIIe siècle, dont il est bien clair que les revenus sont prioritairement fonciers (ce qui ne signifie pas « féodaux »), ne recoupent aucune homogénéité sociale ou économique, selon que tel groupe est déjà capitaliste, ou toujours féodal, ou simplement propriétaire. Ce qui permet d'analyser cette élite politico-mondaine, c'est son attitude, ou son ambition, par rapport au pouvoir, et, inséparablement, par rapport au mécanisme de mobilité sociale instauré par le pouvoir. A travers les offices, l'anoblissement et la centralisation monarchique, toute la société civile est happée par l'Etat, toute la richesse bourgeoise comme aspirée par lui, en échange de l'anoblissement. Louis XIV a organisé avec un soin jaloux ce système des « élites concurrentes », pour reprendre le terme de Louis Bergeron[63] ; mais sa mort a donné le signal d'une bataille d'autant plus vive que les enjeux en sont à la fois politiques, sociaux et économiques ; si l'Etat monarchique aspire la richesse du royaume, il la redistribue aussi.

Sous cet aspect, et par rapport au pouvoir, le XVIIIe siè-

62. Cf. J. Meyer, *op. cit.*, p. 987 et V. Gruder, *Royal provincial intendants : a Governing Elite in Eighteenth Century France*, Cornell University Press, 1968.

63. L. Bergeron, « Points de vue sur la Révolution française », dans *La Quinzaine*, déc. 1970 ; cf. aussi, du même auteur, l'analyse nuancée et intelligente du problème des élites françaises à la fin du XVIIIe siècle, dans *Les Révolutions européennes et le partage du monde*, coll. Le Monde et son histoire, Bordas-Laffont, 1968, t. VII, p. 269-277.

cle apparaît incontestablement comme une période de
« réaction aristocratique », à condition que le terme
« aristocratie » soit employé dans son sens véritable, celui d'élite politiquement dirigeante. Nous en avons, en
effet, de multiples témoignages littéraires dans les mémoires, les correspondances, les documents administratifs de l'époque. Mais le phénomène peut renvoyer à des
réalités extrêmement différentes.

S'agit-il d'une clôture de la noblesse par rapport à
l'entrée dans ses rangs des couches supérieures du Tiers
Etat, et d'une sorte d'accaparement des grands offices et
de l'Etat par la noblesse, qui redeviendrait alors ce
qu'elle avait cessé d'être sous Louis XIV, une aristocratie ? C'est l'hypothèse traditionnelle[64], qui présente
l'avantage de rendre compte de la frustration et de
l'ambition bourgeoises à la fin du siècle. Mais, autant
qu'on en puisse juger aujourd'hui[65], elle n'a pas pour
elle l'évidence statistique ; la vente des charges de secrétaires du roi, qui a fortement décliné de la mort de
Louis XIV aux années 50, repart de plus belle dans la
seconde moitié du siècle, en même temps que les besoins financiers de l'Etat. Quant aux parlementaires, ni
les travaux de F. Bluche[66], ni ceux de J. Egret[67] ne
suggèrent de grands changements dans leur recrute-

64. Cf. notamment l'ouvrage d'E. Barber, *The Bourgeoisie in Eighteenth-Century France*, Princeton, 1955.

65. Je me sers ici d'un article, malheureusement encore inédit, de
mon ami D. Bien, professeur à l'Université de Michigan : « Social
mobility in eighteenth-century France » ; cf. aussi son étude, « La
réaction aristocratique avant 1789 : l'exemple de l'armée », *Annales
E.S.C.* (1974), pp. 23-48 ; 505-534.

66. Notamment, *L'origine des magistrats au parlement de Paris au
XVIIIe siècle, 1715-1771*, Paris, 1956 ; *Les magistrats du parlement de
Paris au XVIIIe siècle, 1715-1771*, Paris, 1960.

67. Notamment, « L'aristocratie parlementaire à la fin de l'Ancien
Régime », dans *Revue historique*, juill.-sept. 1952, p. 1-14.

ment par rapport au XVIIᵉ siècle. A suivre Jean Egret, sur 757 membres des 13 parlements et des 2 conseils souverains des deux dernières décennies de l'Ancien Régime, 426 étaient des nouveaux venus : sur ce total, près d'une centaine sortent de la roture et beaucoup d'autres sont des nobles récents. Ces chiffres, pour être absolument démonstratifs, devraient pouvoir être comparés à d'autres, sur une longue période ; au moins indiquent-ils qu'il n'y a pas de preuve d'une sclérose sociale du recrutement parlementaire. Même chose pour les intendants : les données récemment avancées par V. Gruder[68] témoignent bien d'un exclusivisme nobiliaire dans leur choix (avec des variations considérables dans le nombre de générations de noblesse), mais cet exclusivisme diminue au XVIIIᵉ siècle, en même temps qu'augmente le nombre des intendants issus de la « finance » (c'est-à-dire de noblesse récente). Le recrutement épiscopal ? Il est bien à 90 % nobiliaire pour la période 1774-1790, mais il l'est à 84 % pour la période 1682-1700[69]. Même chose pour les ministres : tous ceux de Louis XV et de Louis XVI, ou presque, sont nobles[70], mais presque tous ceux de Louis XIV l'étaient aussi, quoi qu'en ait dit Saint-Simon, dont Soboul invoque candidement le témoignage (p. 250). Reste l'armée, cette chasse gardée de l'exclusivisme nobiliaire : mais elle n'a jamais été, avant la Révolution et l'Empire, un chenal de promotion bourgeoise ; des généraux de

68. V. Gruder, *op. cit.*, 2ᵉ partie.
69. D'après le tableau établi par D. Bien, « Social Mobility », *art. cit.* ; cf. aussi N. Ravitch, *Mitre and Sword*, Mouton, 1966, qui souligne, il est vrai, la progression des fils de vieille « noblesse d'épée » au détriment des autres catégories nobiliaires.
70. F. Bluche, « L'origine sociale du personnel ministériel français au XVIIIᵉ siècle », dans *Bulletin de la Société d'Hist. mod.*, 1957, p. 9-13.

170

Louis XIV recensés par A. Corvisier[71], fort peu sont d'origine roturière. A suivre E.-C. Léonard[72], on voit cependant que l'invasion des hauts grades par les fils de traitants se développe dès la fin du règne de Louis XIV, au moment de l'interminable guerre avec l'Europe et de la débâcle financière. Cette évolution continue au XVIIIe, facilitée par le haut prix d'achat et surtout d'entretien des régiments, suscitant l'hostilité de l'« ancienne » noblesse contre les « colonels de comptoir », mais aussi contre la noblesse de Cour, pas forcément ancienne ; plus que la roture, c'est l'argent, la richesse, l'Etat complice, qui sont attaqués. Tiraillée dans tous les sens par ce conflit intra-nobiliaire, la monarchie réagit par les mesures de 1718 et 1727, qui réaffirment le monopole nobiliaire sur les grades militaires, mais aussi par l'édit de novembre 1750, qui décrète l'anoblissement sur états de service à la fois familiaux et personnels : la Légion d'honneur anticipée de plus d'un demi-siècle.

Ainsi il n'y a pas de preuves, jusqu'à plus ample informé, d'un resserrement social de la noblesse elle-même. La monarchie, de plus en plus pressée par ses besoins financiers, continue à anoblir de nouveaux secrétaires du roi, de nouveaux parlementaires, des militaires roturiers blanchis sous le harnois, et la vieille noblesse marie ses fils à des filles de finance. Des processus objectifs, comme l'accélération de la vente des seigneuries, témoignent également dans le sens d'une intégration continue des couches supérieures du Tiers Etat dans la noblesse. Il est possible, même probable, quoique difficile à démontrer, que cette intégration n'ait

71. A. Corvisier, « Les généraux de Louis XIV et leur origine sociale », dans *Bulletin du XVIIᵉ siècle*, 1959, p. 23-53.
72. E.-G. Léonard, *op. cit.*, chap. IX, « La question sociale et l'argent dans l'armée. Le rêve d'une noblesse militaire ».

pas été assez rapide eu égard au rythme de croissance des fortunes et des ambitions bourgeoises. C'est l'impression que laisse l'étude de J. Meyer[73], qui compare le dynamisme économique des élites bourgeoises bretonnes et le nombre relativement restreint des anoblissements au cours du XVIIIᵉ siècle. Même si cela est vrai au niveau national, c'est une raison supplémentaire pour ne pas couper l'étude sociologique des classes dominantes de l'Ancien Régime de l'analyse de la zone de contact roture/noblesse, qu'il y ait passage d'un ordre à l'autre, ou blocage d'un ordre par l'autre. Ce qui est probable, c'est qu'au XVIIIᵉ siècle cette ligne magique de la promotion était devenue trop rigide pour satisfaire à une demande croissante, mais qu'elle était aussi trop souple et trop vénale pour rester digne d'être défendue[74].

Ce qui est sûr en tout cas, c'est que l'anoblissement par le roi et l'argent suscite, tout au long du XVIIIᵉ siècle, une longue protestation de la part de la « vieille » noblesse, dont le cri du cœur a été libéré par la mort de Louis XIV. Or ce que l'historien appelle la « réaction aristocratique » pourrait bien n'être qu'une lutte acharnée, à l'intérieur des élites de l'Ancien Régime, entre nobles et anoblis, et traduire la résistance d'une noblesse relativement ancienne, souvent appauvrie, à la tentative de constitution par l'argent et par l'Etat d'une classe dirigeante. Comme le note D. Bien, le fameux règlement de 1781 n'est pas dirigé contre la roture, mais contre ceux des nobles qui n'ont pas quatre degrés de noblesse. Il est de la nature des sociétés à ordres de susciter le culte de la différence ; la question qui domine les élites

73. J. Meyer, *op. cit.* ; cf. notamment t. I, p. 331-442.
74. La demande est stimulée aussi par l'arrivée à l'âge d'homme de l'énorme génération 1750-1770 (cf. B. Panagiotopoulos, « Les structures d'âge du personnel de l'Empire », dans *Rev. d'hist. mod. et cont.*, juill.-sept. 1970, p. 442 et suiv.).

du XVIIIe siècle n'est pas seulement : bourgeois ou noble ? mais : noble ou anobli ? et encore, anobli, depuis quand ? En tout état de cause, les deux phénomènes que constituent d'une part une forte pression bourgeoise sur un portillon social de plus en plus encombré, et peut-être, proportionnellement, de plus en plus sélectif, et d'autre part la lutte, une fois la ligne passée, entre les différents groupes de la noblesse, ne sont pas contradictoires, mais complémentaires. Ils expriment tous deux l'inadaptation croissante du mécanisme relativement étroit de mobilité sociale organisé par l'absolutisme, dans le cadre de la société à ordres : inadaptation quantitative, bien sûr, compte tenu de la prospérité du siècle. Mais aussi inadaptation qualitative, dans la mesure où le seul statut proposé aux fortunes roturières, c'est l'intégration à l'Etat, à sa Cour, à sa bureaucratie, à son armée, à sa magistrature. Il n'y a dès lors pas lieu de s'étonner si tous les groupes dominants donnent une sorte de priorité à la lutte pour le pouvoir, et si, de ce point de vue, les conflits intra-nobiliaires pour le contrôle de l'Etat — notamment entre les parlements et l'administration royale — donnent le ton à la vie politique et offrent une longue répétition générale de la crise gigantesque de la fin du siècle. L'Etat absolutiste a fabriqué les artisans de sa perte.

Ce n'est donc ni une hypothétique fermeture de la noblesse ni son hostilité globale à la bourgeoisie, au nom d'une imaginaire « féodalité », qui constituent à mes yeux la clé essentielle de la crise politico-sociale du XVIIIe siècle. C'est, au contraire, son ouverture, trop large pour la cohésion de l'ordre, trop étroite pour la prospérité du siècle. Les deux grands héritages de l'histoire de France, la société à ordres et l'absolutisme, entrent dans un conflit sans issue.

Car ce qui est perçu comme « despotique », dans la

France de la fin du XVIIIe siècle, ce sont *les progrès mêmes de la monarchie administrative*. Depuis la fin du Moyen Age, à travers la guerre étrangère et l'établissement de l'impôt permanent, les rois de France ont constitué en Etat l'ensemble des territoires patiemment rassemblés par leurs prédécesseurs. Ils ont, pour ce faire, combattu les forces centrifuges, soumis les pouvoirs locaux, notamment ceux des grands seigneurs, et construit une bureaucratie de serviteurs du pouvoir central. Louis XIV est le symbole classique du triomphe royal en France : c'est sous son règne que l'intendant, représentant les bureaux de Versailles, et délégataire de l'autorité du souverain, éteint dans les provinces les pouvoirs traditionnels des municipalités ou des grandes familles. C'est sous son règne que la noblesse est domestiquée par le cérémonial de Cour, confinée dans l'activité militaire, ou enrôlée dans l'administration de l'Etat. La monarchie « absolue » n'est rien d'autre que cette victoire du pouvoir central sur les autorités traditionnelles des seigneurs et des communautés locales.

Or, cette victoire est un compromis. La monarchie française n'est pas « absolue » au sens moderne du terme, qui évoque un pouvoir totalitaire. D'abord parce qu'elle reste fondée sur les « lois fondamentales » du royaume, qu'il n'est au pouvoir d'aucun souverain de changer : les règles de succession au trône, les propriétés de ses « sujets » sont par exemple hors de son atteinte. Mais surtout, les rois de France n'ont pas développé leur pouvoir sur les ruines de la société traditionnelle. Ils l'ont au contraire construit au prix d'une série de conflits et de transactions avec cette société qui s'est, au bout du compte, trouvée imbriquée dans le nouvel Etat par de multiples liens. Il y a à cela des raisons idéologiques, qui tiennent au fait que la royauté française n'a jamais complètement rompu avec la vieille

174

conception patrimoniale du pouvoir : le roi de France reste le seigneur des seigneurs, quand il est devenu en même temps le patron des bureaux de Versailles. Mais le phénomène a aussi des raisons fiscales : pour se donner les moyens de l'interminable guerre de suprématie qu'ils livrent aux Habsbourg, les Bourbons — et, avant eux, les Valois — font argent de tout, et notamment des privilèges et « libertés » (les deux mots ont le même sens) du corps social. Le privilège, c'est le droit imprescriptible du groupe, par rapport au pouvoir central ; c'est la franchise d'une ville, les règles de cooptation d'une corporation, l'exemption fiscale de telle ou telle communauté. Les sources en sont multiples, perdues dans la nuit des temps, consacrées par la tradition ; le roi ne le détruit pas, mais le renégocie avec ses titulaires ou prétendus tels, contre du bon argent.

Sous la pression de la nécessité, il le multiplie même, en vendant une partie de la puissance publique à des particuliers, sous le nom d'« offices ». L'institution est ancienne, mais la propriété héréditaire d'une charge publique ne date que du début du XVIIe siècle, et dès lors les ventes d'offices prolifèrent, rythmées par les besoins d'argent du roi, pendant la guerre de Trente Ans. A côté de l'intendant, fonctionnaire nommé et révocable, Louis XIII et Louis XIV ont ainsi constitué un corps de serviteurs de l'Etat propriétaires de leurs charges : arme à double tranchant, car si la vente massive d'offices permet à la fois de faire rentrer dans les caisses l'argent des riches, bourgeois et nobles, et de lier par là même au sort de l'Etat le nouveau et puissant groupe des officiers, dominé par les membres des Cours souveraines, elle lui donne en même temps l'indépendance de la propriété. Dans l'interrègne qui sépare Louis XIII de Louis XIV, le soulèvement de la Fronde (1648), mené par les grands parlementaires, montre les risques du système. Obsédé par ce souvenir de jeunesse, Louis XIV ne cessera d'abaisser cette opposition ; mais lié par ses propres besoins, et la parole de ses prédécesseurs, il n'en supprimera pas le danger virtuel, puisqu'il en maintient les conditions.

La monarchie dite « absolue » est ainsi un compromis instable entre la construction d'un Etat moderne et le maintien des principes d'organisation sociale hérités des temps féodaux. Régime mêlé de patrimonial, de traditionnel et de bureaucratique, selon la terminologie de Max Weber, et qui ne cesse de tisser une dialectique de subversion à l'intérieur du corps social. Dans la première moitié du XVIIᵉ siècle, la croissance très rapide de la taille — l'impôt direct, dont la noblesse, le clergé, et beaucoup de villes sont plus ou moins exemptés — a suscité de nombreuses révoltes de la paysannerie, appuyée en sous-main par des notables traditionnels. Mais ces révoltes sauvages n'ont pas d'avenir, et ressoudent contre elles, à plus ou moins long terme, l'Etat et les possédants. Ce qui est plus grave, pour l'« Ancien Régime », tel qu'il est constitué par Louis XIV, c'est que le nouveau pouvoir d'Etat, qui est alors à son apogée, ne trouve jamais de principe de légitimité propre à réunifier les classes dirigeantes de la société. Il maintient et même « castifie » la société des ordres tout en la disloquant. Unifiant le marché national, rationalisant la production et les échanges, brisant les vieilles communautés agraires fondées sur l'autarcie économique et la protection seigneuriale, il veille plus soigneusement que jamais aux distinctions traditionnelles du corps social. Il multiplie par exemple les édits de réformation de la noblesse, chassant les faux nobles de l'ordre pour les soumettre à nouveau à l'impôt, puis négociant avec eux leur réadmission. De ce fait, il complique et déshonore un mécanisme de promotion sociale qui, à travers l'achat de seigneuries ou d'offices, avait assuré depuis le XVe siècle le renouvellement profond de la noblesse française. Sous Louis XIV, la noblesse française — voir Saint-Simon — se crispe d'autant plus sur ses prérogatives qu'elle perd ses fonctions, et jusqu'à son principe : car si le « sang » n'a jamais été plus important, dans l'ordre honorifique, en même temps on « monte » plus vite par l'Etat et par l'argent que par la naissance.

Ainsi, l'Ancien Régime est trop archaïque pour ce qu'il comporte de moderne, et trop moderne pour ce qu'il a d'archaïque. C'est cette contradiction fondamentale qui se développe au XVIIIe siècle, dès la mort de Louis XIV. Ses deux pôles antagonistes, Etat et société, sont de moins en moins compatibles.

Le XVIIIe siècle est un siècle relativement heureux, plus heureux, en tout cas, que Soboul l'imagine : moins de guerres, moins de crises, moins de famines. La population du royaume, fortement atteinte par les crises de la deuxième moitié du règne de Louis XIV, entre dans une phase de récupération d'abord, puis de croissance absolue, passant de 20 à 27 millions d'habitants entre Vauban et Necker. La multiplication des hommes, en l'absence d'une transformation décisive de la productivité du travail, éponge probablement une partie des bienfaits du progrès : autre façon de dire que ce progrès n'est dû que partiellement à l'expansion de l'économie. Seule l'Angleterre connaît, à cette époque, une révolution des techniques de production. La France reste tributaire de l'ancienne économie agraire, dont les rendements croissent assez lentement, par l'effet cumulatif d'une série de progrès mineurs.

Mais il y a un autre secret à cette prospérité relative : c'est la modernisation de l'Etat. La monarchie française n'est plus, au XVIIIe siècle, cet instrument précaire de la mobilisation des ressources nationales en fonction d'une guerre presque permanente contre les Habsbourg ; elle hérite des progrès accomplis sous Louis XIV, non des contraintes que celui-ci avait subies, ou voulues. L'esprit du siècle aidant, elle a plus d'argent et de soins à consacrer aux grandes tâches de la modernité, l'urbanisme, la santé publique, le développement agricole et commercial, l'unification du marché, l'instruction. L'intendant est désormais bien en place, ayant le pas sur les autorités traditionnelles, et la main à tout. Il est au centre d'un immense effort de connaissance et de réforme administrative, multipliant les enquêtes économiques et démographiques, rationalisant son action à l'aide des premières statistiques sociales de l'histoire de France. Il arrache au clergé et à la noblesse presque toutes leurs fonctions d'encadrement local, au moins au niveau temporel. Même l'enseignement élémentaire, vieille chasse gardée de l'Eglise, passe de plus en plus sous sa coupe et en reçoit une impulsion importante. Loin d'être réactionnaire, ou prisonnier d'intérêts égoïstes, l'Etat monarchique du XVIIIe siècle est ainsi un des grands agents du changement et du progrès général — un chantier permanent de la réforme « éclairée ».

Le problème est qu'il reste, dans le même temps, lié au compromis social élaboré au siècle précédent, et d'autant plus respectueux de la société des ordres qu'il la détruit plus complètement par son action. Cette société se défait sous la pression conjuguée du mieux-être économique, de la multiplication des initiatives et des désirs individuels, de la diffusion de la culture : la révolution des besoins anticipe celle des biens offerts, et se heurte aux structures rigides qui règlent au compte-gouttes la promotion sociale. L'argent et le mérite butent contre la « naissance ». Par l'anoblissement, l'Etat continue à intégrer dans le second ordre du royaume les roturiers qui l'ont le mieux servi, ceux surtout qui ont gagné le plus d'argent ; mais ce faisant, il perd sur tous les tableaux. En effet, la vieille noblesse, souvent moins riche que la nouvelle, en éprouve du ressentiment ; la nouvelle ne songe qu'à fermer derrière elle la barrière étroite qu'elle vient de franchir ; enfin le mécanisme est de toute façon trop sélectif pour une société en expansion. La monarchie ne réussit qu'à aliéner « sa » noblesse, sans constituer pour autant une classe dirigeante.

De cette crise de la noblesse française, au XVIIIe siècle, tout témoigne, mais pas dans le sens où on l'entend habituellement. Car la noblesse n'est pas un groupe, ou une classe, en décadence. Jamais elle n'a été aussi brillante, et jamais civilisation n'a été aussi aristocratique que la civilisation française de l'âge des Lumières. Adossée à une importante propriété foncière, adaptant la seigneurie aux besoins de l'économie de marché, bénéficiaire de la hausse de la rente foncière, souvent à l'origine des grandes affaires commerciales et industrielles, la noblesse se taille une grande part de la prospérité de l'époque. Mais depuis qu'elle a été délivrée de la tyrannie louis-quatorzienne, elle ne parvient pas à ajuster ses rapports avec l'Etat. Avec ses pouvoirs traditionnels, elle a perdu l'essentiel de sa raison d'être, et ne parvient pas à définir sa vocation politique. Dans ce domaine, et pour simplifier, on peut écrire que la disparition de Louis XIV laisse face à face au moins trois noblesses, qui correspondent à trois attitudes en face de la modernisation de l'Etat : une noblesse « à la polonaise », c'est-à-dire hostile à l'Etat, nostalgique de son ancienne prédominance locale, prête à la reconquête d'un passé qu'elle idéalise. Une noblesse « à la prussienne », qui souhaite au contraire confisquer à son profit la modernisation de l'Etat, monopoliser les emplois et notamment les grades militaires, faire du service sa nouvelle raison d'être. Une noblesse « à l'anglaise » enfin, animatrice d'une monarchie constitutionnelle, aristocratie parlementaire des temps nouveaux.

Aucune de ces trois évolutions n'a été possible. La première était sans espoir, rêve passéiste d'une identité perdue. Des deux autres, la monarchie française n'en a choisi ou même facilité aucune, ballottée de l'une à l'autre dans la succession des clans et des ministres. La seconde, sans doute, se fût révélée trop oligarchique dans une société civile en rapide expansion, où la demande d'emplois et de dignités était trop importante pour être limitée à la naissance. De la troisième, les rois de France n'ont jamais systématiquement exploré les voies, au moins jusqu'à 1787. Mais la noblesse, de son côté, n'en accepte que tardivement le prix, qui était la fin du privilège fiscal, et la constitution d'une classe dominante fondée sur la richesse : la monarchie des propriétaires dessinée un moment par Turgot.

Là est la crise fondamentale du XVIIIe siècle français, où se noue une partie de la révolution. Ni le roi de France, ni la noblesse ne proposent de politique ou d'institutions qui puissent intégrer Etat et société dirigeante autour d'un minimum de consensus. Faute de cela, l'action royale oscille entre despotisme et capitulation, autour du problème central de l'impôt. Faute de cela, la noblesse n'a qu'un principe de réunification, qui est l'hostilité à l'Etat au nom d'une identité sociale dont elle a perdu le secret et dont elle n'arrive pas à ranimer le souvenir.

Ainsi Louis XIV avait pu maîtriser le processus de promotion et de compétition des élites à l'intérieur d'une société à ordres, pour en faire le principe de construction de l'Etat. Louis XV, déjà, ne le peut plus, et Louis XVI moins encore. Perpétuellement tiraillés entre la fidélité aux vieilles solidarités seigneuriales et les exigences de la nouvelle rationalité sociale et bureaucratique, prisonniers de deux modes contradictoires de hiérarchie et de mobilité sociale, ils passent leur temps à céder à un groupe, puis à l'autre, c'est-à-dire à s'aligner sur les conflits multiples qui déchirent l'élite dirigeante. Soutenant Machault, puis Choiseul ; Maupeou, puis Turgot. Essayant toutes les politiques, sans jamais les mener jusqu'au bout : chaque fois, l'action de l'Etat suscite la vive hostilité d'une grande partie des élites dirigeantes, sans qu'on les trouve jamais, ensemble, d'un seul côté, ni pour le despotisme éclairé, ni pour le réformisme libéral. Ces élites du XVIIIe siècle sont inséparablement gouvernantes et révoltées. En réalité, elles règlent leurs conflits internes sur le dos de l'absolutisme, que Loménie de Brienne finit par enterrer en 1788. Même la crise de 1789 ne refera pas leur unité, sauf dans l'imagination des idéologues du Tiers Etat ; et ni le déclenchement de la révolution, par ce qu'on appelle la « révolte aristocratique », ni le comportement de bien des députés nobles à la Constituante, ni l'œuvre même de la Constituante ne sont intelligibles sans référence à cette crise du pouvoir et des élites au XVIIIe siècle. Si la Révolution française — comme toutes les révolutions — rencontre, au moins à ses débuts, des résistances aussi dispersées et mal coordonnées, c'est que l'Ancien Régime est mort avant d'avoir été abattu. Les révolutions se caractérisent avant tout par la faiblesse et l'isolement du pouvoir qui tombe. Mais aussi par la réinvention épique de leur histoire : d'où la reconstruction révolutionnaire de l'hydre aristocratique, qui constitue *a contrario* une redéfinition des valeurs sociales, un immense message inséparablement libérateur et remystificateur, qu'on aurait tort de prendre pour une analyse historique.

Dans cette crise des élites, resterait à voir le rôle joué

181

par les différenciations — ou l'unification — culturelles. C'est un immense problème, encore mal exploré, comme tout le domaine de la sociologie historique de la culture. Ce qui est clair, au moins, c'est que la noblesse de Versailles et des villes lit les mêmes livres que la bourgeoisie cultivée, discute Descartes et Newton, pleure sur les malheurs de Manon Lescaut et fête les *Lettres philosophiques* ou *La Nouvelle Héloïse* ; ce n'est pas aux frontières sociales des ordres, mais à l'intérieur de la société cultivée que prend corps, peu à peu, l'alternative politique du siècle. En face de la revendication parlementaire et libérale, le bon sens génial d'un Voltaire dessine un réformisme monarchique, qui conteste moins l'autorité du roi que la société civile, l'inégalité de naissance, le clergé, la religion révélée ; les physiocrates théoriseront cette société des propriétaires qui doit servir d'appui à un despotisme éclairé. Tous ces choix culturels et politiques ne recoupent pas des clivages sociaux ; au contraire, la vie mondaine, les académies, les loges francs-maçonnes, les cafés et les théâtres, bref la Ville, après la Cour, ont tissé peu à peu une société des Lumières très largement aristocratique, mais ouverte aussi au talent et à l'argent roturiers. Une société des élites, là encore, qui exclut non seulement les classes populaires, mais la plus grande partie de la noblesse du royaume. Mélange instable et séduisant de l'intelligence et du rang, de l'esprit et du snobisme, ce monde est capable de critiquer tout, y compris et surtout lui-même ; il préside sans le savoir à un profond remaniement des élites et des valeurs. Comme par hasard, la noblesse anoblie, robe et surtout finance, y joue un rôle primordial, jetant un pont entre le monde d'où elle sort et celui où elle est parvenue ; témoignage supplémentaire de l'importance stratégique de cette zone charnière de la société française, qui cherche à tâtons, avec cette ironie un peu masochiste qui accompagne le double sentiment de son étrangeté et de sa réussite, le chemin d'une sociabilité « bourgeoise ».

A cette solidarité horizontale de la société des Lumières, Albert Soboul consacre dix-huit lignes (p. 279), qui sont comme le bref remords de longs développements consacrés à « l'idéologie aristocratique » ou à la « philosophie » bourgeoise — il faut bien que le monde culturel, lui aussi, tire ses principes de classement du conflit aristocratie/bourgeoisie ! Nous tombons alors dans d'extraordinaires simplifications où l'ignorance des textes et des œuvres le dispute à la platitude de l'analyse. Montesquieu est tout uniment le champion de la « réaction parlementaire et féodale » comme s'il s'agissait de la même chose. Soboul utilise l'ouvrage d'Althusser[75], mais en l'amputant de toute l'analyse de la modernité de Montesquieu, de même qu'il démarque un article de D. Richet[76], mais pour en inverser le sens. Il n'arrive pas à concevoir qu'il existe un lien dialectique, dans le développement de la société française, entre privilège et liberté. Les catégories idéologiques de 89-93 servent implicitement, là encore, de toise universelle de l'histoire. En face de cette pensée aristocratique, il lui reste à inventer un contre-courant « bourgeois » : c'est tout simplement « la philosophie et les philosophes ». Au passage, nous avons appris que « la bourgeoisie industrielle n'était pas encore assez développée pour que son avènement se traduisît sur le plan littéraire : il fallut attendre le XIXe siècle » (p. 277). Mais, par contre, de la bourgeoisie non industrielle, que d'interprètes incomparables ! Voltaire, d'Alembert, Rousseau (que les futurs sans-

75. Althusser, *Montesquieu. La politique et l'histoire*, Paris, 1959.
76. D. Richet, « Elites et despotisme », dans *Annales E.S.C.*, janv.-fév. 1969, p. 1-23.

culottes se partagent, bien sûr, avec la bourgeoisie),
Condorcet ; bref, il s'agit des « Lumières », ainsi sauvées
de toute contamination aristocratique, et réinstaurées
dans leur dignité suréminente d'annonciatrices de la
révolution bourgeoise et populaire. Un mélange aussi
extravagant d'à-peu-près et de lieux communs décourage
tout commentaire critique. Citons encore l'accord
final (p. 381) qui aurait enchanté Flaubert : « L'audience
des Lumières fut multiple, comme furent divers les philosophes. Mais la philosophie est une et le demeure. »

Ainsi, par la voix tardive mais fidèle d'Albert Soboul,
la Révolution française vient de décrire la vie mourante
ou prénatale des grands personnages historiques qu'elle
va enfin introniser : l'aristocratie « féodale », la bourgeoisie qui n'en finit pas de monter, la paysannerie antiféodale, et les futurs sans-culottes. Le rideau va pouvoir
se lever sur la grande célébration ; suggérons à Albert
Soboul d'intituler son tome II : « Souvenirs d'un révolutionnaire. »

III

Avec Claude Mazauric, on entre dans un monde moins
spontané. Le style perd toute fraîcheur, et le prêche ou
la critique se font militants. Le tiers du petit livre[77] est
constitué par un article déjà publié par les *Annales
historiques de la Révolution française*[78], et consacré à
cette « Révolution française » publiée il y a cinq ans par
Denis Richet et moi. Mais les développements ajoutés à

77. Claude Mazauric, *op. cit.*
78. *A.H.R.F.*, 1967, p. 339-368.

l'article initial sont presque exclusivement de type politique ou idéologique. D'où quelques problèmes.

En premier lieu, il n'est pas usuel que l'auteur d'un livre réponde à ses critiques : une fois écrit et édité, un livre se défend tout seul (ou non) ; c'est aux seuls lecteurs d'en décider. Publier un livre, c'est se soumettre à la critique. Il me paraissait donc peu convenable de discuter le compte rendu de Mazauric, mais celui-ci, en écrivant un livre sur le nôtre, m'en rend par là même le droit. Non que ce recouvrement me fasse plaisir : au fond, il n'est agréable ni de critiquer une critique, ni de céder à l'amour-propre d'auteur à propos d'un livre déjà ancien, que, pour la part qui m'en revient au moins, je ne réécrirais pas de la même façon aujourd'hui. Mais comme, dans cette hypothèse, j'aurais plutôt tendance à aggraver mon cas vis-à-vis de mon procureur, et à être, si j'ose dire, de plus en plus « révisionniste », il est peut-être utile de débattre, plutôt que du livre, de quelques problèmes impliqués par le texte de Mazauric.

Un dernier préalable : comment aborder cette prose triste, mi-scientifique, mi-politique ? Comment, et même pourquoi, répondre à un auteur qui accuse une histoire de la Révolution française d'être anticommuniste, antisoviétique, même antinationale ? Si Mazauric veut dire par là que toute histoire de la Révolution doit, à ses yeux, témoigner sur l'*autre* révolution, et que la démonstration de cette finalité implicite est la pierre de touche du patriotisme, nous voici exactement dans cette téléologie moralisante qui sert de bonne conscience à l'historien, mais qui ne vaut pas une minute de discussion, sous cette forme rudimentaire. S'il indique simplement que tout historien de la Révolution française a, vis-à-vis de son objet d'étude, dont nous avons tous, plus ou moins, intériorisé les conflits, des présupposés d'ordre

185

existentiel et politique, il dit une évidence, dont il n'est pas non plus nécessaire de débattre. A le lire, il est clair que lui et moi ne portons pas le même jugement sur le monde actuel, et que cela n'est pas probablement sans conséquence sur notre réélaboration subjective du passé. L'histoire qui s'écrit, bien sûr, est encore de l'histoire. Mais, sauf à tomber dans un relativisme intégral, qui consisterait à faire du présent la ligne de démarcation des différentes lectures du passé, il faut essayer de comprendre les médiations intellectuelles à travers lesquelles l'expérience et les partis pris de l'historien se fraient leur voie dans l'œuvre : ce sont ses hypothèses et ses présupposés, préalables à tout commencement de preuve. Ceux de Mazauric me paraissent les mêmes que ceux de Soboul, au vrai les plus stériles de tous, pour les raisons exposées ci-dessus ; ils consistent, par le relais d'un marxisme dégradé, à intérioriser l'idéologie révolutionnaire de 89-94 selon une échelle de valeurs implicite, où le degré de participation populaire à l'événement sert de point de repère à la communion et aux espoirs de l'historien. Mon point de départ est évidemment inverse, et tient dans l'hypothèse que les événements révolutionnaires sont, par nature, des événements à très forte « charge » idéologique, et dans lesquels la fonction de masque exercée par l'idéologie par rapport aux processus réels joue un rôle maximum. Toute révolution est une bouleversante rupture dans les esprits ; mais aussi, dans les faits, une formidable reprise en compte du passé. Le premier devoir de l'historien est de dissiper l'illusion fondatrice et finaliste qui ligote l'immense événement, ses acteurs et leurs héritiers. On peut naturellement discuter indéfiniment si le présupposé de Mazauric est révolutionnaire, et le mien, conservateur. Intellectuellement, je crois que la question n'a pas de sens. Mais le mieux est de s'en tenir à ce que le texte de Mazauric comporte d'analyse historique et de cerner les désaccords sur des questions précises.

Un personnage métaphysique : la « Révolution bourgeoise »

Partons, si l'on veut, du concept de « Révolution bourgeoise ». Il offre à l'interprétation historique des événements français un point d'ancrage quasi providentiel, en offrant une conceptualisation générale qui permet d'englober non seulement la multiplicité et le foisonnement des données empiriques, mais les différents niveaux de la réalité : il renvoie, tout à la fois, aux niveaux économique, social et politico-idéologique. Au niveau de l'économie, les événements qui se passent en France entre 1789 et 1799 sont supposés libérer les forces productives, et accoucher douloureusement du capitalisme ; au niveau social, ils traduisent la victoire de la bourgeoisie sur les anciennes classes « privilégiées » de l'Ancien Régime ; en termes politiques et idéologiques, enfin, ils représentent l'avènement d'un pouvoir bourgeois et le triomphe des « Lumières » sur les valeurs et les croyances de l'âge précédent. Logée à l'intérieur de ces trois « trends » historiques, la révolution y est pensée, non seulement comme la rupture fondamentale entre l'avant et l'après, mais à la fois comme conséquence décisive et élément fondateur de ces trends ; et l'ensemble des trois niveaux d'interprétation est subsumé par un concept unique, celui de « révolution bourgeoise », comme si le cœur de l'événement, son caractère le plus fondamental, était de nature sociale. C'est par ce glissement théorique que s'est produit le passage insidieux et permanent, dans l'historiographie française, d'un marxisme fondé sur le concept de

« mode de production » à un marxisme réduit à la lutte de classes : un tel schéma intellectuel ne faisait que gauchir l'interprétation de la Révolution française par elle-même, par un retour à cette historiographie qui, de Sieyès à Barnave, a élaboré, avant Marx et sur l'exemple de la Révolution française, le concept de lutte des classes. C'est par cette réduction de Marx, qui devient ici le simple relais d'un retour aux origines, et le véhicule d'une tautologie et d'une identification, que Soboul et Mazauric retrouvent leur idéologie nourricière, qui n'est pas de nature théorique, mais quasi affective, pour le premier, et politique, pour le second : l'exaltation de la dialectique égalitaire et par conséquent de sa finalité permanente, tapie au cœur de notre présent, et désormais vivante comme un double et inséparable héritage.

En réalité, ni la conceptualisation marxiste à travers le mode de production, ni une interprétation-lutte de classes reprise des acteurs de l'événement ne sont compatibles avec une périodisation courte de la Révolution française, avec un découpage chronologique 1789-1799, ou — à plus forte raison — 1789-1794.

Si l'on parle de substitution d'un « mode de production capitaliste » à un « mode de production féodal », il est clair qu'on ne peut dater la mutation comme liée à un événement historique étalé sur quelques années. Je ne peux pas, dans le cadre de cet article, entrer dans l'immense discussion sur la nature de l'Ancien Régime[79]. Mais cette discussion met en valeur, quel que

79. La dimension de la bibliographie décourage d'avance toute recension, dans le cadre de cet essai. Je renvoie, notamment, à propos de l'interprétation marxiste de ce problème, à une discussion qui a le mérite de n'être pas trop dogmatique : *The transition from feudalism to capitalism. A Symposium*, par P. M. Sweezy, M. Dobb, H.D. Takahashi, R. Hilton, C. Hill, Londres, 1954.

soit le sens donné au concept de « régime féodal » ou de « féodalisme », l'idée de transition, c'est-à-dire à la fois d'une nature socio-économique mixte et d'une chronologie longue. Dès lors, il est bien arbitraire de couper la révolution de son « amont », et de lui conserver, au niveau du procès social objectif, la signification de rupture radicale que lui ont donnée ses acteurs. Il est vrai que le modèle conceptuel d'un « mode de production féodal » n'est pas incompatible avec l'idée qu'au XVIIIᵉ siècle se créent, en France, les conditions de sa liquidation, mais il faudrait alors montrer en quoi l'hypothèse contenue dans le modèle se vérifie, c'est-à-dire, par exemple, en quoi les droits féodaux empêchent le développement du capitalisme à la campagne, ou en quoi la structure de la société à ordres et l'existence d'une noblesse entravent la constitution d'une économie industrielle de profit et de libre entreprise. La démonstration est loin d'être facile, ou évidente, dans la mesure où le capitalisme s'installe dans les pores de la société seigneuriale, à la campagne[80], et très largement par l'intermédiaire de la noblesse, en ce qui concerne l'industrie. D'ailleurs, loin d'être bloquée, l'économie française au XVIIIᵉ siècle est prospère, et connaît des rythmes de croissance comparables aux rythmes anglais[81] ; la crise de la fin du siècle est une mauvaise conjoncture dans un trend de prospérité. Enfin, s'il est vrai que la Révolution française est interprétable en termes de passage d'un mode de production à un autre, les mêmes difficultés nous attendent vers l'aval — il est bien long à démarrer, ce capitalisme sauvage dont elle est censée avoir libéré

80. Cf. *supra*, pp. 152-153.
81. Cf. F. Crouzet, « Angleterre et France au XVIIIᵉ siècle. Essai d'analyse comparée de deux croissances économiques », dans *Annales E.S.C.*, mars-avr. 1966, pp. 254-291.

les forces. A la campagne, il est freiné, plus qu'avant 1789, par la consolidation de la micropropriété. A la ville, il n'apparaît pas que la révolution en assure, rapidement, le développement après en avoir, évidemment, provoqué ou accéléré la crise dans les dernières années du XVIIIᵉ siècle. Et s'il est vrai qu'au niveau des idées et des mécanismes sociaux, 1789 avance un certain nombre de principes juridiques qui fondent la promotion des talents et l'économie de marché, l'immense équipée militaire des paysans français à travers l'Europe, de 1792 à 1815, ne paraît pas exactement dictée par le calcul bourgeois de la rationalité économique. Si l'on tient à la conceptualisation en termes de « mode de production », il faut prendre pour objet d'études une période infiniment plus vaste que les seules années de la Révolution française ; sinon, l'hypothèse intellectuelle n'apprend à peu près rien par rapport aux données de l'histoire[82].

C'est pourquoi, sans doute, la problématique marxiste est si facilement dégradée en « révolution bourgeoise », et en analyse de type sociopolitique, le pouvoir des bourgeois succédant, à travers la Révolution, au pouvoir des nobles, et la société bourgeoise à la société à ordres. Mais là encore, la référence marxiste possède ses contraintes. R. Robin, qui a le mérite de prendre le marxisme au sérieux, a récemment proposé[83] d'appeler bourgeoisie d'Ancien Régime l'ensemble des groupes

---

82. Engels écrit à Kautsky, dans une lettre du 20.2.1889 : « Tu crois en finir avec les difficultés en nous bombardant avec des phrases fumeuses et des formulations mystérieuses sur le nouveau mode de production... A ta place j'en parlerais beaucoup moins. Chaque fois il est séparé par un abîme des faits dont tu parles et apparaît ainsi d'emblée comme une pure abstraction qui, au lieu d'éclairer la chose, la rend plutôt obscure » (*Werke*, t. XXXVII, p. 155).

83. R. Robin, *op. cit.*, p. 54.

sociaux liés aux structures de l'Ancien Régime, c'est-à-dire « à base foncière, officière et roturière », en réservant le terme de bourgeoisie à son acception marxiste, c'est-à-dire à la classe qui vit de l'exploitation de la force de travail salariée. D'un point de vue marxiste, c'est une classification utile ; mais le problème historique, c'est que, d'une part, la révolution est précisément faite et dirigée, au moins majoritairement, par la bourgeoisie d'Ancien Régime ; et que, d'autre part, si on analyse le processus révolutionnaire non plus au niveau de ses acteurs, mais de ses résultats objectifs, on constate que le mode de formation de la bourgeoisie, sous l'Empire, n'est pas fondamentalement différent de celui d'avant 1789 : le négoce, la terre, et le service de l'Etat (où l'armée a remplacé l'officier)[84]. Là encore, le modèle conceptuel gagne en rigueur ce qu'il perd en valeur opératoire, sur une aussi courte période.

Au moins les définitions de R. Robin ont-elles le mérite d'aller au bout de leur logique ; en posant des problèmes qu'elles ne permettent pas de résoudre, elles montrent les impasses d'une analyse strictement structurelle d'un événement comme la Révolution française, entendue dans un sens chronologiquement court. Avec Mazauric, qui s'accroche d'autant plus à l'ontologie qu'il n'en définit pas les éléments, on retombe dans saint Thomas : « La Révolution n'est pas autre chose que le mode d'existence de la crise des structures de l'Ancien Régime dans son ensemble et son dépassement[85]. » C'est pourquoi il lui faut à tout prix maintenir ce qui constitue à la fois le sujet et l'objet de ce dépassement, la cause et

---

84. G. Chaussinand-Nogaret, L. Bergeron et R. Forster, « Les Notables du grand Empire en 1810 ». Communication au Congrès d'histoire économique et sociale, Leningrad, 1970. Parue dans les *Annales E.S.C.*, sept.-oct. 1971.

85. Mazauric, *op. cit.*, p. 52.

le sens de l'événement : la Révolution bourgeoise, dont il souligne qu'elle est une, à travers l'apparence chaotique de la période 1789-1794, parce que cette « période ascendante » est marquée par une « radicalisation » croissante du phénomène et une intervention également croissante des masses populaires[86].

Voici donc le *deus ex machina* : non pas seulement une classe sociale, car « Révolution bourgeoise » ne veut pas dire bourgeoisie révolutionnaire, non pas seulement le déroulement foisonnant d'une crise qui met au jour les contradictions, de tous ordres, de la société civile, mais un processus inséparablement subjectif et objectif, un acteur et un sens, un rôle et un message, unis, réconciliés contre vents et marées parce qu'ils constituent, en réalité, la figure de l'avenir qu'ils sont chargés d'annoncer. De ce sens, qui procède toujours à reculons, de l'ultérieur à l'antérieur, Mazauric déplace le foyer ; de Marx il a au moins retenu ce soupçon élémentaire : les hommes vivent autre chose que ce qu'ils croient vivre. Expulsé des consciences individuelles, le *cogito* se réfugie dans les sujets collectifs, mais le soupçon l'y rejoint : la bourgeoisie poursuit des objectifs qui ne sont pas forcément ceux qu'elle imagine. Ce soupçon salutaire, pourtant, s'arrête net devant le forgeur de « concepts », seul ici innocent d'idéologie. A quel signe se reconnaît-il comme détenteur d'un sens enfin non falsifié ? A ceci que dans la lumière des figures ultérieures de l'histoire, il peut « élaborer » le concept de Révolution bourgeoise. Le lecteur doit se contenter de cette garantie.

Il est vrai qu'il ne pourra chicaner le caractère providentiel de ce concept à tout faire. Comme le Dieu cartésien qui, trouvant l'existence au nombre de ses attributs, ne peut de ce fait manquer d'exister, la bourgeoisie

86. *Idem*, p. 55.

mazauricienne est, dès l'origine, une essence superbement dotée. Que n'y trouve-ton pas, « potentiellement » ? Soutien populaire et alliance paysanne y sont déjà contenus, de sorte qu'en les acceptant, la bourgeoisie ne fait que développer sa « nature » et n'a jamais autant coïncidé avec elle-même. Mais il faut payer ce spinozisme honteux de l'immobilité d'une histoire tétanisée par la logique ; on sent bien les avantages qu'il offre à une démonstration peureuse : il permet d'effacer la multiplicité, les rencontres, les improvisations sans cesse renaissantes de la crise ; englobées et résorbées dès le début dans la totalité de l'essence — comme du reste la contre-révolution dans la révolution et la guerre dans la révolution —, elles sont tout au plus les figures d'un unique dessein ; elles renvoient sempiternellement à l'irréfragable unité du concept. La « Révolution bourgeoise » est un monstre métaphysique qui déroule des anneaux successifs dans lesquels il étrangle la réalité historique pour en faire, *sub specie aeternitatis*, le terrain d'une fondation et d'une annonciation.

Les révolutions françaises

En réalité, le concept n'est utile à l'historien — car, personnellement, je crois qu'il l'est — que si son usage est contrôlé et limité. Analyser la « révolution bourgeoise » signifie d'abord, au niveau le plus simple, étudier non seulement la participation des différents groupes bourgeois à la Révolution, leurs projets et leurs activités, mais aussi leurs réactions en face de l'ébranlement social généralisé. De ce point de vue, il apparaît probable, comme Cobban ne cessait de le souligner, que les groupes bourgeois les plus engagés dans la révolution sont généralement peu liés au mode de production capitaliste ; mais aussi qu'il y a, dès 1789, plusieurs révolutions dans la Révolution[87], et notamment, dès l'origine, dès la rédaction des Cahiers, une révolution paysanne largement autonome par rapport au projet bourgeois. C'est à mon sens l'immense mérite de Georges Lefebvre, et probablement une de ses contributions capitales à l'histoire révolutionnaire, que de l'avoir montré le premier[88] ; depuis, des ouvrages très importants comme ceux de P. Bois[89] ou de Ch. Tilly[90] ont élargi la démonstration à partir d'une problématique un peu différente et de l'analyse des rapports ville-campagne. Même si leurs conclusions sont différentes et, sur certains points, contradictoires, ils ont ceci en commun qu'ils mettent tous deux en valeur la grande autonomie politique du monde paysan, essentiellement faite de méfiance à l'égard des gens des villes, que ceux-ci soient seigneurs, anciens seigneurs, anciens bourgeois, ou nouveaux bourgeois. Dans le livre de P. Blois, comme on l'a vu[91], la doléance antiseigneuriale de 89 recoupe et dans une certaine mesure préfigure la méfiance antibourgeoise de 90-91, et la chouannerie antirépublicaine ; ainsi la paysannerie du Haut-Maine ne *devient* pas hostile à la Révolution bourgeoise parce qu'elle aurait été déçue par son bilan, comme Mazauric, enfermé dans son schéma, l'imagine[92] ; simplement, elle est, sinon hostile, du

---

87. Mazauric semble accepter d'abord cette idée (p. 26), pour la rejeter ensuite (p. 55), sans que je comprenne bien comment il concilie les deux analyses.

88. Cf. notamment un texte de 1932 : « La Révolution française et les paysans » (publié dans *Etudes sur la Révolution française, op. cit.*), où Georges Lefebvre est particulièrement clair, à la fois sur la pluralité des révolutions dans la Révolution et sur l'autonomie de l'action paysanne.

89. P. Bois, *op. cit.*

90. Ch. Tilly, *La Vendée*, Fayard, 1970.

91. Cf. *supra*, p. 128.

92. Mazauric, *op. cit.* p. 235.

moins indifférente et méfiante à l'égard de la ville dès 1789. Et c'est exactement la même frustration qui s'investit contre les droits seigneuriaux et contre le capitalisme rural, symbolisé par le bourgeois, l'habitant des villes. Si la Révolution bougeoise fonde les rapports sociaux capitalistes, la Révolution paysanne travaille, elle, à son compte ; et l'accord « anti-féodal » masque des images fort différentes du changement, que ce soit au niveau conscient, ou à celui du procès objectif.

Car c'est une idée fausse, encore que très répandue, que celle qui consiste à croire que les révolutions naissent obligatoirement du désir de certaines classes ou groupes sociaux d'accélérer un changement à leurs yeux trop lent. La Révolution peut être aussi, dans tel secteur de la société directement mêlé au bouleversement de l'ordre traditionnel, volonté de résistance à un changement considéré comme trop rapide. Le front révolutionnaire n'est pas constitué comme les batailles rangées des vieux manuels d'art militaire, selon un schéma linéaire de l'histoire, où toutes les classes qui animent le mouvement désirent et annoncent un avenir identique, même si toutes celles qui y résistent s'alignent rapidement sur une même image du passé. Au contraire, il est par nature fluctuant, soumis à une conjoncture politique qui évolue très vite, et surtout hétérogène, constitué par des éléments dont les objectifs peuvent être différents, voire contradictoires.

Quand la Révolution française éclate, le royaume de France n'est pas caractérisé par l'absence de changement, bien au contraire ; il est soumis, depuis plus d'un demi-siècle, à des changements économiques et sociaux extrêmement rapides, auxquels l'Etat a du mal à s'adapter ; rien n'est plus difficile, en effet, et d'ailleurs plus dangereux, pour un système absolutiste, que de modifier certains de ses éléments fonctionnels et notamment de se libéraliser. Mais l'analyse est valable aussi pour les classes sociales ; non seulement pour la noblesse, mais aussi pour les classes populaires, particulièrement vulnérables à la rupture des équilibres traditionnels et politiquement moins conscientes des enjeux et des objectifs de la compétition pour le pouvoir. Si bien que les choses sont loin d'être aussi simples que ne l'imagine Mazauric[93], quand il décrit, de chaque côté de la voie royale de la Révolution bourgeoise-à-support-populaire, ces deux laissés-pour-compte de la grande aventure, ces deux exclus de l'union nationale que sont le mouvement sectionnaire de Paris, à gauche, et la Vendée paysanne, à droite. En réalité, depuis 1789 jusqu'à 1794, le torrent révolutionnaire, s'il a été endigué et canalisé par les groupes qui se succèdent au pouvoir — après y avoir d'abord cédé — n'a jamais été réellement contrôlé, parce qu'il est constitué d'intérêts et de visions contradictoires. Ce qui explique, sans doute, le rôle fondamental, parce que compensateur, d'une idéologie fortement intégratrice comme le jacobinisme. Mais est-ce à l'histoire de la prendre pour argent comptant ?

Il est vrai que beaucoup reste à faire, dans l'analyse interne de ce qui constitue, au niveau politique, le mouvement révolutionnaire. Nous connaissons bien, grâce à Daniel Guérin, Albert Soboul, Georges Rudé et Richard Cobb, les revendications du petit peuple urbain et son rôle politique en 1793-1794. Mais nous savons mal quelle influence ont exercée dans les villes la suppression des corporations et le libre jeu des rivalités intra et interprofessionnelles qui en est résulté[94] ; nous connais-

---

93. Mazauric, *op. cit.*, p. 235-236.
94. On trouve des intuitions intéressantes sur cet aspect de la révolution urbaine dans une lettre d'Engels à Kautsky (21 mai 1895)

sons plus mal encore le rôle joué par l'importante immi-
gration vers la ville qui caractérise le XVIIIe siècle, et par
l'existence d'une population urbaine récemment déraci-
née du terroir natal, et arrivée à Paris, à l'exemple de
Nicolas de Restif, pour s'y sentir comme dépossédée
d'elle-même. Il n'est pas impossible qu'un certain nombre de secrets du comportement politique sectionnaire
tiennent à des phénomènes de ce type, plutôt qu'à des
différenciations de type platement sociologique. De la
même façon, le détail des comportements paysans, de
leurs motivations et du rapport ville-campagne pendant
la Révolution est encore mal connu ; ce qui est sûr, c'est
que la domination urbaine sur le monde rural ne se
rétablit que très partiellement à partir de l'été 89 : les
paysans propriétaires refusent massivement le rachat
des droits, prévu par les décrets des 4-11 août[95], et les
textes « montagnards » d'août 92 et juillet 93, qui les
libéreront de toute indemnité, ne sont que la consécration juridique du fait accompli. Les bourgeois révolutionnaires des villes, en sacrifiant une propriété désormais bourgeoise (puisque convertie par l'obligation
du rachat), ont cédé à la paysannerie. C'est le mot de

sur la Révolution française. Engels y souligne le rôle joué, dans la
Terreur, par ce qu'il appelle les « déclassés », les débris sociaux des
anciennes structures corporatives et « féodales ». (*Werke*, t. XXXIX,
p. 482-483).

Cf. aussi, dans cet ordre d'idées, l'article de Louis Bergeron dans
« Les sans-culottes et la Révolution française », *Annales E.S.C.*, 1963,
n° 6.

95. Le problème est encore mal connu. Je généralise ici, comme
une hypothèse probable, les indications données pour le Sud-Ouest
par : Ferradon, *Le rachat des droits féodaux dans la Gironde,
1790-1793*, Paris, 1928 (p. 200-311) ; D. Ligou, *Montauban à la fin de
l'Ancien Régime et aux débuts de la Révolution*, Paris, 1958
(p. 384-385). Même interprétation générale dans E. Labrousse, in R.
Mounier, E. Labrousse et M. Bauloiseau, *Le XVIIIe siècle*, t. V de
l'*Histoire générale des civilisations*, 5e éd., Paris, 1967, p. 383.

G. Lefebvre qui est juste ; en dehors même des cas et des zones d'hostilité armée (Vendée, chouannerie) où elle a dû combattre, la bourgeoisie a « transigé » avec la paysannerie, c'est-à-dire négocié, à toutes les étapes clés de la Révolution : au 4 Août, au moment de la grande reconstruction « constituante », après le 10 Août, après le 31 mai-2 juin.

La guerre, la terreur, l'idéologie

D'ailleurs, si l'on ne tient pas compte de cette extraordinaire et multiple fragilité du front révolutionnaire : fragilité de la nouvelle classe dirigeante, dont les groupes se disputent par la surenchère un pouvoir disponible, fragilité de la coalition, tiraillée entre les intérêts divergents ou contradictoires, les utopies et les nostalgies qui les déguisent, comment, dès lors, expliquer la guerre ? Je sais bien que Mazauric considère cette question comme subalterne. Il déclare en effet que la guerre est une « composante *naturelle* »[96] de la Révolution. Mot merveilleux ! Car avec ce retour solennel au bon vieil abbé Pluche, la « Révolution bourgeoise » trouve sans effort sa nouvelle fusée porteuse, puisque celle-ci était providentiellement emboîtée dans la première et, dès l'origine, destinée à la même fin. Mais si l'on veut rester sérieux, le déclenchement de la guerre entre la Révolution française et l'Europe est probablement un des problèmes les plus importants et les plus révélateurs de l'histoire de la Révolution. Cette guerre, pour des raisons que je ne développe pas ici, est plutôt acceptée que voulue par l'Europe des rois, malgré les pressions des émigrés et de la famille royale. Elle est, par contre,

96. *Op. cit.*, p. 57. Le mot est souligné par Mazauric.

désirée en France par la Cour et les forces sociales nostalgiques de l'Ancien Régime ; mais, dans l'hiver 91-92, ces forces sont des faiblesses bien incapables de déclencher le conflit souhaité. En réalité, c'est la révolution qui, malgré Robespierre, veut la guerre contre les rois : la Révolution, mais encore ? laquelle ?

J'aperçois bien ce qui peut faire, de l'immense aventure qui commence, un conflit caractéristique d'une « révolution bourgeoise » : le vieux contentieux mercantile franco-anglais, et la pression particulière du groupe girondin. Mais sur le premier point, je crois être d'accord avec la plupart des historiens de la Révolution[97] en écrivant que la rivalité économique franco-anglaise est relativement secondaire dans le déclenchement de la guerre. Les raisons de politique intérieure française ont bien évidemment le pas, subjectivement et objectivement, sur les intérêts contradictoires des deux pays dans le commerce international. Quant à Brissot et à ceux qu'on appellera les Girondins, s'il est vrai qu'ils sont les avocats éloquents de la guerre, ils n'en portent pas seuls la responsabilité. A l'Assemblée, les futurs Montagnards se taisent ; les grands leaders d'opinion, Danton, Desmoulins, Marat, abandonnent Robespierre très tôt, en décembre. Partageant, d'ailleurs, avec les « Girondins » le projet de radicaliser la Révolution, ils ont, *de ce point de vue*, raison contre lui : la guerre va être le nœud de l'unité et de la surenchère révolutionnaire.

C'est qu'elle n'est pas seulement, ni principalement, une guerre bourgeoise. Le roi l'a voulue comme la dernière chance de son rétablissement, le peuple s'en em-

97. Avec Georges Lefebvre au moins, mais pas avec Daniel Guérin, qui voit dans les ambitions économiques de la « bourgeoisie girondine » la raison principale du déclenchement de la guerre (*op. cit.*, t. II, p. 501).

pare comme d'un élargissement de sa mission libératrice. Il en fait une guerre de libération, dont les gros bataillons seront formés par une démocratie urbaine et surtout paysanne[98] en armes ; un conflit de valeurs, et non d'intérêts. Le sentiment national cesse de définir seulement la France nouvelle, pour devenir un modèle idéologique, un drapeau de croisade ; par cette synthèse extraordinairement précoce — et promise à tant d'avenir — entre messianisme idéologique et passion nationale, les Français n'ont pas découvert une forme miraculeusement exemplaire de communauté humaine ; mais ils ont, les premiers, intégré les masses à l'Etat et formé une nation démocratique moderne.

Le prix de cette expérience historique, c'est la guerre indéfinie. Le conflit de valeurs qui s'engage au printemps 92 est, par nature, sans enjeu défini ou définissable, et, par conséquent, sans autre fin que la victoire totale ou la défaite totale. Tous les leaders « bourgeois » de la Révolution, à un moment ou à un autre, chercheront à l'arrêter : Danton, puis Robespierre, puis Carnot ; mais il a été tellement intériorisé par la conscience révolutionnaire qu'au niveau idéologique, et même en conjoncture favorable, guerre signifie révolution, et paix, contre-révolution. Du côté français, cette guerre a été une « fuite en avant » de la coalition révolutionnaire, une manière d'exorciser sa précarité par la coalescence d'une idéologie à la fois bourgeoise, populaire, et paysanne, où l'on retrouve mêlés l'héritage militaire de l'ancienne société, et les valeurs de la philosophie des Lumières, mais démocratisés et transfigurés par le culte du nouvel Etat, et de la « grande nation », désormais investis d'une mission de libération universelle. Le concept de « révolution bourgeoise » n'est pas apte à

98. Cf. J.-P. Bertaud, *Valmy*, coll. Archives, Julliard, 1970.

rendre compte de cette dynamique révolutionnaire interne, de ce raz de marée politique et culturel que constituent le jacobinisme et la guerre révolutionnaire. Désormais, la guerre gouverne la révolution beaucoup plus que la révolution ne gouverne la guerre.

Comme je connais mes classiques, je sais que Mazauric m'attend ici armé d'une citation de Marx[99] : le jacobinisme et la Terreur n'auraient été qu'une « manière plébéienne » d'achever la révolution bourgeoise et d'en finir avec les ennemis de la bourgeoisie. Mais les deux propositions sont inexactes. La révolution bourgeoise est faite, et achevée, sans compromis d'aucune sorte avec l'ancienne société, dès 1789-1791. Tous les éléments essentiels du nouvel ordre bourgeois qui fondent notre monde contemporain : l'abolition des ordres et de la « féodalité », la carrière ouverte aux talents, la substitution du contrat à la monarchie de droit divin, la naissance de l'*homo democraticus* et du régime représentatif, la libération du travail et la libre entreprise, sont acquis sans retour dès 1790 ; la partie de la noblesse qui est contre-révolutionnaire a fui sans combattre, le roi de l'Ancien Régime n'est plus qu'un prisonnier, et le rachat des droits féodaux, comme on l'a vu, reste largement lettre morte. Les classes populaires, et surtout l'immense pression paysanne de l'été 89 ont d'ailleurs joué, déjà, un rôle essentiel dans cette rupture décisive avec le passé.

Dira-t-on, en prenant pour argent comptant l'idéologie de l'époque, et les raisons que les jacobins de 1793-1794 se sont données à eux-mêmes, que le processus de radicalisation de la révolution bourgeoise naît de la résistance contre-révolutionnaire ? Il faudrait expli-

99. K. Marx, « La bourgeoisie et la contre-révolution », article du 15.12.1848. (*Werke*, t. VI, p. 107-108.)

quer pourquoi cette radicalisation existe dès l'été 89, après le 14 Juillet, quand la contre-révolution est objectivement très faible ; pourquoi elle s'alimente moins à la force de la résistance qu'à son symbole et à sa maladresse, comme le montre l'épisode capital de Varennes. En réalité, le vrai danger contre-révolutionnaire naît de la guerre et de l'invasion, à la fin de l'été 92, et dans l'été 93. Mais cette guerre, c'est la Révolution qui l'a voulue, précisément parce qu'elle « a besoin de grandes trahisons »[100]. Que ces trahisons existent ou n'existent pas dans la réalité — elles existent, bien sûr, mais infiniment moins nombreuses que ne l'imagine le militant révolutionnaire —, la Révolution les invente comme autant de conditions de son développement ; car l'idéologie jacobine et terroriste fonctionne largement comme une instance autonome, indépendante des circonstances politiques et militaires, lieu d'une surenchère d'autant plus indéfinie que la politique est déguisée en morale et que le principe de réalité a disparu. On sait d'ailleurs que si les deux premières poussées terroristes, août 92 et l'été 93, sont évidemment liées à la conjoncture de péril national, la « grande Terreur » ne coïncide pas avec la grande détresse de ces années terribles ; elle intervient, au contraire, en plein redressement de la situation militaire, comme machine administrative d'une métaphysique égalitaire et moralisante, au printemps 1794. C'est le fantasme compensateur de l'impasse politique, le produit, non de la réalité des luttes, mais de l'idéologie manichéenne du partage entre les bons et les méchants, et d'une sorte de panique sociale généralisée. Le 4 septembre 1870, au moment où il craignait que les ouvriers ne renversent le gouvernement provisoire, Engels analy-

---

100. Le mot, comme on sait, est de Brissot.

sait la Terreur en ces termes, dans une lettre adressée à Marx[101] : « Grâce à ces petites terreurs perpétuelles des Français, on se fait une bien meilleure idée du Règne de la Terreur. Nous l'imaginons comme le règne de ceux qui répandent la terreur, mais tout au contraire c'est le règne de ceux qui sont eux-mêmes terrorisés. La terreur n'est en grande partie que cruautés inutiles perpétrées par des gens qui sont eux-mêmes effrayés, pour tenter de se rassurer. Je suis convaincu que l'on doit imputer presque entièrement le Règne de la Terreur *anno* 1793 aux bourgeois surexcités jouant les patriotes, aux petits-bourgeois philistins souillant de peur leur pantalon, et à la lie du peuple faisant commerce de la Terreur. »

Dans une analyse antérieure, puisqu'elle se trouve dans *La Sainte Famille*[102], Marx a donné à cette critique de l'illusion jacobine une forme moins psychologique. Il y montre que le cœur de cette illusion, c'est l'idée d'un Etat « vertueux » imaginé sur le modèle scolaire de l'Antiquité, et supprimant, dépassant les données objectives de la société civile, qui est déjà, à ses yeux, la « société bourgeoise moderne » ; la Terreur, c'est précisément l'Etat devenant à lui-même sa propre fin, faute de racines dans la société ; c'est l'Etat aliéné par l'idéo-

---

101. *Correspondance Marx-Engels*, 4 septembre 1870 (*Werke*, t. XXXIII, p. 53). Comme ce texte, entre autres, le révèle, Marx et Engels ont beaucoup varié dans leurs jugements sur cette période de la révolution, comme sur la révolution elle-même, en fonction de l'actualité qui les sollicitait, mais aussi de leurs préoccupations intellectuelles dominantes, aux différentes périodes de leur vie. On peut dire, pour aller vite, que Marx et Engels sont relativement pro-jacobins en 1848-1849, au moment de la Révolution allemande, et très antijacobins entre 1865 et 1870, quand ils luttent contre « les Français », comme ils disent, à l'intérieur de la Première Internationale. Mazauric se réclamera-t-il, là encore, du Marx de la maturité contre le jeune Marx ?

102. *La Sainte Famille, op. cit.*, p. 144-150.

logie, et échappant à ce que Marx appelle la « bourgeoisie libérale ». L'histoire de la Révolution nous offre les deux temps forts de cette aliénation de l'Etat, avec la dictature robespierriste d'abord, puis avec Napoléon : « *Napoléon*, ce fut la dernière bataille de la *Terreur révolutionnaire* contre la *société bourgeoise*, également proclamée par la Révolution, et contre sa politique... Napoléon considérait encore *l'Etat* comme *sa propre fin*, et la société bourgeoise uniquement comme un bailleur de fonds, comme un *subordonné*, auquel toute *volonté propre* était interdite. *Il accomplit la Terreur* en remplaçant *la révolution permanente par la guerre permanente*[103]. »

Cette brillante analyse du jeune Marx sur le rôle de l'idéologie jacobine dans le mécanisme de la Terreur et de la guerre et sur le caractère permutable du couple Terreur/guerre, aurait pu servir d'épigraphe à l'histoire de la Révolution que j'ai écrite avec D. Richet. Car elle ne cesse d'être implicite dans l'interprétation générale que nous proposons[104] et notamment dans ce que nous avons appelé le « dérapage » de la révolution. Non que je tienne à cette métaphore automobile, pour peu qu'on trouve un mot meilleur. Mais je tiens à cette idée, que le processus révolutionnaire, dans son déroulement et dans le relativement court terme, n'est pas réductible au concept de « révolution bourgeoise », celle-ci fût-elle « à-support-populaire », ou « ascendante », ou tout ce qu'on voudra, comme l'écrivent aujourd'hui les jargonneurs

103. Les mots sont soulignés par Marx.
104. Par exemple, l'époque « constituante » (89-91) et celle du Directoire sont traitées comme des périodes de relative *transparence* de la société civile bourgeoise et du processus révolutionnaire. Au contraire, l'épisode jacobin et terroriste est celui de l'opacité maximale entre la société civile et le procès historique : cette opacité est celle de l'idéologie.

léninistes ; car dans ce qu'il comporte de dérapage permanent, et de contradictoire avec sa nature sociale, il est constitué par une dynamique politique et idéologique autonome, qu'il faut conceptualiser et analyser en tant que telle. De ce point de vue, plus que celui de révolution bourgeoise, c'est le concept de situation ou de crise révolutionnaire qu'il faudrait approfondir[105] : vacance préalable du pouvoir, et de l'Etat, crise des classes dirigeantes, mobilisation autonome et parallèle des masses populaires, élaboration sociale d'une idéologie à la fois manichéenne et fortement intégratrice, voilà autant de faits qui me paraissent indispensables à l'intelligibilité de l'extraordinaire dialectique du phénomène révolutionnaire français. La révolution, ce n'est pas seulement le « saut » d'une société à une autre ; c'est, aussi, l'ensemble des modalités par lesquelles une société civile, subitement « ouverte » par la crise du pouvoir, libère toutes les paroles dont elle est porteuse. Cette immense émancipation culturelle, dont la société a du mal à « fermer » le sens, nourrit désormais les compétitions pour le pouvoir par la surenchère égalitaire ; intériorisée par les masses populaires, ou, du moins, par une partie d'entre elles, et d'autant plus meurtrière qu'elle est la référence unique, la nouvelle légitimité fondatrice, l'idéologie révolutionnaire est devenue le lieu par excellence de la lutte politique entre les groupes ; c'est à travers elle que

---

105. Il y a une importante littérature sur ce sujet, notamment américaine. Cf. par exemple : Chalmers Johnson, *Revolution and the social system*, Stanford, 1964 ; Lawrence Stone, « Theories of Revolution », *World Politics*, XVIII, n° 2, janv. 1966, p. 159 (il s'agit d'une critique du livre de Chalmers Johnson). Du côté français, quelques travaux récents apportent une bouffée d'air frais dans la problématique du phénomène révolutionnaire : A. Decouflé, *Sociologie des révolutions*, P.U.F., Que sais-je ?, 1968 ; du même auteur, « La révolution et son double », dans *Sociologie des mutations*, éd. Anthropos, 1970 ; J. Baechler, *Les phénomènes révolutionnaires*, P.U.F., 1970.

passe la dialectique de scission successive des équipes dirigeantes qui caractérise les années 89-99, et aussi la dialectique de continuité des nouvelles élites. C'est au nom de l'égalité que Robespierre fait guillotiner Barnave et Brissot, mais c'est à l'égalité aussi que Sieyès est fidèle à travers tant d'infidélités apparentes, du printemps 89 au 18 Brumaire 99. La révolution, c'est l'imaginaire d'une société devenu le tissu même de son histoire.

A quoi bon, dès lors, vouloir en faire, contre vents et marées, le produit strictement nécessaire d'une essence métaphysique et unique, qui dévoilerait successivement, comme autant de poupées russes, les épisodes dont elle est au départ porteuse ? Pourquoi vouloir, à tout prix, construire cette chronologie de fantaisie, où à une phase « bourgeoise » ascendante succède une période de couronnement populaire, suivie d'une retombée bourgeoise, cette fois-ci « descendante », puisque Bonaparte est au bout ? Pourquoi ce schéma indigent, cette résurrection scolastique, cette misère des idées, cette crispation passionnelle déguisée en marxisme ? La vulgate mazaurico-soboulienne n'est pas constituée par une problématique originale qui naîtrait d'un savoir, ou d'une doctrine ; elle n'est plus qu'un pauvre reflet de cette flamme immense et riche qui illuminait, au temps de Michelet ou de Jaurès, toute histoire de la révolution. Produit d'une rencontre confuse entre jacobinisme et léninisme, ce discours mêlé n'est plus apte à la découverte ; il tient tout entier dans l'exercice d'une fonction chamanique résiduelle, à destination des rescapés imaginaires du babouvisme. C'est pourquoi il est à la fois contradictoire et convaincant, incohérent et irréfutable, agonisant et destiné à durer. Il y a cent ans déjà, parlant de la gauche républicaine et ouvrière qui fonda la IIIᵉ République, Marx dénonçait la nostalgie jacobine comme le vestige d'un certain provincialisme français, et souhaitait que « les événements » permettent « de mettre fin une fois pour toutes à ce culte réactionnaire du passé »[106].

106. Lettre à César de Paepe, 14 septembre 1870 (*Werke*, t. XXXIII, p. 147).

II

*Tocqueville et le problème de la Révolution française**

Le lien de Tocqueville avec l'histoire n'est pas fait du goût du passé, mais de sa sensibilité au présent. Tocqueville n'est pas de la race des historiens tournés vers le dépaysement dans le temps, la poésie du passé ou la diversion de l'érudition ; il appartient tout entier à un autre type de curiosité historique, dans lequel la réflexion sur l'actualité sert de point de départ à une recherche de filiation. Il n'y a donc pas chez lui, comme chez son contemporain Michelet, cette passion obsessionnelle du passé, ce fanatisme lugubre et sublime de visiteur de cimetières. Ce qu'il cherche, au contraire, tout au long de son existence, et qui donne à sa vie intellectuelle sa force de pénétration et sa cohérence, c'est le sens de son présent. Il l'a d'abord cherché non dans le temps, mais dans l'espace, utilisant la géographie comme une histoire comparée. Au prix d'un renversement génial de l'hypothèse traditionnelle, il est allé étudier les Etats-Unis non pour y retrouver l'enfance de l'Europe, mais pour y deviner son futur. L'histoire de l'Europe n'est pour lui qu'un deuxième voyage étroite-

* Article publié dans *Science et Conscience de la société*, Mélanges en l'honneur de Raymond Aron, 2 vol., Paris, Calmann-Lévy, 1971.

ment lié au premier, soumis aux mêmes hypothèses nées de son expérimentation du présent.

Au reste, les deux voyages — le spatial et le temporel — s'ils sont liés par le sens intellectuel que Tocqueville leur donne, sont également concomitants par les témoignages qu'il en laisse très tôt, entre 1830 et 1840 : les deux premières parties de *La Démocratie* paraissent en 1835, les deux dernières en 1840. Entre-temps, en 1836, Tocqueville a publié dans une revue anglaise un bref essai sur l'« *Etat social et politique de la France avant et depuis 1789* » ; ainsi, la première grande période créatrice de Tocqueville, avant qu'il entre dans la politique active, témoigne de l'entrelacement des deux grands thèmes de sa réflexion.

Après sa retraite politique, Tocqueville ne reprendra que le thème historique, simplement esquissé et comme mis en réserve en 1836 ; cette fois, il s'enferme dans les archives, consulte et dépouille les sources de première main et s'astreint pendant plusieurs années aux servitudes du métier d'historien. Mais la finalité profonde de sa recherche n'a pas changé : il s'agit toujours d'expliquer et donc de prévoir le sens de l'histoire contemporaine de la France. L'histoire n'est pas pour lui une résurrection, moins encore une description ou un récit, mais une matière à organiser et à interpréter. Ce qui peut donc être comparé entre le Tocqueville de 1836 et celui de 1856, c'est moins la documentation — infiniment meilleure et plus complète dans *L'Ancien Régime* — que le système d'interprétation. Voici peut-être, dans l'esprit même de la méthode tocquevillienne, la meilleure voie d'exploration d'une histoire qui s'avoue elle-même inséparable d'une théorie explicative.

L'interprétation générale de la Révolution française par Tocqueville se trouve donc dès 1836 dans le relativement court texte écrit après son voyage américain, à destination du public anglais, et intitulé *Etat social et politique de la France avant et depuis 1789*[1], titre qui préfigure étonnamment celui que Tocqueville donnera vingt ans plus tard à son dernier livre. Au vrai, Tocqueville n'en a écrit que la première partie, consacrée à la France d'avant 1789 : la suite, annoncée par une transition de dix lignes qui clôt curieusement ce texte, semble bien n'avoir jamais été rédigée — sans que, à cette date, la mort puisse être une explication à l'interruption de sa réflexion. En 1836, comme aussi vingt ans plus tard, Tocqueville nous donne un « ancien régime » plus qu'une « révolution », un « avant 1789 » plus qu'un « depuis 1789 ». On peut en résumer ainsi l'économie générale :

Après que l'introduction a affirmé l'idée centrale de l'essai : la Révolution française n'a été que l'explosion locale, particulièrement violente, d'idées universelles, l'essentiel de la première partie est une description de la société civile française à la fin de l'ancienne monarchie : l'Eglise devenue une institution politique coupée de la population ; la noblesse, une caste et non une aristocratie (c'est-à-dire une classe dirigeante, à l'anglaise) ; mais autant l'analyse de l'Eglise est sommaire, autant celle de la noblesse est fouillée. Sur le plan politique, cette noblesse est coupée du pouvoir royal (elle a été privée de ses pouvoirs administratifs locaux sans acquérir pour

1. Tocqueville, *L'Ancien Régime*, éd. Gallimard, t. I, p. 33-66.

autant un pouvoir gouvernemental ; elle est dès lors impuissante à contrecarrer le roi au nom du peuple, ou à influencer vraiment le roi contre le peuple). D'où l'anachronisme des privilèges (les nobles ne sont plus ni aimés ni craints), et notamment des privilèges économiques et honorifiques.

Sur le plan économique, la redistribution des richesses s'opère au profit du Tiers, maître de la richesse mobilière. D'où le morcellement et la dislocation des domaines nobiliaires, l'émiettement de la noblesse en une foule d'individus à fortune moyenne, et ce qu'on pourrait appeler la « démocratisation de la noblesse ».

Enfin, la promotion du Tiers Etat. Elle se fait indépendamment de la noblesse (ici Tocqueville reprend presque Sieyès), comme la « création d'un peuple nouveau » qui possède sa propre aristocratie. Elle explique la division de la classe dirigeante, et l'esprit révolutionnaire du Tiers. « Cette division, qui existait en France entre les différents éléments aristocratiques, établissait dans le sein de l'aristocratie une sorte de guerre civile dont la démocratie seule devait profiter. Repoussés par la noblesse, les principaux membres du Tiers Etat étaient obligés, pour la combattre, de s'appuyer sur des principes utiles dans le moment où on s'en servait, dangereux par leur efficacité même. Le Tiers Etat était une portion de l'aristocratie révoltée contre l'autre, et contrainte à professer l'idée générale de l'égalité pour combattre l'idée particulière d'inégalité qu'on lui opposait » (p. 46).

Tocqueville insiste sur le fait que le principe aristocratique disparaît rapidement dans les esprits, en partie par suite de l'influence sociale de l'intelligentsia et d'une sorte de fusion « égalitaire » entre la noblesse et les intellectuels. A cette « démocratie imaginaire » des esprits se joint une démocratie réelle de la richesse, par le morcellement de la propriété foncière, démocratisation qui multiplie les fortunes médiocres et crée ainsi un terrain favorable à la démocratie politique. La France du XVIIIᵉ siècle était donc caractérisée par le divorce entre son état institutionnel (l'inégalité) et ses mœurs qui en faisaient déjà « la nation la plus véritablement démocratique de l'Europe ».

Tocqueville passe alors aux conséquences *politiques* de cet état de la société civile : de même que toute société aristocratique tend au gouvernement local, toute société démocratique tend au gouvernement centralisé. Dans un premier stade, elle arrache le gouvernement local à l'aristocratie, mais trop faible, trop émiettée pour l'exercer elle-même, elle le donne au roi, dénominateur commun de ses intérêts et de sa faiblesse, par l'intermédiaire de ses leaders naturels, les légistes.

Un certain nombre de facteurs « accidentels et secondaires » renforcent l'action de ces « causes générales » : la prépondérance de Paris, la nécessité de consolider l'unité nationale entre des provinces si diverses, la nature personnelle et non parlementaire du pouvoir.

Mais ce processus de centralisation gouvernementale et administrative n'a pas éteint chez les Français l'esprit de liberté, qui est pour Tocqueville un des traits caractéristiques du tempérament national : ce qui se passe au contraire au XVIIIᵉ siècle, c'est que se substitue à la notion aristocratique de la liberté (la défense des privilèges, à tous les niveaux) une conception démocratique ; l'idée de droit commun remplace celle de privilège.

La Révolution n'a donc pas créé un peuple nouveau, une nouvelle France : « Elle a réglé, coordonné et légalisé les effets d'une grande cause, plutôt qu'elle n'a été cette cause elle-même. » Elle est l'aboutissement, le couronnement de tendances à l'œuvre dans la société d'Ancien Régime, bien plus qu'une transformation radicale de la France et des Français. L'ensemble de ces tendances démocratiques, successivement analysées au niveau de la société civile, des mœurs, du gouvernement et de l'idéologie, forme une sorte de tronc commun à l'ancien et au nouveau régime, et la Révolution apparaît comme une simple étape dans le développement de leurs effets — étape dont Tocqueville n'indique pas la spécificité. La continuité de l'histoire de France a effacé les traces de ses ruptures.

De cette interprétation de la Révolution par une histoire à long terme, qui met en relief le poids du passé et réduit la portée du changement dont la Révolution s'est imaginée être responsable, Tocqueville n'invente pas les principaux éléments conceptuels. Mais comme il est toujours resté très discret sur ses lectures[2] — on trouve très peu de références explicites à d'autres auteurs dans ses livres, et relativement peu dans sa correspondance —, il est difficile de retrouver ses sources. Pourtant, l'une d'entre elles est claire : c'est évidemment Guizot, avec lequel il ne cessera d'avoir un dialogue intellectuel et politique à la fois complice et hostile[3], extrêmement révélateur des ambiguïtés du libéralisme français dans la première moitié du XIXe siècle. Guizot est de dix-huit ans son aîné, et a écrit l'essentiel de son œuvre historique quand Tocqueville rédige son essai de 1836 ; bien que plus fondamentalement historien que Tocqueville, il partage avec son cadet les mêmes valeurs politiques fondamentales : le libéralisme ; la même conception de l'histoire : l'histoire-interprétation ; enfin, la même référence centrale par rapport à quoi s'ordonne un très long

2. Il est aussi discret quant à ses lectures que disert quand il s'agit de sources manuscrites, comme dans *L'Ancien Régime* : double snobisme, peut-être, d'aristocrate et d'intellectuel.

3. Cf. une communication intéressante de S. Mellon : *Guizot and Tocqueville*, au meeting annuel des « French historical studies », Chicago, 1969.

passé : la Révolution française, à la fois aboutissement d'une histoire universelle (c'est-à-dire européenne) et mystère particulier de l'histoire de France. A partir de cette problématique commune, il est intéressant d'analyser ce que Guizot avait offert, ou appris à Tocqueville, et les différences des deux interprétations.

Rendu à l'enseignement de l'histoire par sa disgrâce politique de 1820, Guizot a livré l'essentiel de son système d'explication dans ses premiers grands ouvrages historiques, et notamment dans ses *Essais sur l'histoire de France* (1823). Charles Pouthas souligne[4] que dans ses cours ultérieurs de 1828, publiés sous le titre d'*Histoire de la civilisation en Europe et en France*[5], il a modifié un certain nombre des jugements et surtout rectifié quelques erreurs de fait, concernant notamment les origines de l'histoire de France et l'histoire des invasions barbares. Mais il importe peu, du point de vue qui nous intéresse ici : car entre les *Essais* de 1823 et les cours de 1828, aucune des grandes articulations conceptuelles de l'histoire de France selon Guizot n'a changé. Tous les grands acteurs sont là dans les *Essais*, les seigneurs, l'Eglise, le roi, les communes — avec les sociétés et les types de gouvernement dont ils sont ou devraient être porteurs, aristocratie, théocratie, monarchie, démocratie, et les conflits ou les équilibres dont ils peuplent l'histoire de France. Cette histoire, en 1828 comme en 1823, n'est que la confirmation empirique d'un schéma intellectuel dont aucun élément n'a changé.

Guizot cherche dans l'histoire de France la marche vers une « société », c'est-à-dire vers un ensemble social organisé et lié à ses différents niveaux par un principe

---

4. Charles Pouthas, *Guizot pendant la Restauration*, Paris, 1923, chap. x : L'enseignement de Guizot, cf. notamment p. 329 et suiv.

5. Six vol., Paris, 1838.

unificateur. La féodalité, succédant, vers le Xe siècle (H. Capet), au chaos, à la non-société, est la première forme de société organisée de l'histoire de France : société très dure au peuple, mais dont la dialectique interne autorise « un meilleur avenir »[6]. Car elle repose à la fois sur l'oppression du peuple, « la nation possédée », et sur des relations égalitaires à l'intérieur de la classe dominante, « la nation souveraine », les tenanciers des fiefs : « Ici je rencontre un autre spectacle, des libertés, des droits, des garanties qui non seulement honorent et protègent ceux qui en jouissent, mais qui, par leur nature et leur tendance, ouvrent, à la population sujette, une porte vers un meilleur avenir. » En effet, la hiérarchie complexe du fief tisse entre les seigneurs des relations de réciprocité et de relative égalité, du moindre d'entre eux jusqu'au roi de France ; et d'autre part, le fief consolide l'individualisme de son possesseur, son indépendance par rapport aux pouvoirs publics. « Un tel état ressemble moins à la société qu'à la guerre ; mais l'énergie et la dignité de l'individu s'y maintiennent ; la société peut en sortir. »

Quelle « société » et comment ? Une société (qui est *la* société de Guizot, sorte d'aboutissement de l'histoire) fondée sur une redéfinition des « existences individuelles » et des « institutions publiques », de la liberté et de l'ordre aux dépens desquels s'était formée la féodalité. Aussitôt établie, celle-ci est attaquée à ses deux extrémités ; d'en bas, au nom de la liberté, et d'en haut, au nom de l'ordre public. « Ces efforts ne sont plus tentés au milieu du choc de systèmes divers, confus, et qui se réduisent l'un l'autre à l'impuissance et à l'anarchie (comme dans les cinq premiers siècles de l'histoire de France, selon Guizot) ; ils naissent au sein d'un système

6. Les citations qui suivent sont extraites du cinquième « essai » sur l'histoire de France.

unique et ne se dirigent que contre lui. » Et Guizot conclut son analyse par ces lignes admirables : « Ce système monarchique, que le génie de Charlemagne n'avait pu fonder, des rois bien inférieurs à Charlemagne le feront prévaloir peu à peu. Ces droits, ces garanties que les guerriers germains n'avaient pu conserver, les communes les ressaisiront successivement. La féodalité seule a pu naître du sein de la barbarie ; mais à peine la féodalité est grande qu'on voit naître et grandir dans son sein la monarchie et la liberté. »

Examinant en détail les deux processus, Guizot montre que la double chance de la monarchie et de la liberté a été la faiblesse politique de l'aristocratie féodale : celle-ci, isolée dans ses fiefs respectifs, désunie faute d'une organisation collective comparable au patriciat romain, au Sénat de Venise ou aux barons anglais (organisation que l'inégalité de la hiérarchie féodale rendait impossible), a été grignotée localement par les luttes de la population et coiffée par le suzerain le plus puissant, le roi. « Il fut clair que, bonne seulement pour faire faire à la société le premier pas hors de la barbarie, elle était incompatible avec le progrès de la civilisation, *qu'elle ne portait dans son sein le germe d'aucune institution publique et durable*[7], que le principe des gouvernements aristocratiques lui manquait aussi bien que tout autre, et qu'elle laisserait, en périssant, une noblesse autour du trône, des aristocrates au-dessus du peuple, *mais point d'aristocratie dans l'Etat*[8]. »

L'évolution inverse, aux yeux de Guizot, est celle de l'Angleterre du Moyen Age : là, dès Guillaume, royauté et féodalité naquirent ensemble ; « il y avait, en Angleterre, deux forces sociales, deux pouvoirs publics qui, à

7. Mis en italique par moi.
8. *Id.*

la même époque, n'existaient ni l'un ni l'autre en France, une aristocratie et un roi : forces trop barbares, trop livrées à l'empire des passions et des intérêts personnels pour que leur coexistence ne produisît pas les alternatives de despotisme et de gouvernement libre, mais nécessaires l'une à l'autre et souvent contraintes d'agir en commun ». De la lutte entre les barons anglais *constitués en aristocratie* et du roi *constitué en monarchie* sortent les chartes (« un commencement de droit public »), puis les institutions, c'est-à-dire un « gouvernement libre et national ».

Le développement de l'histoire de France, selon Guizot, est donc caractérisé par le fait que la féodalité n'a pas créé d'aristocratie, le mouvement des communes pas de démocratie : d'où l'absence d'institutions libres, et finalement la monarchie absolue, résultat d'une double impuissance. C'est la Révolution qui, couronnant la lutte de classes multiséculaire entre la féodalité et les communes, crée enfin la démocratie, c'est-à-dire à la fois et indissolublement une société et des institutions libres et égalitaires ; c'est la Révolution qui réconcilie ainsi la société autour d'un seul principe unificateur.

Ainsi, les grandes lignes de l'interprétation générale de l'histoire de France présentent, chez Guizot et chez Tocqueville, de nombreux points communs. Il y a d'abord ce souci de situer ce qu'on appelle les « événements » à l'intérieur d'un système à la fois temporel et conceptuel. La Révolution n'est à leurs yeux que le couronnement d'un très long processus historique, qui a ses racines dans la formation même de la société nationale. Dans ce sens, leur histoire de France, bien qu'elle soit implicitement pleine de l'avenir qu'elle a pour charge d'expliquer, et comme obsédée par la Révolution française, se trouve pourtant condamnée à être moins une histoire de cette révolution qu'une description de ses origines.

Car la dialectique fondamentale qui noue le conflit et rend compte du mouvement historique est la même chez les deux auteurs ; c'est celle des rapports entre la société civile et les institutions, entre l'état social et le gouvernement. A l'intérieur de cette problématique, l'appareil conceptuel de l'analyse historique est également très proche : très tôt, la société civile française est composée pour l'essentiel de deux groupes rivaux, la noblesse et le Tiers Etat, dont les origines remontent à la conquête, et qui sont porteurs potentiels de deux systèmes de valeurs socio-politiques, l'aristocratie et la démocratie. Leurs rapports avec l'autorité centrale, le roi, constituent la trame de l'histoire de France — en même temps qu'ils rendent compte de la *particularité* de cette histoire, par rapport au modèle anglais.

Mais pour Guizot, contrairement à ce que pense Tocqueville, il n'y a jamais eu de vraie société politique aristocratique dans l'histoire de France. Le Moyen Age, la féodalité restent pour lui, comme pour Mably, une anarchie insupportable au peuple et incapable de construire de véritables institutions publiques. Comme à la même époque le peuple est trop faible pour les susciter, à la différence de ce qui se passe en Angleterre, la croissance du pouvoir royal est une indispensable période transitoire vers la démocratie et la liberté.

Tocqueville considère, au contraire, la société aristocratique comme celle d'un gouvernement local paternel, garantissant la liberté individuelle par rapport au pouvoir central. C'est la disparition progressive de cette société aristocratique sous les coups de l'administration royale et de l'évolution générale qui ouvre la voie non à la liberté, mais à l'égalité.

Au fond, pour Guizot, comme pour Tocqueville, la

dialectique fondamentale de l'histoire de France est socio-politique, et repose sur la croissance du pouvoir royal, appuyé d'en bas par la masse du « peuple » démocratique ; mais Guizot appelle liberté ce que Tocqueville nomme démocratie ou égalité : Guizot pense que l'aristocratie est un obstacle à la liberté, alors que Tocqueville y voit la fondatrice et le rempart durable de la liberté. La contradiction fondamentale dans l'interprétation concerne le double rôle du roi et de l'aristocratie dans l'histoire de France, et les valeurs politico-morales dont ils sont respectivement investis.

Il est tentant d'opposer alors les choix politiques profonds des deux hommes — et l'orgueil roturier de Guizot (« Je suis de ceux que l'élan de 1789 a élevés et qui ne consentiront point à descendre ») à la nostalgie de Tocqueville (« Parmi toutes les sociétés du monde, celles qui auront toujours le plus de peine à échapper pendant longtemps au gouvernement absolu seront précisément les sociétés où l'aristocratie n'est plus et ne peut plus être »). Car cette opposition même, d'ordre empirique et existentiel, ne fait que mieux ressortir la similitude des grands éléments conceptuels de l'analyse historique. Dans ce domaine, l'originalité de Tocqueville de 1836, par rapport à Guizot, tient sans doute plus au hasard de sa tradition familiale qu'à son imagination intellectuelle.

Vingt ans plus tard, au contraire, *L'Ancien Régime* constitue une synthèse infiniment plus complexe de cette tradition aristocratique. Tocqueville y a investi non seulement des années supplémentaires de réflexion et de recherche, mais son expérience d'homme politique.

II

L'Ancien Régime et la Révolution est écrit dans un style extrêmement brillant et dense : les notes laissées par Tocqueville et aujourd'hui publiées *in extenso* dans le deuxième tome de l'édition Gallimard témoignent d'un extrême souci de la forme, en même temps que du travail consacré au polissage et au repolissage des formules. Mais cette prose apparemment limpide est en fait infiniment moins claire que le texte de 1836 : car ni la conceptualisation historique ni les différentes articulations de la démonstration ne sont faciles à reconstituer.

Il le faut pourtant ; car Tocqueville continue à se placer délibérément en dehors du style classique des « histoires de la Révolution » de son temps et ignore le récit. Au reste, il ne cite ni Thiers, ni Lamartine, ni Michelet, qu'il a probablement lus[9] ou au moins feuilletés ; s'il rompt avec cette très ancienne tradition des historiens — qui n'est pas morte aujourd'hui — de critiquer ou (et) de recopier ses prédécesseurs, c'est moins par dédain que par souci de situer son travail à un autre niveau que celui de l'histoire-récit. Son histoire, qui est en cela extraordinairement moderne, est un examen de certains problèmes sélectionnés, à partir desquels sont construites une explication et une interprétation générales de la Révolution : d'où le recours aux seules sources de première main, manuscrites ou imprimées, d'où l'économie générale du livre, qui exclut le plan chronologique au bénéfice de la cohérence logique.

Trois grandes parties. La première définit la significa-

9. Il a sûrement lu Thiers, dont il commente l'« histoire » dans sa *Correspondance*.

tion historique de la Révolution, son contenu essentiel, qui n'est pas religieux (puisque la religion, à moyen terme, a plutôt été « ravivée » par la Révolution), ni exclusivement politique ni exclusivement social, mais indissolublement socio-politique : c'est la substitution d'institutions égalitaires aux anciennes institutions « féodales » — et par « institutions », Tocqueville désigne à la fois l'ordre social et l'ordre politique, l'égalité des conditions et l'Etat administratif moderne. D'où le caractère universel de la Révolution, que traduit la forme quasi religieuse qu'elle a revêtue en France à travers l'idéologie démocratique. Tocqueville laisse ainsi entendre d'emblée que les *modalités* des événements français sont secondaires par rapport à leur contenu et à leurs déterminations essentielles, qui vont être les seuls objets de son analyse : comment a évolué en France la dialectique Etat-société civile, et comment elle a été vécue, pensée et ré-imaginée dans les derniers siècles et les dernières décennies de l'Ancien Régime, là gît le secret de la Révolution française et de sa priorité à la fois chronologique et intellectuelle sur l'ensemble du processus européen. Tocqueville passe ainsi d'une sociologie comparative à un problème d'histoire de France posé en termes sociologiques.

La composition de l'ouvrage distingue ensuite deux types d'explications : les causes anciennes et générales (livre II), les causes particulières et récentes (livre III). Il y a donc superposition d'une hiérarchie causale à une différence de temporalité : les causes générales sont celles du long terme, enfouies dans l'épaisseur de plusieurs siècles d'histoire, développant leurs effets depuis un très lointain passé, préparant à l'insu des hommes, hors de portée de leur mémoire, les conditions sociales et politiques nouvelles. Les causes particulières tiennent au seul XVIIIe siècle, et même aux dernières décennies du siècle ; elles rendent compte non de la nécessité de la transformation, qui est inscrite dans le processus long, mais de sa date et de son caractère.

Commençons par les causes à long terme, analysées dans les douze chapitres du livre II : leur recensement est dans l'ensemble fidèle aux prémisses théoriques du livre I, puisque Tocqueville passe en revue les caractères de la centralisation administrative dans l'histoire de France (ch. II-VII), puis ceux de la société civile (ch. VIII-XII). Pourtant le premier chapitre, consacré aux droits féodaux et à la paysannerie, étonne par sa singularité : pourquoi l'avoir situé en ouverture à la description des déséquilibres de l'Ancien Régime, et avoir repris l'étude du monde rural dans le dernier chapitre du livre (ch. XII), comme si le problème méritait d'encadrer toute l'analyse générale ? A cette question je n'ai pas de réponse claire. Il est vrai que les deux chapitres ainsi disjoints traitent du monde paysan sous deux angles différents, le premier consacré au rapport paysan-seigneur, le dernier au rapport paysan-Etat. Mais leur réunion à la fin du livre II, après l'étude de la centralisation et de ses effets à tous les niveaux de la société civile, n'en eût paru que plus naturelle.

A moins que Tocqueville n'ait voulu commencer l'analyse générale de l'Ancien Régime par l'examen de ce qu'il comportait de plus spectaculairement scandaleux aux yeux des révolutionnaires, pour avancer tout de suite, sur cet exemple privilégié, une de ses idées fondamentales, celle de la continuité entre l'Ancien Régime et la Révolution : car les droits féodaux n'étaient pas devenus odieux aux Français en fonction de leur particulière dureté (ils étaient plus lourds dans le reste de l'Europe), mais parce que le paysan français était déjà, par bien des côtés, un paysan du XIXe siècle, c'est-à-dire un propriétaire indépendant de son seigneur. Privés de leurs corrélats naturels, les droits féodaux étaient simplement passés de l'état d'institutions à celui de survivances. C'est expliquer du même coup un apparent paradoxe :

1° que la Révolution était plus qu'aux trois quarts accomplie dès avant la Révolution ;

2° que pourtant ce qui restait de féodalité à la campagne n'en était que plus odieux ; d'où la majoration psychologique de la libération paysanne par la Révolution.

A travers l'examen objectif du contenu réel de la rupture révolutionnaire, Tocqueville suggère ainsi l'importance de la distorsion idéologique. Idée exceptionnellement féconde, si l'on songe que tant d'historiens d'hier et d'aujourd'hui ont tendance à prendre le discours révolutionnaire pour argent comptant, alors qu'il n'y a probablement pas de conscience plus « idéologique » (au sens marxiste du terme) que la conscience révolutionnaire.

Ayant caractérisé ainsi, à travers le thème « droits féodaux », la dialectique continuité-rupture (on pourrait presque dire : continuité dans les faits, rupture dans les esprits) qui marque la Révolution, Tocqueville passe à l'étude du grand fait central qui noue la continuité historique entre l'Ancien Régime et la Révolution : le développement de la puissance publique et de la centralisation administrative. Notons au passage, pour y revenir un peu plus tard, que Tocqueville renverse ici l'ordre (logique ou chronologique) du texte de 1836 : il commence par où il finissait vingt ans auparavant. Son originalité supplémentaire, tant par rapport à son propre article de 1836 que par rapport à ses contemporains, est de renouveler le thème classique de la croissance du pouvoir royal en mettant l'accent non plus sur les victoires proprement politiques de la monarchie, mais sur son emprise administrative. A ses yeux, ce sont les conquêtes administratives du roi de France qui sont le trait dominant de l'histoire nationale depuis la fin du Moyen Age, et c'est à travers l'administration quotidienne des affaires que le pouvoir exerce son influence sur la société civile. Le tableau qu'il présente est trop connu pour être ici résumé ; mais il pose un certain nombre de problèmes qui méritent d'être recensés.

Le premier est celui de son exactitude historique. Tocqueville est un remarquable connaisseur des sources administratives du XVIIIᵉ siècle ; il a eu l'intelligence de se situer aux deux bouts de la circulation hiérarchique : d'une part, il a dépouillé la série F (administration centrale) des Archives nationales, et bien des manuscrits complémentaires conservés à la Bibliothèque nationale. De l'autre, au niveau local, il a systématiquement exploré les papiers de l'intendance de Tours et réfléchi sur les commentaires laissés par Turgot à propos de son expérience limousine. Il a voulu savoir comment fonctionne réellement le pouvoir, du haut en bas, de la bureaucratie centrale à la moindre des communautés de village, à travers la médiation capitale des intendants. Ce faisant, il s'est trouvé en face du dilemme bien connu de tous les historiens de l'Ancien Régime : en haut, extraordinaire minutie dans la réglementation de toutes choses ; en bas, inobéissance chronique, que traduit d'ailleurs la répétition des mêmes édits ou des mêmes arrêts à quelques années d'intervalle. Le tableau de Tocqueville prend en compte cette double réalité : il débute par l'analyse des empiétements tentaculaires de l'administration royale à la campagne et à la ville (chap. II-V), pour montrer ensuite, à partir du chapitre VI, les limites de cet encadrement : « L'Ancien Régime est là tout entier : une règle rigide, une pratique molle : tel est son caractère » (VI, p. 134). Et il ajoute cette notation lucide, inconsciemment autocritique, puisqu'il a un peu fait dans les précédents chapitres ce que précisément il dénonce maintenant : « Qui voudrait juger le gouvernement de ce temps-là par le recueil de ses lois tomberait dans les erreurs les plus ridicules. » A quoi fait écho cette phrase plus claire encore, en appendice : « L'administration de l'Ancien Régime était si diverse, si hétérogène, qu'elle ne pouvait survivre qu'à condition *d'agir très peu* » (mis en italique par moi)[10]. Ainsi, c'est moins le pouvoir réel de l'administration sous l'Ancien Régime qui frappe Tocqueville que son effet de décomposition du corps politique, son anéantissement de tout pouvoir ou de tout recours intermédiaire, seigneur, prêtre, syndic de communauté, échevin. L'Etat-providence n'existe pas encore dans les faits, mais déjà dans les esprits. L'Ancien Régime a inventé la *forme* d'autorité : pouvoir central arbitraire/individu isolé, dans laquelle se couleront les institutions révolutionnaires. Il cumule les inconvénients politiques de l'étatisation, sans présenter encore aucun de ses avantages pratiques.

Cette dialectique de l'administratif et du gouvernemental ne va cependant pas sans difficultés. Les unes tiennent à l'interprétation même des faits : en dépit de l'attention portée à une certaine impuissance du pouvoir sous l'Ancien Régime — impuissance qui résulte de l'extraordinaire diversité des coutumes, des procédures, du statut des personnes et des communautés — Tocqueville est amené à surestimer, dans l'ensemble, la

10. Mais dans d'autres passages (par exemple, II, 6, p. 133), Tocqueville fait état de la « prodigieuse activité » du gouvernement d'Ancien Régime... ; la solution de cette apparente contradiction doit être cherchée dans la distinction, classique chez Tocqueville, entre gouvernement et administration — même si cette distinction, si claire dans certains passages de *La Démocratie en Amérique* que nous analysons : à quel niveau se situe par exemple l'intendant ? C'est ce contraste entre la multiplication de l'activité gouvernementale et son impuissance sur le terrain qui explique le discrédit progressif de la loi.

centralisation administrative. Le fond de sa pensée est résumé dans une note de travail cherchant à caractériser en une phrase ce système d'autorité. « Un pouvoir royal très centralisé et très prépondérant qui, dans toutes les choses principales, est le maître, qui possède des attributions mal définies, mais immenses, qu'en fait *il exerce* » (mis en italique par moi) (t. II, p. 375). Cette conviction centrale, finalement contradictoire avec d'autres affirmations sur les limites à l'intérieur desquelles s'exerce ce pouvoir royal, conduit Tocqueville à d'étranges silences ou à des simplifications abusives, à propos des agents historiques réels de cette centralisation : à ce stade de son analyse, par exemple, il ne dit rien de la vénalité des offices, phénomène historique central de la constitution d'une bureaucratie monarchique, mais phénomène ambigu par rapport à sa thèse, puisque la vénalité des charges est en même temps un moyen du pouvoir central et un obstacle à celui-ci. Cherchant à définir pourtant la bureaucratie de l'Ancien Régime, il écrit au chapitre VI : « Les fonctionnaires administratifs, presque tous bourgeois, forment déjà une classe qui a son esprit particulier, ses traditions, ses vertus, son honneur, son orgueil propre. C'est l'aristocratie de la société nouvelle, qui est déjà formée et vivante : elle attend seulement que la Révolution ait vidé sa place. » Ce type d'analyse a pour Tocqueville l'avantage de créer, au-dessus, et pour ainsi dire hors de la société, un groupe social homogène, défini par sa fonction, partageant les mêmes valeurs, et porteur du processus centralisateur. Mais l'ennui est que tout y est inexact : les fonctionnaires administratifs du XVIIIe siècle — qu'on songe par exemple aux intendants — ne sont pas, très loin de là, « presque tous bourgeois » ; ils sont profondément divisés entre eux, non seulement par le jeu des ambitions et des clientèles, mais par les options politico-idéologiques

— qu'on songe par exemple à la ligne de clivage physio-crates/antiphysiocrates ; les plus « fonctionnaires » d'entre eux, c'est-à-dire ceux qui sont directement liés au pouvoir central — la bureaucratie de Versailles, les intendants et les subdélégués — ceux-là ne survivront pas à la Révolution, même dans sa première phase, alors que les propriétaires d'offices en formeront au contraire un des groupes dirigeants. C'est ainsi que le tableau probablement excessif de la centralisation gouverne-mentale et administrative a conduit Tocqueville à re-constituer déductivement les acteurs imaginaires du processus décrit.

L'incertitude est plus grande encore quand il en arrive à la chronologie et aux causes de ce processus : il y vient d'ailleurs par allusions, par touches successives, sans jamais proposer une théorie générale du changement politique. C'est probablement qu'il n'est pas là sur son terrain : historien de formation relativement récente, ignorant les sources des siècles antérieurs au XVIIIe siè-cle, il est visiblement tributaire de ses prédécesseurs, dont il réorganise les matériaux en fonction de son in-tuition et de ses présupposés. La fresque historique bros-sée dans le chapitre IV du livre I est fidèle à la périodisa-tion classique : les institutions politiques du Moyen Age s'effondrent aux XIVe et XVe siècles devant la montée de la monarchie administrative, qui empiète sur le pouvoir des nobles. Fidèle à cette chronologie traditionnelle de l'histoire de France, Tocqueville l'est aussi, dans ce domaine qu'il n'a pas spécialement étudié, à son inter-prétation de 1836 : il valorise rétrospectivement l'ancien pouvoir des nobles, vu comme une sorte d'autogestion locale fondée sur une prestation réciproque de services, ou comme une idylle confiante entre le seigneur et la communauté paysanne. Mais rien de tout cela n'est véritablement analysé en termes historiques : entre le

XVᵉ et le XVIIIᵉ siècle, Tocqueville semble implicitement considérer que le procès de centralisation se développe régulièrement, sans jamais entrer ni dans ses causes, ni dans ses étapes : Louis XIV n'est même pas cité. Les guerres de la monarchie, formidable facteur de la croissance étatique, ne sont pas évoquées. A propos du XVIIIᵉ siècle, il écrit (II, chap. V) ces phrases sibyllines : « La société, qui est en grand progrès, fait naître à chaque instant des besoins nouveaux, et chacun d'eux est pour lui [le gouvernement] une source nouvelle de pouvoir ; car lui seul est en état de les satisfaire. Tandis que la sphère administrative des tribunaux reste fixe, la sienne est mobile et s'étend sans cesse avec la civilisation même. » Les progrès de la centralisation sont donc simplement, et très vaguement, mis en rapport avec ceux de la « civilisation » : la manière qu'a Tocqueville de partager la croyance de ses contemporains au progrès, consiste à nommer d'un des mots les plus obscurs du vocabulaire historique son sentiment profond et permanent de l'inévitable. Nous n'en saurons jamais plus.

Alors que les sept premiers chapitres du livre II (à l'exclusion du premier) décrivent le fonctionnement (ou plutôt ce qu'on appellerait aujourd'hui les dysfonctionnements) de la monarchie administrative au XVIIIᵉ siècle, Tocqueville entame à partir du chapitre VIII l'analyse de la société civile. On a déjà noté que ce plan traduit un renversement de sa problématique habituelle, non seulement par rapport au texte de 1836, mais par rapport aussi à *La Démocratie en Amérique*. Le tableau de « l'état social des Anglo-Américains » (Iʳᵉ partie, chap. III) précède l'analyse des institutions politiques, et Tocqueville indique expressément, à la fin du chapitre : « Les conséquences politiques d'un pareil état social sont faciles à déduire. Il est impossible de comprendre que l'égalité ne finisse pas par pénétrer dans le monde politique comme ailleurs. » En même temps qu'il souligne la primauté du social (entendu au sens large, et incluant les habitudes mentales, les « mœurs », « l'esprit public ») par rapport au politique, Tocqueville exprime implicitement une théorie typologique globale des sociétés, à la Montesquieu ou à la Max Weber, qu'on trouve d'ailleurs clairement dans son article de 1836 : les sociétés « aristocratiques » tendent au gouvernement local, les sociétés « démocratiques » au gouvernement centralisé. A cette époque, d'ailleurs, il ne semble hostile ni à l'égalité civile (qui est le contenu essentiel de sa définition de la « démocratie ») ni à la centralisation gouvernementale (pour peu qu'elle s'accompagne d'une décentralisation administrative) : c'est le sens profond de son étude américaine.

Or, vingt ans après, le plan de *L'Ancien Régime* correspond très probablement à un infléchissement de son jugement et de sa pensée : on a d'ailleurs remarqué[11] à quel point l'usage du mot « démocratie » est peu fréquent dans *L'Ancien Régime*, par rapport au texte de 1836, comme si Tocqueville avait progressivement abandonné, sans toutefois s'en déprendre tout à fait, le concept clé de ses précédentes analyses. Que s'est-il passé ? Tocqueville vient de vivre, en homme politique et non seulement en intellectuel, l'expérience des années 1848-1851. 1848 : l'explosion populaire et socialiste, nouvel avatar français du « trend » démocratique, montre à l'évidence les limites d'une démocratisation sociale que Tocqueville avait décrite comme un phénomène acquis ; et par ailleurs elle le remplit d'horreur. L'optimisme raisonné qui nourrissait l'analyse de la société américaine a fait place à la crainte. Le réformateur

11. S. Drescher, *Dilemmas of Democracy : Tocqueville and Modernization*, Pittsburgh, 1968, p. 242.

d'avant la Révolution est devenu le conservateur d'un ordre si coûteusement rétabli. D'où un double problème, l'un, théorique, de définition, l'autre, existentiel, de jugement de valeur. 1851 : le gouvernement des notables, que Tocqueville a soutenu et auquel il a même participé comme au meilleur des régimes français depuis 1789 (il la définit ainsi dans les *Souvenirs*), s'effondre sans gloire le 2 décembre 1851 au profit du pire des despotismes centralisateurs qui ait paru depuis 1789. Il est désormais difficile d'expliquer par le même état de la société, au moyen d'un concept dont l'histoire montre au même moment que l'extension est indéfinie, des institutions politiques aussi différentes que la monarchie de Juillet, la Deuxième République ou le despotisme du second Napoléon [12]. Le renversement de l'optique tocquevillienne, l'accent mis sur l'autonomie et la primauté du politique — de la structure politico-administrative — sont probablement inscrits dans l'expérience de ces années-là.

De ce renversement, on peut trouver bien des traces dans les notes de *L'Ancien Régime*, où apparaît, plus librement que dans le texte final, le travail d'élaboration conceptuelle. Ce texte, par exemple, à propos du sens du mot « démocratie » (t. II, p. 198) :

« Ce qui jette le plus de confusion dans l'esprit, c'est l'emploi qu'on fait des mots : *démocratie, institutions démocratiques, gouvernement démocratique*. Tant qu'on n'arrivera pas à les définir clairement et à s'entendre sur la définition, on vivra dans une confusion d'idées inextri-

12. Marx s'est trouvé en face du même problème, dans son *18 Brumaire*, même si c'est à partir d'un système d'explication différent : à le lire, on ne comprend jamais pourquoi les intérêts divergents (propriétaires fonciers/capitalistes) des classes dirigeantes rendent successivement possible et impossible un gouvernement commun et amènent une telle cascade d'aveuglements.

cable, au grand avantage des démagogues et des despotes :

« On dira qu'un pays gouverné par un prince absolu est une *démocratie*, parce qu'il gouvernera par des lois ou au milieu d'institutions qui sont favorables à la condition du peuple. Son gouvernement sera un *gouvernement démocratique*. Il formera une *monarchie démocratique*.

« Or, les mots *démocratie, monarchie, gouvernement démocratique* ne peuvent vouloir dire qu'une chose, suivant le sens vrai des mots : un gouvernement où le peuple prend une part plus ou moins grande au gouvernement. Son sens est intimement lié à l'idée de la liberté politique. Donner l'épithète de gouvernement démocratique à un gouvernement où la liberté politique ne se trouve pas, c'est dire une absurdité palpable, suivant le sens naturel des mots. »

Cette note laisse perplexe, dans la mesure où Tocqueville y dénonce très exactement le sens qu'il a constamment donné, jusque-là, au mot de démocratie : or, la correction consiste à faire passer le concept du niveau social (égalité) au niveau politique (participation au pouvoir, et liberté) comme si le second devenait fondamental par rapport au premier.

Autre texte révélateur du même glissement : c'est un appendice au chapitre II, 5, sur la centralisation. Tocqueville y fait une remarquable comparaison entre la colonisation française au Canada et la colonisation anglaise en Amérique, en notant que le phénomène colonial grossit jusqu'à la caricature l'esprit des deux administrations. Au Canada, pas de noblesse, pas de « traditions féodales », pas de pouvoir prédominant de l'Eglise, pas de vieilles institutions judiciaires enracinées dans les mœurs — bref, rien de la société civile de l'ancienne Europe, rien qui s'oppose au gouvernement absolu :

« On se croirait déjà en pleine centralisation moderne, et en Algérie. » Au contraire, dans l'Amérique anglaise voisine, où les conditions sociales sont comparables, « l'élément républicain, qui forme comme le fond de la constitution et des mœurs anglaises, se montre sans obstacle et se développe. L'administration proprement dite fait peu de choses en Angleterre, et les particuliers font beaucoup ; en Amérique, l'administration ne se mêle plus de rien, pour ainsi dire, et les individus en s'unissant font tout. L'absence des classes supérieures, qui rend l'habitant du Canada encore plus soumis au gouvernement que ne l'était, à la même époque, celui de France, rend celui des provinces anglaises de plus en plus indépendant du pouvoir.

Dans les deux colonies on aboutit à l'établissement d'une société entièrement démocratique ; mais ici, aussi longtemps, du moins, que le Canada reste à la France, l'égalité se mêle au gouvernement absolu ; là elle se combine avec la liberté ».

Deux idées me paraissent frappantes dans cette note contemporaine de *L'Ancien Régime* :

1. La liberté politique n'est pas liée forcément à la présence de classes supérieures, d'une « aristocratie », au sens que Tocqueville donne à ce mot. En Amérique anglaise, en effet, « l'absence des classes supérieures » rend les individus « de plus en plus indépendants du pouvoir » : rupture très claire avec le schéma conceptuel de 1836 : aristocratie/gouvernement local/liberté politique.

2. Ce qui est décisif dans l'évolution des deux sociétés, ce n'est pas en effet leur état social — qui est identiquement « démocratique » — mais leur tradition et leur pratique politico-administrative.

C'est bien en effet ce qui se dégage de l'analyse des articulations essentielles de *L'Ancien Régime* : non que

Tocqueville-s'y abandonne à un monisme causal tout à fait étranger à la nature même de sa pensée. Il reste au contraire attentif à l'enchevêtrement des raisons et des conséquences que lui révèle l'observation empirique des sources. Mais il reste que la société civile apparaît dans son dernier livre moins comme une cause que comme une conséquence de la société politique et morale : et c'est peut-être l'originalité intellectuelle fondamentale de *L'Ancien Régime*, tant par rapport aux précédents ouvrages de Tocqueville qu'eu égard à la sociologie politique du XIXe siècle en général.

Le phénomène central, l'aspect essentiel du changement historique est donc la croissance du pouvoir monarchique et de la centralisation gouvernementale, liés eux-mêmes au développement de la taille. Ce processus disloque et unifie à la fois la société civile (« la division des classes fut le crime de l'ancienne royauté », II, 10, p. 166), tronçonnée en groupes de plus en plus rivaux d'individus de plus en plus semblables. L'impuissance des classes supérieures, soit à maintenir leur ancien pouvoir politique, soit à s'unir pour en dégager un nouveau, laisse la voie libre au despotisme administratif qui aggrave à son tour les conséquences de la centralisation gouvernementale.

Quand il analyse, dans cette deuxième partie du livre, la société civile, Tocqueville, en bon héritier de l'historiographie de la Restauration, parle de « classes » : « On peut m'opposer, sans doute, des individus, je parle des classes, elles seules doivent occuper l'histoire. » (II, 12, p. 179.) Mais il manie ce concept fondamental avec une perpétuelle ambiguïté : les classes tantôt définies comme les ordres de l'Ancien Régime, et tantôt selon une combinaison entre le droit d'ancien régime et un critère, d'ailleurs très vague, de richesse et de dignité sociale, qui englobe la bourgeoisie aisée dans les classes supérieures. Ce qui sous-tend en réalité cette ambiguïté, ce passage constant d'un sens à l'autre, c'est la question centrale que se pose Tocqueville à propos de cette société française du XVIIIe siècle : comment n'a-t-elle pas su passer, sans révolution, de la hiérarchie rigide des ordres à la dichotomie moderne notables/peuple, classes supérieures/classes inférieures ? Mais si tel est bien, comme je le crois, le fond de son interrogation, on mesure ici aussi le chemin parcouru depuis *La Démocratie en Amérique*. Tocqueville est passé d'une problématique de l'égalité sociale et de la démocratie politique à une problématique des classes supérieures et des élites. Il est vrai que, comme il le laissait d'ailleurs prévoir dans *La Démocratie* (à la fin du chapitre IX, du tome I), il étudie cette fois non plus une société formée *ex nihilo* par des émigrés républicains et égalitaires, mais au contraire un monde enraciné dans la tradition aristocratique, et qu'il ne peut transposer les mêmes analyses d'une société à l'autre. Mais il reste la différence de tonalité des deux livres, et cette atmosphère de tristesse qui enveloppe la prose de *L'Ancien Régime* : ce qui était souhait d'avenir, dans les années 30, est devenu nostalgie du passé[13].

13. Veut-on un témoignage supplémentaire de ce changement de ton, de ce retournement de l'optimisme en nostalgie, entre *La Démocratie* et *l'Ancien Régime* ? Il suffit de lire ces deux textes où Tocqueville cherche à définir le type d'homme que favorisent les sociétés démocratiques, et exprime implicitement son jugement à cet égard.

Démocratie, t. I, chap. VI (extrême fin) :

« Que demandez-vous de la société et de son gouvernement ? Il faut s'entendre. Voulez-vous donner à l'esprit humain une certaine hauteur, une façon généreuse d'envisager les choses de ce monde ? Voulez-vous inspirer aux hommes une sorte de mépris des biens matériels ? Désirez-vous faire naître ou entretenir les convictions profondes et préparer de grands dévouements ?

« S'agit-il pour vous de polir les mœurs, d'élever les manières, de faire briller les arts ? Voulez-vous de la poésie, du bruit, de la gloire ?

Tocqueville ne cesse de se retourner vers la noblesse et d'évoquer l'image mythique de ses beaux jours d'autre-fois, celle des communautés rurales rassemblées sous son aile, celle d'une société civile relativement proche et fraternelle, libre en tout cas, que la monarchie a dé-truite.

« Prétendez-vous organiser un peuple de manière à agir fortement sur tous les autres ? Le destinez-vous à tenter les grandes entreprises, et quel que soit le résultat de ses efforts, à laisser une trace immense dans l'histoire ?

« Si tel est, suivant vous, l'objet principal que doivent se proposer les hommes en société, ne prenez pas le gouvernement de la démocra-tie ; il ne vous conduirait pas sûrement au but.

« Mais s'il vous semble utile de détourner l'activité intellectuelle et morale de l'homme sur les nécessités de la vie matérielle, et de l'employer à produire le bien-être ; si la raison vous paraît plus profitable aux hommes que le génie, si votre objet n'est pas de créer des vertus héroïques, mais des habitudes paisibles ; si vous aimez mieux voir des vices que des crimes, et préférez trouver moins de grandes actions, à la condition de rencontrer moins de forfaits ; si, au lieu d'agir dans le sein d'une société brillante, il vous suffit de vivre au milieu d'une société prospère ; si, enfin, l'objet principal d'un gouver-nement n'est point, suivant vous, de donner au corps entier de la nation le plus de force ou le plus de gloire possible, mais de procurer à chacun des individus qui le composent le plus de bien-être et de lui éviter le plus de misère, alors égalisez les conditions et constituez le gouvernement de la démocratie. »

Ancien Régime, II, XI, p. 175 :

« Les hommes du XVIIIe siècle ne connaissaient guère cette espèce de passion du bien-être qui est comme la mère de la servitude, passion molle, et pourtant tenace et inaltérable, qui se mêle volontiers et pour ainsi dire s'entrelace à plusieurs vertus privées, à l'amour de la famille, à la régularité des mœurs, au respect des croyances religieu-ses, et même à la pratique tiède et assidue du culte établi, qui permet l'honnêteté et défend l'héroïsme, et excelle à faire des hommes rangés et de lâches citoyens. Ils étaient meilleurs et pires.

« Les Français d'alors aimaient la vie et adoraient le plaisir ; ils étaient peut-être plus déréglés dans leurs habitudes et plus désordon-nés dans leurs passions et dans leurs idées qu'aujourd'hui ; mais ils ignoraient le sensualisme tempéré et décent que nous voyons... »

Mais cette évolution « existentielle » de Tocqueville, si évidente et d'ailleurs si compréhensible de la part d'un esprit particulièrement sensible à l'actualité — il y a peu d'exemples d'une pensée spéculative aussi instrumentale, aussi clairement liée à des impératifs pratiques — s'inscrit naturellement chez lui à l'intérieur d'une conceptualisation de l'histoire de la noblesse qui reste dans l'ensemble fidèle à ses thèses de 1836, même si la connotation affective a changé. L'avantage du texte de *L'Ancien Régime* est qu'il permet, par son moindre schématisme, une meilleure compréhension des problèmes posés et des contradictions non résolues.

En parodiant Bainville, on pourrait résumer la dialectique de Tocqueville par la formule suivante : la société française du XVIIIᵉ siècle était devenue trop démocratique pour ce qu'elle conservait de nobiliaire, et trop nobiliaire pour ce qu'elle avait de démocratique. Trop démocratique : ce sont les chapitres VII à X du livre II, décrivant les processus d'unification des esprits et d'isolement des classes supérieures les unes par rapport aux autres, et le chapitre XII, où Tocqueville traite à part (comme au début du livre I) le problème paysan. Trop nobiliaire : c'est le curieux chapitre XI, où Tocqueville analyse, pour les célébrer et les opposer à la médiocrité « démocratique », l'esprit d'indépendance et le sens de la liberté que les traditions aristocratiques avaient imprimés à la société française d'Ancien Régime, tout en soulignant que cet esprit, lié à l'idée de privilège, n'était pas de nature à survivre à des institutions démocratiques, moins encore à les fonder.

Mais à quel niveau se situe cette évolution contradictoire, qui est grosse de l'explosion révolutionnaire ? C'est cela qui n'est jamais bien net, et qu'il faut élucider. Tocqueville traite à la fois l'économique, le social et ce qu'on peut appeler, faute de mieux, l'idéologique.

Sur l'économique, il reste toujours superficiel et vague, mais au moins ses silences sont-ils clairs ; c'est une dimension de la vie des hommes qui ne l'a jamais intéressé que par ses interférences sociales ou intellectuelles, et jamais pour elle-même ou comme mécanisme fondamental du changement. Aussi bien n'a-t-il pas dépouillé de sources proprement économiques sur l'Ancien Régime, lui qui connaît si bien les sources d'histoire sociale, administrative, politique et intellectuelle. Quand il note la croissance de l'activité industrielle de Paris (II, 7, p. 141), c'est pour indiquer que les « affaires industrielles » y sont attirées par la centralisation des « affaires administratives ». Quand il parle des modifications qui interviennent dans la distribution des richesses entre les classes (ce qui n'est que partiellement une question économique), il est étrangement simpliste : appauvrissement de la noblesse, enrichissement du « bourgeois » (II, 8, p. 145), sans que rien ne rapporte le processus supposé à une causalité économique. Notant l'urbanisation du royaume par l'afflux de la « classe moyenne » dans les villes, il retourne simplement à l'explication « administrative » : « Deux causes avaient surtout produit cet effet : les privilèges des gentilshommes et la taille » (II, 9, p. 153). Enfin, son explication de la misère du paysan reste très vague : « Les progrès de la société, qui enrichissent toutes les autres classes[14], le désespèrent ; la

14. Ce qui est contradictoire avec ce que Tocqueville dit plus haut de la paupérisation nobiliaire. On sait d'ailleurs que cette idée d'une paupérisation de « la » noblesse, conçue comme un bloc social, est inexacte pour le XVIIIᵉ siècle, dans la mesure où la conjoncture économique favorise au contraire une forte hausse de la rente foncière sous toutes ses formes (droits féodaux, fermages, faire-valoir direct). La deuxième formule de Tocqueville semble donc plus juste que la première ; mais aussi moins caractéristique de sa pensée, dans la

civilisation tourne contre lui seul » (II, 12, p. 185). Tout son tableau de la vie paysanne est d'ailleurs marqué d'une complète ignorance des conditions techniques de l'économie rurale.

L'évolution économique de la société française est ainsi ou simplement déduite d'une autre évolution (politico-administrative), ou réduite à des abstractions vagues (« progrès de la société », « civilisation »), c'est-à-dire ignorée pour elle-même. Il en va de même, d'ailleurs, des problèmes de doctrine économique : Tocqueville, par exemple, a lu les physiocrates ; mais il n'en évoque jamais ni l'analyse proprement économique (qui probablement ne l'intéressait pas) ni même la revendication anticolbertiste fondamentale du « laissez-faire, laissez-passer » ; tout ce qu'il en retient, pour le critiquer, est la thèse du « despotisme légal » (III, 3), qui n'est en réalité qu'un corollaire de la définition d'une rationalité économique (corollaire d'ailleurs récusé par les physiocrates « marginaux » formés plutôt à l'école de Gournay, comme Turgot). C'est, bien sûr, que cet aspect seul de la pensée physiocratique entre dans la logique du XVIIIᵉ siècle tocquevillien : mais on se condamne dès lors à ne plus rendre compte de l'extraordinaire vogue du libéralisme économique dans toutes les couches supérieures de la société. Tocqueville, effectivement, n'en souffle mot.

Dans la description proprement sociologique, il retrouve un terrain plus familier. Non que, comme on l'a vu, ses outils d'investigation soient originaux ou même précis. Mais là, il renoue plus facilement non seulement avec sa propre histoire, si obsédante, mais avec son discours fondamental, car il retrouve un domaine plus

mesure où il a besoin de *déduire* la décadence économique de la noblesse de sa décadence politique.

directement sensible aux effets de la politique et de l'administration. La société s'offre comme un immense champ de conséquences de la législation et du gouvernement : mais en retour, combien de pétitions de principe ! La noblesse s'appauvrit ? Voici l'explication : « Les lois qui protégeaient la propriété des nobles étaient pourtant toujours les mêmes ; rien dans leur condition économique ne paraissait changé. Néanmoins, ils s'appauvrissaient partout dans la proportion exacte où ils perdaient leur pouvoir. » Et un peu plus loin : « Les nobles français s'appauvrissaient graduellement à mesure que l'usage et l'esprit du gouvernement leur manquaient. » (II, 8, p. 144.) Le morcellement de la propriété noble n'est lui-même qu'un signe et une conséquence de ce fait fondamental.

Ce type d'analyse cumule les inconvénients de l'obscurité logique et de l'infidélité aux faits établis. La corrélation pouvoir/richesse, au niveau des groupes sociaux, est aussi incertaine chez Tocqueville que chez Marx (où la priorité est inverse), et Tocqueville ne l'avance d'ailleurs qu'au bénéfice d'une comparaison biologique qui laisse le lecteur sur sa faim : le pouvoir politique serait, si on le comprend bien, cette « force centrale et invisible qui est le principe même de la vie », le cœur de toute société humaine. D'autre part, on suit d'autant plus mal son analyse qu'il ne prend jamais en compte la redistribution sociale de la richesse par le pouvoir, étude qui l'eût probablement conduit, pour le XVIIIe siècle, à des conclusions inverses[15]. Enfin, on a déjà noté que la noblesse française du XVIIIe siècle est loin d'avoir été

15. Sur ce mécanisme essentiel de l'absolutisme tel qu'il fonctionne au XVIIIe siècle, il faut lire les pages intelligentes de H. Lüthy. *La banque protestante en France*, t. II, p. 696, qui présentent la gestion de Calonne comme une véritable — et ultime — fête nobiliaire.

exclue du pouvoir — au moins une certaine noblesse, mais Tocqueville n'entre jamais dans des distinctions à l'intérieur du groupe. De cette noblesse du XVIIIe siècle qui occupe, reconquiert, encombre toutes les avenues du pouvoir en France, on peut peut-être dire qu'elle a perdu « l'esprit du gouvernement », mais certainement pas son « usage ».

A moins que, dans l'esprit de Tocqueville, plus ou moins explicitement, et plutôt plus que moins, la noblesse récente, la noblesse anoblie et enrichie par le roi pour services rendus à l'Etat — du type Colbert ou Louvois — ne fasse pas partie de la description idéale de la noblesse et de ses vertus politiques traditionnelles. Cette exclusion implicite serait au moins cohérente avec l'idée que l'appareil de l'Etat est exclusivement tenu au XVIIIe siècle par des « bourgeois ». Mais la contradiction n'en est que reculée : car Tocqueville reproche à la noblesse française d'être devenue une « caste », définie par la naissance, et de cesser d'être une aristocratie, c'est-à-dire un corps limité mais relativement ouvert de citoyens qui exercent le pouvoir politique. Or, la noblesse française n'a jamais été cette « aristocratie » rêvée par Tocqueville, au sens où la Venise du XVIe siècle par exemple, gouvernée par son Sénat, est une aristocratie. Par contre, elle n'a cessé d'être ouverte à la promotion roturière, jusqu'à la fin de l'Ancien Régime[16], où les vieilles familles remontant jusqu'aux siècles du Moyen Age étaient devenues très minoritaires à l'intérieur de l'ordre. C'est par le double jeu de la vénalité des offi-

16. Tocqueville écrit d'ailleurs, dans le même chapitre IX où il définit la noblesse française comme une « caste » : « A aucune époque de notre histoire la noblesse n'avait été aussi facilement acquise qu'en 89... » pour ajouter que cette réalité ne changeait rien, au contraire, à la *conscience* de la séparation des ordres.

ces[17] et de l'anoblissement royal, c'est-à-dire *à travers l'absolutisme et consubstantiellement à lui*, que la noblesse cesse d'être un corps fermé de seigneurs héréditaires de la terre pour réunir à elle, au nom du service de l'Etat, les plus riches des fils de marchands et les plus méritants des serviteurs du roi. Là où Tocqueville écrit : « Plus cette noblesse cesse d'être une aristocratie, plus elle semble devenir une caste » (II, 9, p. 151), on pourrait inverser la formule et dire que plus cette noblesse cesse d'être une caste, plus elle devient une aristocratie.

Nous touchons là, probablement, au cœur du système d'interprétation de Tocqueville et de ses ambiguïtés. Car toute l'analyse sociologique de *L'Ancien Régime* tourne autour d'une dialectique aristocratie/noblesse, l'aristocratie étant le devoir-être de la noblesse, l'essence de cette existence. Or, Tocqueville, dont la culture historique, en dehors du XVIIIe siècle, reste très superficielle, n'a de l'histoire de la noblesse (et de l'aristocratie) française qu'une vue à la fois banale et légendaire. Sur les origines, il n'a jamais abandonné la thèse classique qui assimile nobles et conquérants francs[18] : les nobles sont alors une aristocratie née de la conquête. Ils perdent

17. Sur la vénalité des offices, *L'Ancien Régime* est étrangement contradictoire ; le chapitre x du livre II condamne l'institution comme source de servitude, alors que le suivant exalte l'indépendance de la magistrature française au XVIIIe siècle — dont la vénalité des offices était bien évidemment le support.

18. Cf. notamment le dernier chapitre du tome I de *La Démocratie en Amérique* (Etat actuel et avenir de trois races), ou le début du chapitre IX du livre II de *L'Ancien Régime*. Le passage de *La Démocratie* est curieux dans la mesure où Tocqueville y affirme que toutes les aristocraties qui ont paru dans le monde et les législations d'inégalité qu'elles imposent sont filles de la conquête militaire. On se demande dès lors comment Tocqueville classe les républiques italiennes de la Renaissance, par exemple, ou l'Angleterre du XVIIIe siècle.

242

bientôt ce caractère (« dès le Moyen Age », écrit Tocqueville au début du chapitre IX, ce qui semble d'ailleurs contradictoire avec la description des institutions du Moyen Age, qu'il a donnée dans le chapitre IV du livre I), par suite des usurpations du pouvoir royal, et deviennent une « caste » ; c'est-à-dire, à s'en tenir au sens très inhabituel que Tocqueville donne à ce mot, moins un groupe fermé à tout individu né hors de son sein qu'un groupe privé comme tel du pouvoir politique et d'autant plus crispé sur des privilèges compensateurs. On voit à quel point cette histoire est à la fois fondatrice et téléologique : la noblesse française se perd, non pas parce que son histoire réelle et le mécanisme historique de son renouvellement la lient à l'absolutisme, mais parce qu'elle est infidèle à ses origines et à son principe aristocratique. On mesure aussi à quel point la vision d'ensemble reste dominée par le politique. Au fond, pas plus qu'à l'économique en soi, Tocqueville ne s'intéresse à la société en soi ; malgré l'attention qu'il porte aux sources fiscales, aux recensements, aux terriers, et dont témoignent ses notes, malgré de merveilleuses notations de détail, il reste très indifférent à l'histoire de cette société ; le processus réel de la formation de la noblesse française du XVIIIe siècle, de ses groupes et sous-groupes, ne l'intéresse pas. Dans son esprit, les classes, et d'abord la noblesse, la sienne, sont dépositaires de traditions et de valeurs qu'elles peuvent trahir ou incarner : or, la noblesse n'est pas séparable du principe politique aristocratique, et l'idée d'une noblesse de serviteurs du roi est simplement contradictoire ; une noblesse de fonction n'est pas une noblesse. Le roi de Tocqueville sera donc entouré de bourgeois affairés à débusquer la noblesse de partout, comme le Louis XIV de Saint-Simon. C'est le dernier et tardif écho d'un conflit politique, en même temps que la réaffirmation d'un principe.

Ainsi, le niveau essentiel où se situe la description historique de Tocqueville dans *L'Ancien Régime* n'est ni l'économique, ni même la société dans ses structures et l'histoire de ses différentes classes. C'est plutôt l'état d'esprit des Français, ce qu'on pourrait appeler le tempérament ou le caractère national, considérés comme le domaine où s'affrontent par excellence les tendances démocratiques et les tendances aristocratiques, les consentements et les résistances à la centralisation. On aurait à s'excuser du caractère vague de ce vocabulaire, s'il était possible de définir plus précisément la pensée de Tocqueville : dans le tome II de *La Démocratie*, en étudiant les conséquences de la « démocratie » sur la mentalité américaine, celui-ci distingue successivement le « mouvement intellectuel », les « sentiments », enfin les « mœurs proprement dites ». Il n'est pas toujours facile de distinguer bien clairement les différents paliers de son étude — notamment « sentiments » et « mœurs » — mais au moins a-t-on un fil conducteur. Dans *L'Ancien Régime*, rien de pareil : en même temps que, comme on l'a vu, Tocqueville a modifié l'ordre des causes — la centralisation gouvernementale et administrative passant au premier plan — il ne prend jamais soin de distinguer les différents champs de conséquences. L'idée de traditions (intellectuelles et affectives) ou de mœurs correspond sans doute le moins mal au tableau de la société française qu'il donne dans le livre II : la centralisation a entraîné le développement des « mœurs » démocratiques qui s'opposent aux traditions aristocratiques, les deux « trends » se renforçant et comme s'exaspérant l'un l'autre par leur contrariété. Les Français du XVIIIe siècle deviennent à la fois de plus en plus semblables et de plus en plus distincts, de plus en plus soumis et de plus en plus indociles. L'Ancien Régime finissant est le champ clos de la lutte de deux principes et de leur marque contradictoire dans l'esprit des hommes de ce temps. La « démocratie », dans *L'Ancien Régime*, est moins un état de société qu'un état d'esprit.

C'est au prix de cette modification que Tocqueville introduit dans son analyse une dialectique révolutionnaire, évidemment indispensable à l'objet même de son travail. Car la « démocratie », telle qu'il l'a étudiée aux Etats-Unis, est non seulement un état de société, mais un état de fondation, apporté et construit *ex nihilo* par des hommes à l'esprit démocratique sans qu'ils aient eu à lutter contre un principe, une histoire, des traditions inverses. Il y a donc développement harmonieux d'une société globale, dont le principe démocratique, incarné dans les faits, informe tous les niveaux, notamment les mentalités et les mœurs. Au contraire, la France de la fin de l'Ancien Régime pose à Tocqueville un problème complètement différent, celui d'une *histoire*, d'un *changement*, d'une *révolution*. La démocratie (l'égalité des conditions) ne peut caractériser l'état de société avant la Révolution puisqu'elle définit l'état de société après la Révolution. D'où l'appel à une conceptualisation différente : ce qui est commun à l'avant et à l'après, c'est la centralisation, agent du changement ; cette centralisation démocratise les esprits d'une société qui reste crispée sur ses formes aristocratiques vidées de leur contenu. La contradiction qui porte cette société à la révolution, si on cherche à la définir en termes d'histoire, n'est donc pas essentiellement d'ordre social, mais intellectuel et moral[19] ; elle ne recoupe que secondairement — et très tardivement, en 1788 — la conscience

19. Cf. S.R. Weitman, « The sociological thesis of Tocqueville's The old Regime and the Revolution », in *Social Research*, 1966, vol. 33, n° 3.

d'un conflit interne à la société civile (noblesse/Tiers Etat) ; elle traduit essentiellement un conflit de valeurs enfoui dans les profondeurs de la société globale, et notamment à l'intérieur de chaque individu « éclairé », entre l'individualisme démocratique et l'esprit de caste nobiliaire — deux formes également dégradées par rapport à leurs deux modèles, mais, par cela même, d'autant plus incompatibles, plus hostiles, et n'ayant finalement qu'un principe réconciliateur : le despotisme.

III

Par là s'explique, il me semble, l'économie du livre III de *L'Ancien Régime*, consacré non plus aux causes lointaines de la Révolution, mais « aux faits particuliers et plus récents qui ont achevé de déterminer sa place, sa naissance et son caractère » (III, I) — autrement dit, à l'examen de ce que nous appellerions les causes à court terme.

Aux yeux de Tocqueville, il se produit vers le milieu du XVIIIe siècle, dans les années 50, une accélération des phénomènes qu'il a étudiés et des contradictions qu'ils entraînent : d'abord, tout naturellement, une transformation des mentalités et des esprits. Tout se passe comme si le long processus de centralisation administrative et de désagrégation sociale, analysé dans les livres précédents, aboutissait dans ces années-là à une révolution culturelle : la France, au moins la France des élites, celle dont l'importance est politiquement décisive, se tourne massivement vers une philosophie abstraite de l'ordre politique et social d'autant plus radicalement contradictoire avec la société existante qu'elle se nourrit précisément de l'absence d'expérience sociale qui caractérise l'individu de cette société, qu'il soit noble ou bourgeois. Privés de liberté vraie, les Français vont au droit naturel ; incapables d'expérience collective, sans moyens d'éprouver les résistances de la politique, ils s'orientent sans le savoir vers l'utopie révolutionnaire ; sans aristocratie, sans groupes dirigeants constitués, sans recours possible à des hommes politiques, ils se tournent vers les écrivains. La littérature assume la fonction politique. Et, dès lors, le phénomène se développe et s'aggrave par une dialectique interne, puisque les intellectuels sont par nature, et non plus seulement par la force des choses, le groupe social le plus étranger à l'expérience politique. La monarchie, en détruisant l'aristocratie, a constitué les écrivains en substituts imaginaires d'une classe dirigeante. Du coup, la France est passée du débat sur la gestion à la discussion des valeurs dernières, de la politique à la révolution.

Ce ne sont pas tellement les idées de cette époque qui sont nouvelles : Tocqueville souligne qu'elles sont anciennes. C'est la démultiplication sociale de leur élaboration, c'est l'écho qu'elles ont, l'accueil qu'elles reçoivent, le rôle qu'elles jouent. Au reste, ces mêmes idées ne sont pas spécifiquement françaises : toute l'Europe des Lumières les partage, sans qu'elle aille pour autant au même avenir révolutionnaire. Par cette esquisse d'une sociologie de la production et de la consommation des idées dans la France de la deuxième moitié du XVIIIᵉ siècle, Tocqueville suggère à la fois que la Révolution est pour lui, avant tout, une transformation des valeurs et des habitudes mentales, et que cette transformation trouve des conditions particulièrement favorables et des rythmes particulièrement rapides dans la France des années 1750, à la suite du long processus de centralisation monarchique. La révolution culturelle (intellectuelle et morale, si l'on préfère), de facteur second dans le long terme, devient à court terme l'élément essentiel du processus révolutionnaire : elle a pour effet de réinvestir les sentiments religieux dans le culte imaginaire d'un Etat-modèle, neutralisant ainsi dès l'origine ce que cet éveil d'opinion pouvait comporter de libéral. La grande visée révolutionnaire, pour Tocqueville, c'est le « despotisme démocratique », préfiguré, élaboré déjà par la doctrine physiocratique, et non le libéralisme parlementaire : c'est la « préparation » de 1793 beaucoup plus que l'anticipation de 1789.

Ce brusque changement de rythme dans l'histoire des Français, analysé d'abord au niveau intellectuel, Tocqueville le perçoit aussi au niveau économique et social : la Révolution ne frappe pas un pays décadent, comme l'ont cru les acteurs du grand drame, obsédés par l'idée de « régénération », mais un pays prospère, en pleine croissance depuis 1750. Elle frappe même par priorité les régions les plus sensibles au développement économique et social du siècle, comme l'Ile-de-France. C'est la célèbre thèse du quatrième chapitre, largement vérifiée dans ses grandes lignes, sinon en détail[20], par les travaux d'histoire économique du XVIIIe siècle. Mais loin d'y voir un facteur de luttes entre classes sociales aux intérêts contradictoires, comme dans l'historiographie marxiste ou marxisante, Tocqueville y diagnostique un élément supplémentaire du déséquilibre des esprits et des croyances : le régime est trop ancien pour ce qu'il comporte désormais de neuf, et les Français trop libérés pour ce qu'ils conservent de

20. Je n'ai pas cru nécessaire, dans le cadre d'un travail consacré à Tocqueville, d'entrer dans l'immense bibliographie de l'histoire des causes de la Révolution.

servitudes, ou plutôt de sentiment de la servitude. Incapables de vaincre cette conscience de l'insupportable,
les réformes accélèrent la désagrégation de la société :
c'est en 1787, et non en 1789, que Loménie de Brienne
détruit l'Ancien Régime par sa réforme administrative
qui substitue aux intendants des assemblées électives :
révolution plus importante, note Tocqueville, que toutes
celles qui ont affecté la France depuis 1789, dans la
mesure où celles-ci n'ont touché que les institutions
politiques, et non la « constitution administrative ». C'est
en 1787 que le rapport traditionnel des Français et de
l'Etat, que le vrai tissu de la vie sociale se trouvent
bouleversés. Bref, l'Ancien Régime est déjà mort en
1789 : la Révolution n'a pu le tuer que dans les esprits,
puisqu'il n'existait plus que dans les esprits. D'où
l'extraordinaire facilité des événements. 1789 ou l'année
des dupes ?

Mais s'il est vrai que le contenu même de la Révolution, ainsi défini, est déjà acquis avant que la Révolution
commence, le phénomène révolutionnaire, dans l'acception étroite du terme, se trouve dès lors circonscrit. Il
ne recouvre plus une transformation politique et sociale
— puisque celle-ci ou avait déjà eu lieu ou, pour ce qui
en restait à accomplir, aurait eu lieu de toute façon. Il
traduit seulement deux modalités spécifiques de l'action
historique : le rôle de la violence et celui de l'idéologie
(c'est-à-dire de l'illusion intellectuelle). Deux modalités
qui en réalité n'en font qu'une. Car la violence et le
radicalisme politique sont inscrits précisément dans
l'idéologie eschatologique de l'avant et de l'après, de
l'ancien et du nouveau, qui caractérise le projet révolutionnaire. La formation de l'Etat démocratique centralisé, qui est pour Tocqueville le sens même de la Révolution, c'est aussi le sens de l'Ancien Régime ; au fond, la
Révolution ne fait que le rebaptiser ; mais elle est la

Révolution *parce qu'elle croit l'avoir inventé* : admirable intuition du décalage entre le rôle objectivement joué par les révolutions dans le changement historique et la perception qu'en ont les contemporains, ou la fascination intellectuelle qui s'exerce sur les générations suivantes. Alors que tant d'historiens, depuis bientôt deux cents ans, nous racontent la Révolution drapés dans les costumes de l'époque, par un commentaire de l'interprétation qu'elle a donnée d'elle-même, Tocqueville suggère au contraire que les périodes révolutionnaires sont par excellence les périodes obscures de l'histoire, où le voile de l'idéologie cache au maximum le sens profond des événements aux yeux des acteurs du drame. C'est sans doute la contribution fondamentale de *L'Ancien Régime* à une théorie de la révolution.

Il reste que cette intuition centrale du livre n'est jamais aussi clairement explicitée ; elle eût nécessité, au fond, une histoire des événements révolutionnaires écrite dans la double perspective qu'annonce *L'Ancien Régime* : au niveau du contenu objectif de ces événements, et surtout au niveau de l'idéologie ou des idéologies successives, qui les justifient[21]. Mais si Tocqueville, en 1856, n'a jamais écrit le deuxième tome de son livre — renouvelant sans le vouloir cette fois son silence de 1836 — ce n'est peut-être pas seulement parce qu'il est mort vingt-huit mois après la parution du premier. C'est aussi que cet esprit systématique, qui avait fini par reconstruire une interprétation historique de l'Ancien Régime, n'avait toujours pas maîtrisé les problèmes posés à ses

21. Cf. la lettre à Lewis du 6 octobre 1856 : « Comme mon objet est bien plus de peindre le mouvement des sentiments et des idées qui ont successivement produit les événements de la Révolution que de raconter ces événements eux-mêmes... » (citée par A. Jardin, *Note critique*, *L'Ancien Régime*, t. II, p. 21).

yeux par une théorie historique de la Révolution française.

De cela, l'histoire même de son livre, et les fragments posthumes qu'il nous en a laissés[22] portent témoignage. On sait[23] que Tocqueville a commencé les travaux qui allaient le conduire à écrire *L'Ancien Régime* par une étude du Consulat ; il écrit dès les premiers mois de 1852 deux chapitres consacrés à l'esprit public à la fin du Directoire[24], qui doivent constituer le préambule à cette étude. Puis il abandonne ce projet vers la fin de 1852 pour se retourner vers l'analyse de l'Ancien Régime, et passe notamment l'été 1853 à dépouiller les fonds d'archives de l'intendance de Tours, rompant délibérément avec sa première direction de recherche. Ces deux projets successifs indiquent bien sa préoccupation principale, qui est l'étude des institutions administratives et de leur continuité, par-delà la Révolution, entre l'Ancien Régime et la stabilisation consulaire. Il en fait, lui-même, l'aveu indirect, en avril 1853, à propos des archives de l'hôtel de ville de Paris, qu'il commente ainsi : « Ces cartons contiennent peu de documents antérieurs à 1787, et, à partir de cette époque, l'ancienne constitution administrative se modifie profondément et on entre dans l'époque transitoire et assez peu intéressante qui sépare l'Ancien Régime administratif du système d'administration créé au Consulat et qui nous régit encore[25]. »

De fait, cette « époque transitoire et assez peu intéressante » — phrase proprement prodigieuse chez un homme qui veut écrire une histoire de la Révolution —

22. *L'Ancien Régime et la Révolution*, t. II, Fragments et notes inédites sur la Révolution.
23. Cf. la *Note critique* d'A. Jardin, au début du tome II.
24. Publiés comme livre III du tome II, p. 267-293.
25. A. Jardin, *op. cit.*, p. 15.

laisse peu de traces dans ses fragments posthumes. L'essentiel de ses notes de documentation est consacré à la période de l'Ancien Régime ou des années immédiatement prérévolutionnaires, plus exactement à l'administration de l'Ancien Régime et à l'idéologie prérévolutionnaire ; peu de choses sur la Constituante, absolument rien sur la Législative ou sur le Comité de salut public, pratiquement rien sur la Convention : juste quelques pages, d'ailleurs assez banales, sur la Terreur. On ne peut pourtant pas expliquer ce silence vaste et massif par la seule raison donnée par Tocqueville en 1853. Car on a vu que, parti d'une problématique de la centralisation administrative, qui forme la toile de fond de son étude de l'Ancien Régime, Tocqueville a été de plus en plus attentif à l'élément idéologique de la Révolution. Dès lors, pourquoi cette lecture si attentive des brochures prérévolutionnaires, et rien sur les discours des Conventionnels ? Pourquoi Mounier et pas Brissot ? Pourquoi Sieyès et pas Robespierre ?

La réponse à cette question est d'autant plus difficile que, dans certaines de ces notes fragmentaires, Tocqueville perçoit le caractère dynamique de l'idéologie révolutionnaire. Par exemple, quand il commente en ces termes un passage de Burke : « Il est bien vrai que presque à la veille de la Révolution on était bien loin de l'état d'esprit qu'elle montra. Il n'est que trop vrai que l'esprit de liberté n'existait pas encore en bas (il n'y a jamais été). On y vivait encore sur les idées d'un autre ordre ou d'un autre siècle » (II, p. 342). Ou encore quand il note à plusieurs reprises (II, chap. II du livre V) le rôle des classes inférieures « incivilisées » dans le processus révolutionnaire. On sait au reste qu'il exprime dans L'Ancien Régime son admiration pour les hommes de 89 et son dégoût pour ceux de 93. Mais le malheur est que ces notations éparses sont difficilement conciliables avec ses analyses détaillées sur le surgissement, en 1788-1789, du « véritable esprit de la Révolution » (II, livre I, chap. v) dans les brochures de cette époque et dans les Cahiers de doléances : on en retire le sentiment que l'idéologie révolutionnaire, constituée dès cette période, prononce déjà « le mot final de la Révolution » (II, p. 169). Plus extraordinaires encore, par rapport au problème posé, certains silences de Tocqueville : presque rien — à part la phrase citée plus haut — sur les différents niveaux intellectuels et idéologiques de la population française. Il y a simplement, en haut, la culture des lumières, et en bas, une sorte de non-être culturel, la non-civilisation. Enfin, pas un mot sur le messianisme jacobin et la guerre idéologique, à la fois conséquence et formidable approfondissement de la conscience révolutionnaire. Rien sur l'explosion du patriotisme révolutionnaire à partir de 1792, sur ce qui constitue pourtant, dans les termes mêmes de son analyse, l'expression idéologique la plus générale de l'attachement et de la participation des masses au nouvel Etat démocratique. Même quand il analyse, dans les deux seuls chapitres achevés du deuxième tome de *L'Ancien Régime*, l'état d'esprit des Français à la fin du Directoire, Tocqueville réussit à passer sous silence le problème de la paix et de la guerre, qui domine probablement, à cette époque, toute la conjoncture intérieure française, et interdit, dans les mentalités et dans les faits, toute solution libérale de la crise politique.

Mais pour qu'un si grand esprit reste aveugle à de si fortes évidences, il faut qu'il existe en lui un certain blocage conceptuel qui est peut-être la rançon de sa pénétration. Au fond, Tocqueville n'a cessé d'osciller entre deux grandes lignes de recherche, deux hypothèses fondamentales sur l'histoire de France : la première, c'est celle de la centralisation administrative. Elle lui fait écrire, comme naturellement, un « Ancien Régime », elle eût pu lui faire écrire un « Consulat » ou un « Empire », car elle lui assure le fil directeur de la continuité à long terme de l'histoire de France. Mais en même temps qu'elle définit la Révolution par ce contenu, elle l'annule comme procès et comme modalité de l'histoire, c'est-à-dire dans ce qu'elle a de spécifique. Au reste, si la Révolution couronne et achève l'œuvre de l'Ancien Régime par la constitution administrative du Consulat, pourquoi 1830, pourquoi 1848, pourquoi ces révolutions supplémentaires dont Tocqueville n'a cessé d'être l'interrogateur passionné ? La constitution administrative est désormais immuable ; et pourtant la constitution politique change brusquement tous les quinze ou vingt ans.

D'où, probablement, la deuxième grande ligne de recherche de Tocqueville, qui définit la révolution comme une transformation rapide des mœurs et des mentalités et comme un projet idéologique radical. Ce grand déchirement culturel, d'autant plus désiré qu'il est favorisé et non contrarié par l'évolution de la société, est d'abord analysé comme une conséquence de la centralisation et de la dislocation des groupes sociaux traditionnels. Tocqueville lui donne ensuite comme une force autonome, en 1788, pour expliquer l'éclatement de la Révolution ; mais prisonnier de sa première hypothèse, il ne va jamais au bout de la deuxième. Non pas seulement parce que dans ce domaine, il ne définit jamais bien ce dont il s'agit quand il parle de « mœurs », d'« état d'esprit », d'« habitudes », de « sentiments » ou d'« idées ». Mais surtout parce que, ayant analysé le déclenchement de la Révolution comme un procès culturel, il ne semble pas avoir rassemblé ensuite les éléments de cette histoire d'une dynamique culturelle.

254

Plus peut-être que cette histoire de « l'Ancien Régime et la Révolution » qu'il a voulu écrire, Tocqueville nous a donné une description interprétative de l'Ancien Régime, et les fragments d'un projet d'une histoire de la Révolution. Le premier constitue les livres I et II de *L'Ancien Régime* ; le second n'a pas été écrit, et nous n'en possédons que les notes préparatoires. Entre les deux, très subtilement, le livre III de *L'Ancien Régime* forme comme une transition : car les deux textes n'obéissent pas à la même cohérence interne. Le premier, malgré les contradictions qu'il recèle, ne cesse d'être fondé sur une analyse relativement statique de la centralisation administrative et de ses effets sociologiques. Dans le second, c'est-à-dire à partir du livre III, l'histoire fait brusquement irruption au tournant des années 50 du XVIIIe siècle — cette histoire que précisément Tocqueville ne connaît bien, de première main, qu'à partir de cette date : les phénomènes culturels, au sens le plus large du terme, tendent à y devenir largement indépendants de l'évolution administrative, et apparaissent comme les déterminants de l'explosion révolutionnaire. La Révolution n'est plus dès lors définie comme la construction de l'Etat démocratique, puisque cette révolution-là est achevée dès 1788, mais comme la réalisation d'une idéologie eschatologique : d'où cette analyse minutieuse des brochures de 1788-1789 et des Cahiers.

Mais, par ailleurs, la plupart des notes laissées par Tocqueville sur les années révolutionnaires elles-mêmes restent prisonnières de sa première problématique ; ce qui n'est pas étonnant puisqu'elles sont contemporaines de la rédaction de son livre. Rien n'indique donc que Tocqueville ait clairement résolu, avant de mourir, le problème auquel il s'était déjà heurté en 1836 : élaborer une théorie de la dynamique révolutionnaire. La diffé-

255

rence avec 1836, c'est que, dans les dernières années de
sa vie, il en laisse pressentir la direction de recherche ;
c'est le vrai testament de ce grand livre inachevé[26].

26. En guise de postface : depuis que j'ai écrit cette analyse, j'ai eu
connaissance d'un texte nouveau, au moins pour moi, publié dans la
Correspondance Tocqueville-Kergorlay (Paris, 1977), et qui me paraît
en confirmer le bien-fondé. Il s'agit d'une lettre de Tocqueville du 16
mai 1858.

Moins d'un an avant sa mort, au moment où il est en plein travail
sur son deuxième volume, c'est-à-dire la Révolution elle-même, Tocqueville expose ses problèmes, et l'état de ses recherches, à son ami
Kergorlay. Il se plaint de l'immensité des ouvrages contemporains à
lire, et puis passe à l'interprétation elle-même : « Il y a de plus dans
cette maladie de la Révolution française quelque chose de particulier
que je sens sans pouvoir le bien décrire, ni en analyser les causes. C'est
un *virus* d'une espèce nouvelle et inconnue. Il y a eu des Révolutions
violentes dans le monde ; mais le caractère immodéré, violent, radical,
désespéré, audacieux, presque fou et pourtant puissant et efficace de
ces Révolutionnaires-ci n'a pas de précédents, ce me semble, dans les
grandes agitations sociales des siècles passés. D'où vient cette rage
nouvelle ? qui l'a produite ? qui l'a rendue si efficace ? qui la perpé-
tue ? car, nous sommes toujours en face des mêmes hommes, bien
que les circonstances soient différentes, et ils ont fait souche dans tout
le monde civilisé. Mon esprit s'épuise à concevoir une notion nette de
cet objet et à chercher les moyens de le bien peindre. Indépendamment
de tout ce qui s'explique dans la Révolution française, il y a quelque
chose dans son esprit et dans ses actes d'inexpliqué. Je sens où est
l'objet inconnu, mais j'ai beau faire, je ne puis lever le voile qui le
couvre. Je le tâte comme à travers un corps étranger qui m'empêche
soit de le bien toucher, soit de le voir. »

III

Augustin Cochin : la théorie du jacobinisme

Augustin Cochin est probablement le plus méconnu des historiens de la Révolution française*. A ce sujet, pourtant, il avait consacré toute sa vie. Né en décembre 1876 dans la grande famille de notables conservateurs qui illustra au XIXe siècle le catholicisme social, notamment à travers un grand-père dont il avait repris le prénom, il avait fait l'Ecole des chartes avant de se spécialiser, à partir de 1903, dans l'histoire de la Révolution. Débarrassé par la fortune familiale de toute obligation professionnelle, et vivant d'ailleurs comme un bénédictin, il consacra sa courte existence à deux enquêtes fondamentales : la première porta sur la campagne électorale de 1789, d'abord en Bourgogne, ensuite en Bretagne. La seconde, qui avait pour centre la période de la Terreur, le conduisit à élaborer un recueil de sources, les *Actes du gouvernement révolutionnaire (23 août 1793-27 juillet 1794)*, dont le premier volume, prêt en 1914, fut publié en 1920. Entre-temps, il était intervenu, en 1909, dans la polémique qu'Aulard entretenait avec la

* Je suis heureux d'avoir l'occasion de remercier ici le baron Denys Cochin, neveu d'Augustin Cochin, et dépositaire des archives familiales, de l'extrême gentillesse avec laquelle il a mis à ma disposition les papiers laissés par son oncle, et le trésor de ses souvenirs personnels.

mémoire de Taine, par un brillant essai historiographique : *La crise de l'histoire révolutionnaire : Taine et M. Aulard*.

Augustin Cochin, mobilisé en 1914, fut tué au front en 1916. Son collaborateur, Charles Charpentier, fit paraître en 1925 le seul livre terminé qu'il ait laissé : *Les sociétés de pensée et la Révolution en Bretagne*. Sa mère avait fait éditer, en 1921 et 1924, deux volumes d'essais posthumes : *Les sociétés de pensée et la démocratie moderne* (1921), *La Révolution et la libre pensée* (1924). De ces essais, certains avaient été publiés avant la guerre, comme le commentaire de la polémique Aulard-Taine, ou tout juste après, comme l'avant-propos aux *Actes du gouvernement révolutionnaire* (signé, d'ailleurs, en commun avec Ch. Charpentier). Mais la plupart étaient inédits. Il s'agit soit de recherches sur les élections de 1789, et notamment d'un article sur la campagne électorale en Bourgogne ; soit d'analyses de caractère théorique sur le phénomène révolutionnaire, et ce qui constituait pour Cochin sa manifestation principale, le jacobinisme. Cette deuxième catégorie de textes a pour objet de mettre au clair la conceptualisation d'Augustin Cochin sur la Révolution, avec un minimum de références proprement historiques. En dehors de quelques conférences, il s'agit de documents de travail destinés à éclairer la recherche empirique.

Cochin possédait en effet une qualité qui a toujours été rare chez les historiens modernes, mais qui était tout à fait improbable chez un historien d'esprit traditionaliste, de formation chartiste, en pleine époque positiviste : il avait l'esprit philosophique. Plus exactement, il avait appris les règles de l'érudition sans perdre le goût des idées générales et même en continuant à cultiver ce goût, comme en témoigne son intérêt pour Durkheim, auquel tout l'opposait pourtant, milieu familial, traditionalisme catholique, convictions conservatrices, hostilité au régime républicain. En réalité, Cochin mêle constamment l'histoire et la sociologie, dans la mesure où l'ambition de la sociologie est de découvrir les lois générales qui donnent un sens aux comportements particuliers, ou à tel ou tel aspect de ces comportements. Mais, des deux problèmes, ou des deux périodes, qui ont fait l'objet de ses recherches d'archives, la campagne électorale de 1789, et le gouvernement révolutionnaire de 1793, seul le premier a fait l'objet d'une mise en forme synthétique, grâce au livre sur la Bretagne et à l'article sur la Bourgogne. En ce qui concerne le second, nous avons d'une part le travail de publication des sources, et de l'autre cette série de textes théoriques posthumes, qui n'étaient, dans l'esprit de l'auteur, que des jalons vers une histoire du jacobinisme : le sociologue et l'historien qui coexistaient chez Cochin, et qui étaient provisoirement distincts comme des concepts ou des hypothèses par rapport à la recherche empirique, sont restés ici séparés par la mort prématurée de l'auteur[1].

1. Voici la liste par ordre chronologique des œuvres d'Augustin Cochin :

A. Cochin, Ch. Charpentier, *La campagne électorale de 1789 en Bourgogne*, Paris, 1904 (republié dans *Les Sociétés de Pensée et la Démocratie*, p. 233-282).

A. Cochin, *La crise de l'histoire révolutionnaire : Taine et M. Aulard*, Paris, 1909 (republié dans *Les Sociétés de Pensée et la Démocratie*, p. 43-140).

« Comment furent élus les députés aux états généraux » in *Société d'histoire contemporaine*, 22ᵉ Assemblée générale, 1912, p. 24-39 (republié dans *Les Sociétés de Pensée et la Démocratie*, p. 209-231).

Le grand dessein du nonce Bargellini et de l'abbé Desisles contre les Réformés (1668), Paris, 1913.

« Quelques lettres de guerre », in *Pages actuelles*, nᵒ 105, Paris, 1917.

Actes du gouvernement révolutionnaire (23 août 1793-27 juil-

C'est une des raisons qui expliquent l'accueil un peu frais par les historiens professionnels aux publications posthumes de Cochin. La *Revue historique* de janvier-avril 1926, qui consacre un « Bulletin historique » à l'historiographie de la Révolution, sous la plume de G. Pariset, résume en vingt-cinq lignes *La Révolution et la libre pensée* et conclut : « La thèse est présentée sous une forme abstraite et quelque peu déconcertante. Sans doute l'auteur, s'il avait vécu, aurait-il remanié, condensé et éclairé bien des pages avant de les publier. Du moins il est permis de le supposer par respect même pour sa mémoire[2]. » Dans la revue d'Aulard, *La Révolution française* (janvier-décembre 1923), le grand pontife de la spécialité, déconcerté aussi par l'obscurité du livre, le résume à l'aide de la notice de l'éditeur ; il en a compris que Cochin reprend la « vieille thèse de l'abbé Barruel, que la Révolution est sortie des Loges. Le fait

---

let 1794). Recueil de documents publiés par la Société d'histoire contemporaine par MM. Augustin Cochin et Charles Charpentier. Tome I (23 août-3 décembre 1793), Paris, 1920. (Avant-propos republié dans *Les Sociétés de Pensée et la Démocratie*, p. 141-208.)

Les Sociétés de Pensée et la Démocratie. Etudes d'histoire révolutionnaire, Paris, 1921.

La Révolution et la libre pensée : la socialisation de la pensée (1750-1789) ; la socialisation de la personne (1789-1792) ; la socialisation des biens (1793-1794), Paris, 1924.

Les Sociétés de Pensée et la Révolution en Bretagne (1788-1789). Tome I, *Histoire analytique*. Tome II, *Synthèse et justification*, Paris, 1925, 2 vol.

Sur la politique économique du gouvernement révolutionnaire, Blois, 1933.

Abstractions révolutionnaires et réalisme catholique, Bruges, 1935 (Introduction de M. de Boüard).

A. Cochin, M. de Boüard, *Précis des principales opérations du gouvernement révolutionnaire*, Paris, 1936.

2. « Bulletin historique. Révolution », in *Revue Historique*, n° 151, janv.-avr. 1926, p. 199-200.

que Louis XVI et ses deux frères étaient francs-maçons donne à réfléchir sur le bien-fondé de cette thèse. Mais l'auteur raisonne en dehors des faits et n'en allègue aucun, ou presque aucun »[3]. Deux ans plus tard, en 1925, le même Aulard ne trouve pas plus clair l'ouvrage, pourtant beaucoup plus « historique », sur les sociétés de pensée et la Révolution en Bretagne : « Ce sont des notes d'érudition, dont l'amas un peu confus est encadré dans une sorte de système, avec des titres abstraits et étranges... C'est une lecture si dure que je n'ai encore pu l'achever, ni même bien comprendre ce qu'a voulu faire l'auteur[4]. »

Dans la boutique d'en face, aux *Annales révolutionnaires*, qui vont devenir les *Annales historiques de la Révolution française*, le chef de l'école robespierriste n'est pas plus indulgent pour *La Révolution et la libre pensée* que son vieux rival dantoniste, avec lequel il a au moins en commun la conception positiviste de l'histoire. Mathiez avait, quelques années auparavant, signalé l'intérêt de la publication des *Actes du gouvernement révolutionnaire*[5] ; mais ce volume d'essais théoriques suscite chez lui la même sévérité, ou la même incompréhension, que chez Aulard (bien qu'il soit, comme nous le verrons, un peu plus circonstancié dans sa courte critique) : « Le livre de M. Cochin... est en dehors de l'histoire qui se meut dans le temps et dans l'espace. Il appartient, paraît-il, à cette nouvelle science qui prétend absorber toutes les autres et qui s'intitule la Sociologie. Cette sociologie plane sur les nuées. Faute sans doute d'un entraînement suffisant, je n'ai, pour ma part, ja-

3. *La Révolution française*, t. 76, janv.-déc. 1923, p. 362-365.
4. *La Révolution française*, t. 78, janv.-déc. 1925, p. 283-284.
5. *Annales révolutionnaires*, organe de la *Société d'Etudes robespierristes*, t. XIII (1921), p. 514-516.

mais saisi l'intérêt de ces soi-disant "explications" qui reviennent en général à des lieux communs d'une banalité déconcertante. Je laisse à ses initiés le soin d'apprécier la valeur de cette chimie politico-philosophique[6]. »

Bizarrement, les comptes rendus des revues historiques de droite, comme la *Revue d'Histoire de l'Eglise de France*, ou même la *Revue des questions historiques*, sont plus tolérants à l'égard de la méthode « sociologique » de Cochin[7]. Leur sympathie politique pour les opinions de l'auteur fait passer cette excentricité. Mais ce sont naturellement Aulard et Mathiez qui ont donné le *la*, et leur critique expulse pour longtemps Augustin Cochin de l'historiographie universitaire de la Révolution française : elle sera reprise, de confiance, par leurs successeurs, qui gèrent le même patrimoine culturel. L'accord des deux grands patrons de la Sorbonne contre Cochin est infiniment plus important que leur duel théâtral à propos de Danton et Robespierre. Il n'exprime pas seulement des opinions jacobines, choquées par l'opinion contre-révolutionnaire de Cochin. Il traduit la formidable résistance inscrite dans un champ d'études comme l'histoire de la Révolution française à une conceptualisation de type sociologique. Cette période, surinvestie de significations politiques communes à ses acteurs et à ses

---

6. *Annales historiques de la Révolution Française*, nelle série, t. 2, 1925, p. 179-180.

7. R. Lambelin, « La Révolution et la libre pensée par Augustin Cochin », in *Revue des questions historiques*, 3e série, t. VI (1925), p .435-496. E. Lavaqueray, « Augustin Cochin : la Révolution et la libre pensée », in *Revue d'histoire de l'Eglise de France*, 17e année, t. XII (1926), p. 226-227. J. de La Monneraye, « Les sociétés de pensée et la Révolution en Bretagne (1788-1789) », in *Revue des questions historiques*, 55e année, 3e série, t. XI (1927), p. 123-128. E. Lavaqueray, « Augustin Cochin : les sociétés de pensée et la Révolution en Bretagne », in *Revue d'histoire de l'Eglise de France*, 18e année, t. XIII (1927), p. 228-231.

historiens, continue de ce fait à tirer son sens du conflit de valeurs vécu par ses acteurs. L'histoire, de droite ou de gauche, n'a donc d'autre objet que de restituer les termes de ce conflit, les hommes qui l'incarnent et les actions qu'il entraîne. Elle peut porter des jugements différents, voire contradictoires, sur les valeurs, les hommes et les actions — en l'occurrence, entre Aulard et Mathiez, tous deux « jacobins », il y a accord sur les valeurs et désaccord sur les hommes —, mais elle partage cette conviction que le récit se suffit à lui-même puisqu'elle ignore et même déteste toute distance entre le vécu des comportements humains et leur interprétation. Ce qu'Aulard et Mathiez ont de la peine à comprendre en Cochin, ce n'est pas la conviction contre-révolutionnaire, ils en ont au contraire une vieille familiarité ; ce n'est pas l'érudition historique, ils la jugent en connaisseurs. C'est cette distance, qui est celle du concept, alors qu'ils sont des historiens du récit.

Le contresens absolu, en ce qui concerne Cochin, est proposé par Aulard, selon lequel il s'agirait d'une nouvelle version de la thèse du complot franc-maçon à l'origine de la Révolution. Comme ce contresens est devenu courant, et qu'il permet de comprendre *a contrario* l'hypothèse fondamentale de Cochin, il peut servir de point de départ. La thèse du complot maçon appartient à la tradition historiographique de droite, et elle est constituée dès la fin du XVIIIe siècle : l'abbé Barruel[8] explique la Révolution par la conjuration conjointe des intellectuels (il dit : les « sophistes ») et des francs-maçons. Or, Cochin prend la peine de récuser explicitement, à plusieurs reprises, cette partie de l'héri-

8. *Mémoires pour servir à l'histoire du jacobinisme*, Londres, 1797-1798, 4 vol.

tage contre-révolutionnaire. L'interprétation historique en termes de complot, c'est-à-dire de volonté consciente des hommes, lui paraît à la fois superficielle et plate : la psychologie politique des révolutionnaires n'explique rien de leur langage, de leur comportement ou même de leurs rivalités : « Le parti révolutionnaire se réduirait à n'être qu'un immense complot où chacun ne penserait qu'à soi en jouant la vertu et n'agirait que pour soi en acceptant une discipline de fer ? L'intérêt personnel n'a pas tant de constance ni d'abnégation ; c'est cependant l'explication qu'en donnent les auteurs d'opinions extrêmes : le père Barruel d'un côté et de l'autre plusieurs historiens de la maçonnerie. Il y a eu de tout temps des intrigants et des égoïstes, il n'y a de révolutionnaires que depuis cent cinquante ans[9]. »

C'est dans son essai de 1909 sur la polémique Taine-Aulard que Cochin s'exprime le plus clairement sur son rejet de toute histoire « psychologique », écrite à partir des intentions conscientes des acteurs. Car si cet essai est écrit pour défendre Taine contre les critiques d'Aulard (notamment en matière d'érudition et de connaissance des sources), il n'en épouse pas pour autant l'interprétation de Taine, marquée pour Cochin d'un « psychologisme » qui n'explique rien : si les Jacobins sont, comme le veut Taine, simplement des composés de vertu abstraite et d'arrivisme pratique, on ne comprend pas la force de leur fanatisme collectif, sauf à leur attribuer, comme à l'opium la « vertu dormitive », « l'esprit jacobin ». Pas plus qu'on ne peut expliquer la franc-maçonnerie à partir de l'individu franc-maçon, on ne peut rendre compte de la nature du jacobinisme, moins encore de sa naissance, à partir d'une psychologie de l'individu jacobin.

9. *La Révolution et la libre pensée, op. cit.*, p. XXV.

Or, c'est ce problème-là qui est au cœur de l'enquête de Cochin : l'origine et le développement du jacobinisme. Cochin partage avec Taine, mais aussi avec Aulard et les républicains, la problématique d'*une seule révolution* : « Il est clair en effet, pour qui juge d'après les textes et non des raisons de sentiment, qu'on est en présence d'un seul et même phénomène historique, de 1788 à 1795. Ce sont, d'un bout à l'autre, les mêmes principes, le même langage, les mêmes moyens. On ne saurait mettre d'un côté, comme la voix du peuple, le « patriotisme » de 89, de l'autre, comme le mensonge d'intrigants, celui de 93. Le « quatre-vingt-neuvisme » est une position sage peut-être en politique, indéfendable en histoire ; et c'est ce que M. Aulard, en cela d'accord avec Taine, a fort bien vu »[10].

Mais si Taine a eu au moins le mérite de percevoir l'étrangeté du phénomène jacobin — première étape de la curiosité scientifique —, Aulard, lui, participe à sa célébration. Taine pose un problème, qu'il ne résout pas, ou qu'il résout mal ; Aulard commémore un mythe, la Défense républicaine. Il partage avec Taine ce que celui-ci a de court : la méthode psychologique, l'explication par les intentions des acteurs, mais utilisée à des fins apologétiques, alors que celle-ci a chez Taine une fonction critique. Il refait, sous forme de plaidoyer posthume, le propre discours des acteurs de l'événement, en commentant leur propre interprétation. Historiographie vieillie comme la Révolution elle-même, qui subsume la psychologie supposée de ces acteurs sous celle d'un être abstrait, doué pourtant d'une volonté subjective, le peuple, luttant pour triompher d'ennemis non moins abstraits, mais non moins doués d'intentions né-

10. « La crise de l'histoire révolutionnaire », in *Les Sociétés de Pensée et la Démocratie, op. cit.*, p. 131.

fastes et non moins capables d'activités criminelles : les aristocrates.

Cochin, qui reproche à Taine la réduction du jacobinisme à des traits de psychologie individuelle, ne voit dans l'historiographie républicaine d'Aulard qu'une caricature, un habillage politique de cette explication naïve. La thèse du « complot », maçon, jacobin, ou aristocrate, n'est qu'une forme primitive de l'interprétation par les intentions des acteurs, reprise d'ailleurs des contemporains. Celle des « circonstances » est de même nature, bien qu'elle ne joue qu'en faveur de l'histoire républicaine, puisque la Révolution, et notamment la Terreur, y apparaît comme une réponse organisée au complot et à l'agression des forces réactionnaires. Cette dialectique des intentions antagonistes, Cochin voit bien qu'elle est conforme au *vécu* de l'époque révolutionnaire, caractérisée par une extraordinaire subjectivisation de l'univers, où chaque événement porte la trace d'une volonté, de sorte que le conflit global est perçu comme un combat entre les bons et les méchants, avec inversion des termes selon les camps des acteurs et de leurs historiens. Ce surinvestissement psychologique des événements politiques est inséparable du phénomène révolutionnaire tel qu'il apparaît pour la première fois en France ; il permet aux historiens républicains des rationalisations où la « situation », les « circonstances », qui désignent en réalité l'agressivité de l'adversaire, sont les éléments extérieurs de la radicalisation des conduites, et constituent au moins les circonstances atténuantes de la Terreur, sinon sa légitimation pleine et entière.

Or, Cohin pense que tout savoir réel sur la Révolution commence par la rupture avec ce type d'explication, fourni par les acteurs des événements eux-mêmes.

Sans connaître l'œuvre de Marx — je n'y trouve pas une seule référence dans ses livres — il en partage au moins cette conviction que les hommes qui font l'histoire ne savent pas l'histoire qu'ils font, et se bornent à rationaliser leurs rôles à travers des représentations que le travail de l'historien consiste précisément à critiquer. Bref, il distingue le vécu et la pensée critique du vécu : distinction à mes yeux d'autant plus fondamentale que le vécu révolutionnaire se caractérise par une production foisonnante de représentations et d'idéologies, par rapport aux périodes « normales » de l'histoire. Distinction, en vérité, qui coupe en deux l'historiographie révolutionnaire, non pas en droite et gauche, comme le veulent, des deux côtés, les esprits paresseux, mais entre une histoire critique, qui privilégie l'analyse conceptuelle par rapport au vécu, et dont Tocqueville constitue le meilleur exemple, et une histoire descriptive, centrée sur les représentations des acteurs, et qui peut donc être aussi bien de droite ou de gauche, aristocrate ou jacobine, libérale ou gauchiste : Michelet en reste l'artiste génial, avec « un sens de l'esprit jacobin, dit Cochin, qui tient de la divination »[11].

Cette histoire descriptive peut insister par exemple sur telle ou telle obsession idéologique de l'époque, le complot (blanc ou bleu), l'idée de l'avènement d'un temps absolument nouveau, la traduction du conflit politique en termes moraux (la conspiration des méchants), l'invocation du salut public : l'illusion consiste à prendre ces représentations pour des éléments explicatifs, alors qu'elles sont au contraire *ce qui est à expliquer*. Du salut public par exemple, dont Aulard fait un si grand usage, Cochin propose une théorie critique : « Le "salut public" est la fiction nécessaire, dans la démocratie, comme le "droit divin" sous un régime d'autorité[12]. » Ce

11. *Op. cit.*, p. 91.
12. *Op. cit.*, p. 70.

n'est donc ni une situation objective, ni même, à proprement parler, une politique, mais un système de légitimation du pouvoir démocratique ; l'instrument, et la figure
centrale du nouveau consensus.

Ce qu'il y a d'extraordinaire, dans l'œuvre de Cochin,
et, je crois, d'unique, c'est la coexistence entre le sujet
de son étude sur la Révolution et le caractère théorique
de sa réflexion. Cochin ne s'intéresse pas au problème
posé par Tocqueville, qui est celui du *bilan* révolutionnaire à long terme ; il n'aborde pas la Révolution comme
un procès de continuité institutionnelle, sociale et étatique entre l'Ancien Régime et le nouveau ; il veut comprendre au contraire l'explosion de l'événement, la rupture du tissu historique, tout ce qui porte en avant,
pendant six ou sept ans, comme un irrésistible flux, le
mouvement révolutionnaire, sa dynamique intérieure :
ce qu'on aurait appelé, au XVIIIe siècle, son « ressort ».
Ce n'est donc pas par hasard s'il a passé sa vie d'archiviste à donner et à publier, comme Aulard, des matériaux sur le Comité de salut public et sur le jacobinisme.
C'est qu'il s'intéresse au même problème qu'Aulard ou
Mathiez ; comme eux il considère que le jacobinisme est
le phénomène central de la Révolution ; mais lui essaie
d'en conceptualiser la nature, au lieu d'y voir simplement la matrice de la « défense républicaine ».

Il déteste le jacobinisme et il essaie de le penser. Je ne
crois pas que les deux propositions aient un enchaîne-
ment clair : ni l'éloignement ni l'attachement qu'on peut
ressentir à l'égard d'un événement ou d'un phénomène
historiques ne donnent en eux-mêmes la force d'en
élaborer une explication. La haine ou l'admiration du
jacobinisme peuvent seulement conduire à stigmatiser
ou à porter aux nues les jacobins et leurs chefs. Cochin
cherche ce qui les a rendus possibles. Il porte ainsi

l'analyse au cœur de ce qu'il y a de plus mystérieux dans la Révolution : sa dynamique politique et culturelle. Pour la comprendre, il n'a pas besoin, comme Tocqueville, de la nier comme événement, et de la mettre, pour ainsi dire, entre parenthèses, coincée entre ses origines et son aboutissement. Son entreprise est unique parce qu'elle est la rencontre d'un historien de terrain et même d'un archiviste des sources révolutionnaires, avec une tentative pour conceptualiser ce qu'il y a de plus fondamental, mais aussi de plus insaisissable dans la Révolution : son torrent.

Augustin Cochin a trouvé aussi la sociologie dans son patrimoine familial. Son grand-père collaborait aux célèbres enquêtes de Le Play[13]. Comme Le Play, cette grande bourgeoisie intellectuelle et catholique que la famille Cochin, au XIXe siècle, incarne brillamment, est obsédée par le « problème social », c'est-à-dire à la fois le paupérisme et la décadence des valeurs traditionnelles, notamment chrétiennes, en milieu ouvrier. Elle oppose aux solutions du socialisme une contre-évangélisation destinée à restaurer les vertus des communautés d'hier. Elle partage avec Le Play non seulement l'ambition moralisante, mais le concept de milieu social producteur d'un certain nombre de caractères apparemment individuels.

Lui a lu et médité Durkheim. Il en rejette naturellement le prophétisme scientiste, puisqu'il est resté fidèle à la tradition catholique. Mais il place très haut, dans l'ordre scientifique, cette ambition d'arracher le social au psychologique pour en faire, enfin, un objet de savoir

---

13. Il y a même consacré deux livres de synthèse : *Les ouvriers européens, résumé de la méthode et des observations de M. F. Le Play*, Paris, 1856 ; *La réforme sociale en France, résumé critique de l'ouvrage de M. Le Play*, Paris, 1865.

sui generis. Au fond, le problème de Durkheim est le même que celui que lui, Cochin, dans son domaine, pose par rapport à Taine : le rapport de l'individuel au social. Son hypothèse, sa conviction, c'est qu'une société n'est pas définie par l'addition des individus qui la composent, mais qu'elle y est irréductible parce qu'elle relève d'une autre nature ; et c'est cette autre nature, objet de la sociologie, qui détermine les comportements individuels. Que Durkheim ait rendu au social sa primauté sur les déterminations psychologiques, tel est le point de départ de Cochin : « M. Durkheim ne parle ni de Taine, ni du jacobinisme. Mais sa critique paraît faite pour eux ; car Taine est en historien le maître de la méthode psychologique — et le problème jacobin, le type des problèmes sociaux. L'outil ne convient pas au travail entrepris — voilà le secret des défauts de l'œuvre... L'école psychologique, nous dit M. Durkheim, fait trop de part aux *intentions*, quand elle veut expliquer des faits sociaux, pas assez aux situations. Elle ne voit que le calme des hommes, là où agit une cause plus puissante, le lent et profond travail des institutions, des rapports sociaux[14]... »

Ainsi, le jacobinisme n'est pas pour Cochin un complot, ou la réponse politique à une conjoncture, ou même une idéologie : c'est *un type de société*, dont il faut découvrir les contraintes et les règles pour le comprendre, indépendamment des intentions et des discours de ses acteurs. Dans l'historiographie de l'époque, et dans l'historiographie tout court de la Révolution française, cette manière de poser la question du jacobinisme est si originale qu'elle a été ou incomprise, ou enterrée, ou les

14. *La crise de l'histoire révolutionnaire, op. cit.*, p. 58. A. Cochin a visiblement médité l'ouvrage de Durkheim paru en 1895, *Les règles de la méthode sociologique*.

deux à la fois. C'est que l'histoire, au XIXᵉ siècle, et jusqu'à une date relativement récente, a cessé d'être ce qu'elle était encore partiellement au XVIIIᵉ, une interprétation du social dans ses différents « états » ; elle est tout entière consacrée, justement depuis la Révolution française, à inventorier les titres de propriété que chaque société a sur elle-même, donc à explorer le tissu du consensus national. Elle ne répond désormais qu'à la question : qu'est-ce que la nation ? sans jamais se tourner vers l'autre interrogation : qu'est-ce qu'une société ? Or, Augustin Cochin est l'homme de cette interrogation. Il y a d'autant plus de mérite apparent qu'il la pose à une période et à une organisation politique surinvesties de signification nationale. On dira que la tradition conservatrice de son milieu, et la pente contre-révolutionnaire de son esprit ont pu lui faciliter ce déplacement conceptuel ; mais il lui fallait aussi oublier les siens pour lire Durkheim. L'historiographie de droite de la Révolution est à cette époque, comme celle de gauche, une historiographie de la nation[15]. Je ne vois que Cochin qui ait pris le problème par l'autre bout.

Voici donc sa proposition centrale : le jacobinisme est la forme achevée d'un type d'organisation politique et social qui s'est répandu en France dans la deuxième moitié du XVIIIᵉ siècle, et qu'il appelle la « société de pensée ». Cercles et sociétés littéraires, loges maçonniques, académies, clubs patriotiques ou culturels en sont les différentes manifestations. Qu'est-ce qu'une société de pensée ? C'est une forme de socialisation dont le principe est que ses membres doivent, pour y tenir leur rôle, se dépouiller de toute particularité concrète, et de leur existence sociale réelle. Le contraire de ce qu'on appelait

15. Il suffit de penser, par exemple, à l'œuvre d'A. Sorel ou d'A. Vandal en face de celle d'Aulard ou de Mathiez.

sous l'Ancien Régime les corps, définis par une communauté d'intérêts professionnels ou sociaux vécus comme tels. La société de pensée est caractérisée, pour chacun de ses membres, par le seul rapport aux idées, et c'est en quoi elle préfigure le fonctionnement de la démocratie. Car la démocratie égalise aussi les individus dans un droit abstrait qui suffit à les constituer : la citoyenneté, qui comporte et définit pour chacun sa part de la souveraineté populaire. Cochin voit donc dans la démocratie non pas, comme Tocqueville, une tendance à l'égalisation réelle des conditions économiques et sociales, mais un système politique fondé sur l'égalité abstraite des individus. C'est de ce système que le jacobinisme est la variante française, dans la mesure où il tire ses origines, son modèle historique, non pas d'une instance proprement politique — comme le Parlement anglais —, mais de sociétés littéraires et philosophiques.

Car le but de la société de pensée n'est ni d'agir, ni de déléguer, ni de « représenter » : c'est d'opiner ; c'est de dégager d'entre ses membres, et de la discussion, une opinion commune, un *consensus*, qui sera exprimé, proposé, défendu. Une société de pensée n'a pas d'autorité à déléguer, de représentants à élire, sur la base du partage des idées et des votes ; c'est un instrument qui sert à fabriquer de l'opinion unanime, indépendamment du contenu de cette unanimité — qu'il s'agisse de la Compagnie du Saint-Sacrement au XVIIe siècle, ou du Grand Orient un siècle plus tard. Mais l'originalité de ce qui se passe dans la deuxième moitié du XVIIIe siècle tient à ce que le consensus des sociétés de pensée, qu'on appelle la « philosophie », tend à gagner l'ensemble du tissu social.

Cochin ne traite jamais des origines de ce glissement, qu'il voit à l'œuvre dès 1750. Il le prend comme une sorte de vérité d'évidence, qu'il cherche à arracher à la seule histoire des idées pour en reconstituer l'itinéraire institutionnel et social. En réalité, le mécanisme qu'il analyse suppose, pour se développer, une désagrégation du social en individus, la fin de ce que Louis Dumont appelle la société « holiste »[16], la décadence de la solidarité corporative et de l'autorité traditionnelle. La recherche et la fabrication d'un consensus démocratique par les sociétés de pensée comble un manque, sur la naissance duquel Cochin ne dit jamais rien, et qui est pourtant essentiel à l'intelligence de la société politique française du XVIIIe siècle.

Ce qui est clair, au moins, dans tous ses textes, c'est que la société de pensée du type « philosophique » constitue au XVIIIe siècle la matrice d'un nouveau rapport politique, qui sera la caractéristique, l'innovation principale de la Révolution. Dans le consensus des loges, des cercles et des musées, on peut déjà voir se dessiner la volonté générale de Rousseau, cette part imprescriptible du citoyen qui n'est pas réductible à ses intérêts particuliers, « cet acte pur de l'entendement, qui raisonne dans le silence des passions sur ce que l'homme peut exiger de son semblable, et sur ce que son semblable est en droit d'exiger de lui[17] » : la société philosophique est la

16. L. Dumont, *Homo hierarchicus, essai sur le système des castes*, Paris, 1967. Cf. aussi : *Homo aequalis*, Paris, 1976.

17. Cochin cite cette phrase en l'attribuant au *Contrat social* de Rousseau dans son article sur « Le catholicisme de Rousseau », in *Les sociétés de Pensée et la Démocratie, op. cit.*, p. 25-42. Je l'avais cru sur parole dans les premières éditions de mon livre et j'avais, comme lui, tort. En effet, mon collègue Jean Deprun m'a signalé avec raison que cette définition de la volonté générale est de Diderot, dans l'article « Droit naturel » de l'Encyclopédie. Elle est d'abord reprise par Rousseau, pour la discuter, dans la première version du *Contrat social* (chap. « De la société générale du genre humain », cf. O.C., Pléiade, III, 286), mais elle n'apparaît plus dans le texte final du *Contrat social*. Cochin a trouvé la formule dans l'édition Dreyfus-Brisac du *Contrat*

première forme de production d'une contrainte collective, née au confluent d'un mécanisme sociologique et d'une philosophie de l'individu. L'addition des volontés libres crée la tyrannie du Social, religion de la Révolution française et du XIXᵉ siècle.

Au centre de la pensée d'Augustin Cochin, il y a l'opposition entre deux types de représentation et d'action de la société au niveau politique : le type que j'appellerai, faute d'un meilleur terme, « corporatif », ou d'Ancien Régime, par lequel le pouvoir s'adresse, pour la consulter, à une nation constituée en « corps ». Et le type démocratique, que Cochin appelle aussi « anglais », par lequel le pouvoir prend l'avis d'un peuple d'électeurs, constitué par le corps social tout entier atomisé en individus égaux. Dans le premier type, la société conserve son état réel, ses hiérarchies, ses décisions et ses droits acquis, l'ensemble de ses leaders, la diversité de ses valeurs ; elle ne se modifie pas structurellement pour devenir un corps politique, un interlocuteur du pouvoir ; elle reste telle qu'elle a été constituée par ses intérêts, ses valeurs, son histoire. Elle n'a donc pas besoin de créer un personnel spécialisé dans la « politique », puisque cette politique n'est que l'extension de son activité en tant que telle. Elle a d'ailleurs ses leaders naturels, qui reçoivent des mandats impératifs.

Dans le second type, la société, pour accéder à la politique, doit changer de costume ; elle se constitue en société abstraite d'individus égaux : un peuple d'électeurs. Le pouvoir s'adresse à chaque individu, abstraction faite de son milieu, de son activité, de ses valeurs, puisque c'est seulement le vote qui constitue cet individu abstrait en individu réel. D'où la nécessité d'inven-

social, qui la reproduit en annexe du chapitre « De la société générale du genre humain ».

ter le domaine de cette réalité nouvelle : ce sera la politique ; et des spécialistes de ce domaine, de cette médiation, les politiciens. Car le peuple, réduit à sa définition démocratique de somme d'individus égaux, n'est plus capable d'activité autonome : il est dépossédé de son rapport réel au monde social d'une part, et à ce titre privé à la fois d'intérêts particuliers et de compétence sur des questions débattues ; d'autre part, l'acte qui le constitue, le vote, est préparé et déterminé en dehors de lui : ce qu'on lui demande, c'est un assentiment. « Il faut que des politiciens de métier lui présentent des formules, des hommes[18]. » La politique apparaît ainsi comme complémentaire de la démocratie : c'est une spécialité du consensus mythiquement délivré de ses pesanteurs sociales. Elle appelle donc des substituts à la pratique « naturelle » des affaires par les corps organisés : ce sont les politiciens, les partis, les idéologies.

La politique démocratique n'est pas, pour autant, forcément terroriste. Dans son acception parlementaire, la souveraineté populaire est déléguée, selon des règles fixées par la constitution, et à des intervalles périodiques ; elle est médiatisée par des hommes indépendants, ce qui crée les conditions d'un débat réel. Mais les sociétés de pensée dressent un modèle de démocratie pure, et non pas représentative : c'est la volonté de la collectivité qui, à tout instant, fait la loi. De même dans l'élargissement jacobin, à l'échelle de la nation tout entière, de cette République des intellectuels : le gouvernement du peuple par lui-même, seule manière d'instaurer cette « transparence »[19] entre société et pouvoir

18. *Les Sociétés de Pensée et la Démocratie, op. cit.*, p. 213.
19. M. Richir, *Révolution et transparence sociale*, préface à J.G. Fichte, *Considérations destinées à rectifier les jugements du public sur la Révolution française*, Paris, 1974.

qui est l'ambition révolutionnaire, étant techniquement impossible, il lui est substitué des sociétés permanentes de discussion, microcosmes supposés, et interprètes obligés de la société tout court. La société de pensée en fournit tout naturellement le précédent et le modèle.

Ce qui est en cause dans la société de pensée, ce n'est donc pas n'importe quelle pratique démocratique, c'est la démocratie « pure », presque la limite de la démocratie. C'est l'expression infaillible de la collectivité par elle-même, à travers le rapport de chacun de ses membres aux seules idées, donc à travers la production sociale du vrai (par opposition à son appréhension par la pensée individuelle). Lieu de la volonté générale, la société de pensée est en même temps, du même coup, énonciatrice de la vérité. La victoire de la « philosophie » — que Cochin appelle aussi la « libre pensée » — n'est donc pas à ses yeux du ressort principal de l'histoire dite des idées, qui n'est que l'arbre généalogique des auteurs et des œuvres ; elle appartient au contraire à la sociologie de l'élaboration et de la diffusion idéologique. C'est l'œuvre du travail collectif des sociétés de pensée. L'individualisme, caractérisé par le rapport « libre » de chacun aux idées, égalité abstraite qui contredit les conditions de la société réelle, entraîne la réagrégation des atomes disjoints, et la production d'un nouveau consensus autour du Social déifié et constamment réaffirmé : démocratie pure, sans chefs, sans délégués.

Le culte du Social est en effet le produit naturel de la démocratie, valeur-substitut de la transcendance divine. A cette divinité de remplacement, Cochin retourne la critique de Feuerbach à propos de la religion : il y a pour lui aliénation de l'individu réel dans et par la démocratie, comme chez Feuerbach dans et par la religion. A travers la démocratie, l'homme moderne est à ses yeux prisonnier de l'illusion idéologique du Social, qui nourrit

276

l'investissement politique. Tel est le premier volet, la critique philosophique et théorique, de la fiction démocratique.

Volet inséparable d'une critique pratique des procédures de l'action démocratique : car si la démocratie comme définition abstraite du politique se caractérise par un rapport égalitaire de chaque membre du corps social aux idées, l'action réelle qu'elle doit animer, et l'obligation où elle se trouve de dégager des pouvoirs, ou un pouvoir, sont incompatibles avec l'égalitarisme idéal du système. Même quand ces pouvoirs sont ceux d'un régime représentatif, donc élus au terme d'une compétition publique, avec différents choix offerts aux citoyens, il reste que l'organisation préalable de la compétition est aux mains de spécialistes de la politique, qui font carrière dans la manipulation de l'« opinion » : Cochin rencontre ici un courant de pensée illustré, à la même époque, par Michels ou Ostrogorski[20]. Mais son problème, au-delà de la démocratie représentative, est celui de la démocratie « pure », sans délégation d'autorité ou de pouvoir, constamment soumise au contrôle direct des citoyens, système qui constitue à ses yeux la tendance profonde du jacobinisme. Dans ce type de régime, mythiquement animé par un assentiment collectif quotidien, dont la société des jacobins assure la représentation symbolique, la transgression de la règle égalitaire doit être mille fois plus cachée, mais elle est d'autant plus profonde qu'elle est plus clandestine.

La clé secrète du jacobinisme, c'est la « machine » cachée dans l'ombre du « Peuple ». C'est l'étude des lois

---

20. R. Michels, *Les partis politiques. Essai sur les tendances oligarchiques des démocraties*. Traduction française, Paris, 1971. M.J. Ostrogorski, *La démocratie et l'organisation des partis politiques*, Paris, 1903, 2 vol.

et des mécanismes par lesquels des sociétés d'égaux ont constitué imaginairement la réalité historique, et l'ont « agie », si l'on peut dire, par l'intermédiaire de petits groupes militants, spécialistes de cette surréalité. Car le prix payé à la fiction de la démocratie pure, l'envers de l'idéologie, c'est la toute-puissance de la machine, ce « cercle intérieur » de la société ou de l'organisation qui préfabrique le consensus et en monopolise l'exploitation. Oligarchie anonyme, compagnie d'hommes obscurs, médiocres, successifs, interchangeables. Brissot, Danton, Robespierre sont moins des leaders jacobins que des produits jacobins.

Ils ne sont que les instruments provisoires des différentes phases historiques à travers lesquelles la machine assure sa prépondérance, et sans liberté d'en influencer le cours. Les épurations successives, qui sont un des traits caractéristiques de cette période, ne doivent donc pas être interprétées comme des épisodes classiques d'une lutte pour le pouvoir ; elles constituent au contraire un mécanisme objectif, une loi de fonctionnement de la machine, par laquelle celle-ci produit ses interprètes au fur et à mesure qu'elle étend son influence et qu'elle radicalise son contrôle sur la société tout entière. Les « tireurs de ficelles » ne sont que des rouages, et les manipulateurs, des manipulés, prisonniers de la logique du système.

Logique d'autant plus imparable que la société de pensée, par définition, ne pense pas : elle parle. La « vérité socialisée » qui sort de cette chimie particulière des assemblées n'est pas de la pensée, mais du consensus : des représentations cristallisées dans quelques figures simples du langage, destinées à unifier et à mobiliser les esprits et les volontés. Bref, ce que nous appellerions de l'idéologie. De ce fait, d'ailleurs, la domination des « sociétés », ou des comités de 93, suppose un type de talent qui n'a ni son emploi, ni sa reconnaissance, dans la société réelle : Robespierre n'est pas ministre, il est investi d'une fonction de « surveillance ». Il veille au consensus, flairant le moindre écart. C'est que l'idéologie ne se pense pas, au sens au moins où elle serait par là susceptible d'être critiquée, elle se parle, ou plutôt elle parle à travers ses interprètes et par l'intermédiaire privilégié de la machine. Plus qu'une action, la Révolution est ainsi un langage, et c'est par rapport à ce langage, lieu du consensus, que la machine trie les hommes ; l'idéologie parle à travers les chefs jacobins plus qu'ils ne parlent à travers elle. Il y a chez Cochin, en filigrane, un sens très moderne des contraintes du langage et de l'effacement du sujet dans la constitution du champ politique. Mais cette situation, loin d'être une donnée de l'esprit humain, lui paraît résulter d'une pathologie de l'activité de connaissance, par où l'idéologie prend le pas sur la pensée, la « vérité socialisée » sur la recherche du vrai.

Si cette théorie de la manipulation par la « machine » (nous dirions aujourd'hui l'appareil) constitue ce que les lecteurs hâtifs ou superficiels de Cochin ont retenu de ses analyses, c'est qu'ils peuvent la réinterpréter, au prix d'un contresens, en termes volontaristes de « complot ». Elle n'est, en réalité, que le deuxième noyau conceptuel de ce que Cochin appelle « la sociologie du phénomène démocratique », qui doit conduire au cœur de la Révolution française. Le premier, indispensable à l'intelligence du second, est une théorie de la production du consensus par un débat égalitaire qui exclut les situations réelles pour ne prendre en compte que le rapport des individus au monde des fins. Une fois obtenu, ce consensus constitue une vérité « socialisée », devenue légitime en fonction de son caractère démocratique. Sa vocation est dès lors de s'étendre au corps social tout entier, comme principe d'unification de la société divisée en corps, c'est-à-dire en intérêts. Et de là, à recouvrir les sphères du pouvoir, l'Etat. A ce point culminant de sa courbe, la société de pensée devient un parti politique, supposé incarner à la fois la société et l'Etat, en situation d'identification réciproque. Mais l'action réelle par laquelle s'effectuent les deux « sauts » mythologiques qui constituent ce régime de « démocratie pure » : 1) l'extension du consensus de la société de pensée à la société tout court, et 2) le règne de ce consensus sur l'Etat, cette action ne peut être assurée que par des minorités militantes, dépositaires de la nouvelle légitimité.

Ainsi, la démocratie pure va du pouvoir intellectuel au pouvoir politique, par l'intermédiaire des sociétés et de leurs mandataires non officiels (puisque toute délégation régulière de pouvoir est contradictoire avec la nature du système) : c'est ce mouvement même qui constitue pour Cochin la Révolution française.

Tout commence vers 1750, quand la démocratie, comme un fait d'ordre social et politique (qui implique à la fois désagrégation individualiste de l'ancienne société, nouvelle légitimité égalitaire, et investissement du pouvoir par cette nouvelle légitimité) prend sa figure originelle dans les sociétés de pensée. C'est à cette époque que se noue en France le conflit entre deux types de sociétés politiques : la société traditionnelle, fractionnée en groupes d'intérêts, fondée sur l'inégalité (à la fois comme réalité sociale et comme représentation collective), et la société nouvelle, idéalement égalitaire, de ce que Cochin appelle l'« opinion sociale », fondée sur le consensus imaginaire des sociétés de pensée, laboratoires des nouvelles valeurs. « Laquelle des deux opinions, la sociale ou la réelle, sera reconnue souveraine, déclarée Peuple et Nation ? Telle est la question posée dès 1789 — tranchée décidément à l'automne 93[21]. »

L'automne 93 : officiellement proclamée, la dictature de salut public est devenue la vérité de la Révolution. Elle marque, dans le vocabulaire de Cochin, le triomphe de l'« opinion sociale », désormais représentante unique de la société, qui a été rebaptisée le « Peuple » ; et, ce qui en est l'instrument, la dictature des sociétés, cœur du jacobinisme. Cette victoire sans partage des sociétés rend possible le gouvernement révolutionnaire ; mais elle se heurte, du même coup, à la réalité du pouvoir et de l'Etat : il ne s'agit pas de régner dans la République des lettres, ou même dans la société, mais *sur* la société. La démocratie pure rencontre ici l'impossibilité de son exercice, faite de l'impossibilité d'identifier société et Etat : le 9 Thermidor, comme l'a bien vu Marx, est la revanche de la société[22].

Dans la chronologie révolutionnaire de Cochin, il y a eu ainsi une première période d'incubation, entre 1750 et 1788, pendant laquelle s'est élaborée et répandue cette « opinion sociale », au niveau des intellectuels et à l'intérieur des sociétés et des loges, sans rapport avec l'exercice du pouvoir sur les hommes et sur les choses. A partir de 1788, la Révolution constitue au contraire la période où se fait la rencontre entre ce consensus des intellectuels et la réalité du pouvoir par l'intermédiaire des sociétés révolutionnaires, qui reproduisent et élargissent les mécanismes des sociétés philosophiques. En 1793, et pour quelques mois, culmination du processus : le jacobinisme, sous la fiction du « Peuple », se substitue à la fois à la société civile et à l'Etat. A travers la volonté générale, le peuple-roi coïncide désormais mythique-

21. *Les Sociétés de Pensée et la Démocratie, op. cit.*, p. 148-149.
22. K. Marx, *La Sainte Famille, op. cit.*, p. 148-149.

ment avec le pouvoir ; cette croyance est la matrice du totalitarisme.

A cet égard, Cochin repose en termes nouveaux une thèse classique de la pensée conservatrice sur les origines de la Révolution (thèse qu'il étend d'ailleurs au processus lui-même), à savoir que les intellectuels du XVIIIe siècle ont préparé, provoqué la Révolution. Il ne dit pas simplement que les idées des philosophes, en pénétrant dans la nation tout entière, ont amené 1789 ou 1793 ; il sait que tout le problème, précisément, est dans cette pénétration, ou cette prise de pouvoir social. Il ne reprend pas non plus la thèse déjà infiniment plus subtile de Tocqueville (que, curieusement, il ne discute jamais)[23], selon laquelle le rôle joué par les intellectuels dans la société française du XVIIIe siècle est un rôle *par défaut* : à la recherche de mandataires inexistants, le corps social ne suivrait les intellectuels que faute de délégués indépendants et spécialisés. Son désaccord avec Tocqueville tient à ce qu'il pense que l'ancienne société avait encore ses mandataires naturels dans les corps constitués — des corporations aux ordres —, surestimant d'ailleurs le prestige de ces interprètes traditionnels de l'opinion, dont Tocqueville souligne au contraire la décadence. Mais son originalité profonde par rapport à Tocqueville, c'est d'analyser le mécanisme de production de la nouvelle légitimité politique par les sociétés de pensée : les philosophes ne l'inventent pas « par défaut », mais par conformité à leur pratique sociale. Ils ne sont pas les substituts des hommes politiques, ils sont la politique démocratique elle-même, dans sa forme abstraitement pure.

Tocqueville et Cochin se séparent dans la mesure où

23. Une seule allusion à Tocqueville et sur un point mineur dans l'œuvre de Cochin, in *La Révolution et la libre pensée, op. cit.*, p. 131.

le premier, malgré son peu de goût naturel (ou familial, ce qui revient au même) pour la démocratie, l'accepte comme une évolution inévitable, qu'il faut rendre compatible avec la liberté, alors que le second, plus traditionaliste, plus « réactionnaire » si l'on veut, en fait la création artificielle d'un milieu qui devient progressivement, par le jeu des lois internes qui le régissent, fondateur d'une machine et d'une tradition politique. Il y a chez les deux auteurs, dans leur concept de la démocratie, à la fois l'individualisme et l'égalité. Mais Tocqueville s'intéresse surtout à la démocratie comme à un état de société, produit d'une longue évolution historique dominée par le développement de l'Etat absolutiste et de la centralisation administrative. La Révolution, couronnement de cette évolution, l'accélère à son tour en détruisant la noblesse et en créant l'Etat administratif moderne.

Cochin, lui, ne traite jamais des causes, ou plutôt des origines de l'explosion des idées égalitaires qu'il constate dans la France du milieu du XVIIIe siècle ; son problème n'est pas de situer le rôle de la Révolution française dans l'évolution à long terme de la société française, mais d'en comprendre la formidable dynamique politique entre 1788 et 1794. D'expliquer la rupture, et non la continuité, l'événement et non son bilan. C'est pourquoi il privilégie le niveau où se situe par excellence la cassure du temps national : celui du politique et de l'idéologique. La Révolution est le passage d'une royauté « traditionnelle » (au sens quasi webérien du terme) à la dictature des comités jacobins. Et ce qui intéresse Cochin, c'est le mécanisme de cette rupture, les origines et la prolifération de cette forme politique nouvelle dans l'espace de quelques dizaines d'années, puis de quelques années. La « démocratie » est le nouveau système de légitimation du pouvoir. Toute l'œuvre de Cochin tient finalement dans ces deux tentatives étrangement modernes chez un homme si attaché à la tradition : une sociologie de la production et du rôle de l'idéologie démocratique ; et une sociologie de la manipulation politique et des appareils.

Il n'y a donc rien d'étonnant à ce que son œuvre proprement historique — ou plutôt ce qu'il en a laissé, par rapport à ce qu'il avait l'intention de faire — ait pour double foyer 1789 et 1793 : le moment où se livre la grande bataille politique des sociétés de pensée, autour de la convocation des Etats généraux, et celui de la dictature jacobine, avatar final de la démocratie pure. C'est surtout pour la période de 1788-1789 que l'apport proprement historique de Cochin est important, puisque son grand travail sur les *Actes du gouvernement révolutionnaire* a été interrompu par la mort, et qu'il avait au contraire terminé, avant la guerre de 1914, deux études approfondies des élections de 1789, en Bourgogne, puis en Bretagne.

Ces élections inaugurent un théâtre où s'affrontent non pas deux camps, mais deux principes. Les libertés à la française et la liberté à l'anglaise. La consultation traditionnelle des « états » ou le vote démocratique des électeurs. Les corps de l'ancienne société ou la discipline nouvelle des partis. La domination des notables ou celle des politiciens.

Or, Necker ne choisit pas entre les deux principes. Le texte clé du 24 janvier 1789, qui fixe les règles du jeu électoral, et dont il est l'inspirateur, sinon le rédacteur, les mêle sans en percevoir la logique contradictoire. Il organise de ce fait l'incohérence. Il prévoit d'un côté un corps d'électeurs « à l'anglaise », constitué sur le principe un homme-une voix, votant et déléguant presque uniformément, émancipé ainsi de son encadrement social quotidien. Bref, une consultation électorale démocratique, dont les procédures s'étendent à l'ordre de la noblesse, pourtant isolé, avec le clergé, du reste de la nation. Contradiction meurtrière, et cependant mineure, par rapport à celle qui désagrège l'ensemble du règlement : car Necker traite cette collectivité inédite d'électeurs comme s'il s'agissait des corps et des notables traditionnels de l'ancienne société, interlocuteurs séculaires du pouvoir royal. Il n'imagine pas que la nouvelle souveraineté déléguée par des millions d'électeurs obéit à d'autres règles que l'ancienne consultation directe et limitée des corps. Rien n'est donc fait pour organiser le conflit des hommes et des idées, inséparable du suffrage universel : il n'y aura ni pluralité, ni publicité, ni compétition des candidats et des programmes. Ces assemblées tout à fait nouvelles, réunies comme pour dégager une volonté, selon la règle majoritaire, sont censées fonctionner comme si elles devaient exprimer les vœux unanimes des vieilles communautés d'habitants et de métiers. Elles votent, donc doivent diviser leurs voix ; mais en même temps elles rédigent un cahier, donc doivent les réunir. Elles choisissent des députés, mais il n'y a pas de candidats. Elles sont déjà des électorats, mais elles sont supposées voter d'une seule voix.

Le texte du 24 janvier est tout entier marqué de cette ambiguïté : les procédures de convocation et les règles électorales cassent suffisamment la société des corps pour que soit dérisoire, et insupportable, ce qui en est maintenu. Mais ce n'est pas à cet aspect-là — qu'on pourrait appeler l'« effet Tocqueville » — qu'Augustin Cochin s'intéresse. Ce qu'il voit avant tout dans l'incohérence du règlement royal, c'est la porte ouverte à la manipulation des assemblées par les groupes anonymes. Puisque les règles de la compétition des hommes et des idées ne sont pas fixées, et que cette compétition elle-même est à la fois implicite et niée, le règlement met

« les électeurs non dans la liberté, mais dans le vide[24] ».
Or, ce vide a été rempli, les cahiers rédigés, les députés
élus, sans trouble majeur, en l'espace d'un mois : « C'est
qu'à côté du peuple réel, qui ne pouvait répondre, il y en
avait un autre qui parla et députa pour lui — le peuple
peu nombreux sans doute, mais bien uni et partout
répandu des sociétés philosophiques[25]. »

En effet, si les regroupements électoraux cassent les
circuits traditionnels des communautés, et si aucun débat public et contradictoire n'y fait circuler l'informa-
tion, seules les sociétés de pensée offrent aux électeurs
des idées et un encadrement qui leur tienne lieu de
ciment. Les deux choses sont étroitement liées : car
l'idéologie doit constituer le principe de la sélection des
« purs », c'est-à-dire des membres de la société de pensée ou du groupe manipulateur. Elle fonctionne en effet
comme un substitut à une expérience collective et à une
compétition publique inexistantes, coagulant les assemblées autour de valeurs qui n'intègrent que par ce
qu'elles excluent. Pour assurer l'élection des « bons », il
s'agit de détecter les « méchants » à la lumière des principes : c'est pourquoi les luttes pour le pouvoir, dès
l'origine de la Révolution, sont caractérisées par l'exclusion idéologique. La noblesse en est la première victime,
dès septembre 1788 ; et avec elle, tout ce qui, dans le
Tiers, touche de près ou de loin à elle : les anoblis, les
fermiers des droits seigneuriaux, tous les agents de ce
qui est en train de devenir l'Ancien Régime. Car l'exclusion, en vertu de son principe même, procède par classes anonymes et abstraites d'individus.

Ainsi, faute que la « nation » parle, il faut que quel-
qu'un parle pour elle : les corps et communautés de

24. *Les Sociétés de Pensée et la Démocratie, op. cit.*, p. 217.
25. *Op. cit.*, p. 217.

l'ancienne société sont hors du jeu, et d'ailleurs inadaptés au langage nouveau et à ce type de représentation imaginaire du Social. Adapté, c'est le parti patriote qui l'est au contraire : moins le parti tout entier que les petits groupes urbains qui en forment l'ossature, et qui, par un mécanisme d'exclusion et d'épuration inséparable de la « démocratie pure », accaparent bientôt la représentation du corps social. Le but est de constituer le vieux royaume sur le modèle du parti : mythologiquement *un*, sous le magistère idéologique et politique des comités. 1793 est déjà dans 1789.

Ainsi, en Bourgogne : tout se joue, à l'automne 88, autour d'un petit groupe de Dijonnais, qui élabore la plate-forme patriote, doublement du Tiers, vote par tête, exclusion des anoblis ou des agents des seigneurs des assemblées du Tiers. Puis, c'est l'investissement organisé des corps constitués : d'abord l'ordre des avocats, où les compères sont les plus nombreux, puis toute la petite robe, les médecins, les corporations, enfin, l'hôtel de ville, par l'intermédiaire de l'un des échevins, et sous la pression des « citoyens zélés » : le texte est devenu le vœu librement émis du Tiers de la ville de Dijon. De là il gagne, sous l'autorité usurpée du corps de ville dijonnais, les autres villes de la province, où se joue le même scénario de débordement des échevins par les avocats et les robins. L'intendant Amelot, protégé de Necker, adversaire du parlement, suit avec bienveillance le déroulement des événements.

La résistance vient, au début de décembre, non pas de la noblesse en tant que telle, non pas des instances représentatives disponibles (alors qu'il existe une Commission permanente des états de Bourgogne), mais d'un groupe de dix-neuf nobles, qui deviendront une cinquantaine : groupe antagoniste du premier, refusant le doublement du Tiers et le vote par tête, mais calquant pourtant ses procédés sur ceux de son rival. C'est que, recruté principalement dans la robe (et soutenu par le parlement), il rassemble la faction noble du parti philosophe et parlementaire ; il connaît donc, et pratique, les techniques de manipulation des avocats, pour avoir eu longtemps partie liée avec eux. Mais incapable de suivre les surenchères égalitaires, il constitue vite — dès la fin de décembre — la matière d'une première scission du parti philosophique, au profit des avocats et du Tiers[26].

L'intérêt de cette analyse est double. Il est d'abord de mettre en évidence, dans cette France de fin de siècle, la dépossession des institutions au bénéfice des nouveaux réseaux de pouvoir que la société civile a tissés à l'écart de l'Etat. Cette dépossession est antérieure au règlement du 24 janvier, qui l'entérine plus qu'il ne la provoque (et l'accélère, il est vrai, de ce fait). Elle traduit bien une révolution intervenue avant la Révolution, un déplacement des circuits et des moyens du pouvoir au niveau et au profit de l'initiative sociale, et au nom de principes nouveaux. Mais c'est la société tout entière qui a constitué pour elle-même ces circuits, ces moyens, ces principes ; il ne s'agit pas, au moins à cette étape de l'évolution, d'instruments de la bourgeoisie, ou de l'aristocratie, ou de n'importe quelle classe sociale. La légitimité, l'idéologie démocratiques sont élaborées d'abord à l'intérieur d'une dialectique société-Etat, où toute la société cultivée, dominante, a sa part. Le parti philosophique a ses nobles, ses aristocrates, ses bourgeois. Et la rupture qui intervient, à l'automne 88, n'est pas une séparation entre partisans de l'Ancien Régime et sectateurs du nouveau, mais une scission entre deux groupes également non représentatifs (au sens de la légitimité

---

26. Je résume ici l'étude consacrée par Cochin et Charpentier à *La campagne électorale de 1789 en Bourgogne, op. cit.*

ancienne), tous deux manipulateurs cachés des corps traditionnels, tous deux soumis d'avance à l'arbitrage de la légitimité démocratique qui est leur commun principe d'existence. C'est la première en date des épurations révolutionnaires, faite, comme celles qui suivront, au nom de l'égalité, contre la noblesse, incarnation de l'inégalité. La démocratie égalitaire des sociétés est devenue le principe d'une politique.

Cochin est plus circonstancié, sinon toujours plus clair, dans l'analyse de la prérévolution bretonne, qui va de la révolte du « Bastion » au relais par les étudiants et les avocats du Tiers. Là encore, le passage décisif est celui de septembre-octobre 1788, un petit peu plus tôt qu'en Bourgogne : c'est le moment où le mouvement révolutionnaire se développe en s'épurant, première illustration d'un mécanisme qui sera à l'œuvre jusqu'en 1794, et qui liquidera successivement toutes les équipes dirigeantes de la Révolution, les monarchiens, le triumvirat, les Feuillants, les Girondins, les dantonistes, les hébertistes. Dans l'été 88, il s'agit de la liquidation du parti nobiliaire-parlementaire, qui a donné le signal de la révolte contre le pouvoir, mais qui est exclu par les patriotes au moment de la discussion sur le vote par ordre ou par tête.

Reprenons sur le cas breton l'analyse que fait Cochin de ce mécanisme épurateur, consubstantiel à la « démocratie pure »[27]. Tout commence, en Bretagne, avec l'essor des « sociétés », dans les années 1760 : la Société d'agriculture, patentée par lettres du roi après avoir été établie par une délibération des états (1757-1762) ; surtout la société patriotique, dont les origines sont moins nettes, mais liées à la bataille des parlements contre le

27. *Les Sociétés de Pensée et la Révolution en Bretagne (1788-1789), op. cit.*

« despotisme ministériel ». Deux choses caractérisent pour Cochin ces organisations. C'est d'abord qu'elles réunissent leurs membres sur la base de la « philosophie », à travers l'adhésion à un certain nombre d'idées, indépendamment de leur pratique sociale réelle, formant ainsi les microcosmes d'une société différente, fondée non sur des intérêts mais sur une communauté idéologique. C'est ensuite qu'elles rayonnent sur l'ensemble de la province par l'intermédiaire de chambres affiliées, fabriquant avec de l'opinion un pouvoir d'influence et de manipulation qui se substitue progressivement au pouvoir et à l'administration tout court. La vieille forme académique de la société savante donne naissance, au moment où elle est revivifiée par un mouvement collectif de l'opinion (mouvement que Cochin se borne à enregistrer), à des embryons de pouvoir démocratique, nés d'une société civile en quête d'expression autonome.

Pouvoir, ou, jusqu'en 1788, contre-pouvoir : ce qui caractérise pour Cochin l'opinion philosophique, c'est qu'elle constitue, au nom de valeurs et de principes destructifs de l'ancienne société, une organisation et une force. Déjà cette force, comme tout pouvoir, ne peut être tout entière publique ; elle peut l'être d'autant moins qu'elle ne s'avoue pas comme telle. C'est pourquoi elle a sa force cachée, ses cercles intérieurs ; elle a surtout ses sociétés secrètes, comme la franc-maçonnerie, expression typique et inévitable d'un pouvoir qui n'assume pas ses contraintes, et dont le rôle est de tisser les solidarités et la discipline d'une hiérarchie à partir d'un recrutement fondé sur l'opinion. Si la maçonnerie est si importante dans le monde historique et conceptuel d'Augustin Cochin, ce n'est pas, comme dans Barruel, parce qu'elle est l'instrument d'un complot contre l'Ancien Régime. C'est parce qu'elle incarne de façon exemplaire la chimie du nouveau pouvoir, transformant du social en politique, et de l'opinion en action : l'origine du jacobinisme.

A partir de la maçonnerie, ce que Cochin appelle l'« esprit de société » s'est substitué à l'esprit de corps dans le vieux royaume. Il a envahi la noblesse, les parlements, les maîtrises, les corporations, toutes les instances de la société. Il y a répandu ses principes abstraits, l'idéologie de la volonté du peuple, en lieu et place des intérêts dont l'esprit de corps avait la charge. Il y a installé la religion du consensus, le culte d'un Social délivré de toute pesanteur, la croyance en un pouvoir qui soit la société elle-même.

Investie de la sorte, l'administration traditionnelle du royaume n'est plus qu'une façade. Elle s'écroule définitivement en 1788, quand tout le corps social se lève contre la réforme des parlements : c'est l'heure de la rencontre entre l'« esprit de société » et les réalités du pouvoir. Tout l'été 88, le « Bastion » mène en Bretagne, uni avec le Tiers, la bataille contre l'intendant du roi. Mais le drapeau est celui des sociétés : les droits du Peuple, la volonté de la Nation. Le personnel est celui des sociétés : derrière les grands corps officiels, troupe assez médiocre, un réseau d'activistes patriotes. Dès l'automne, l'unanimité « démocratique » se casse au premier croisement de l'idéologie et de l'histoire, quand le débat passe aux modalités de convocation des états généraux : la noblesse est exclue du Peuple souverain, les tireurs de ficelle des sociétés isolent et liquident le Bastion.

C'est que, pour passer de la société fictive d'individus abstraits qu'est la société de pensée à la société réelle, l'idéologie doit recomposer le Social par des retranchements et par des exclusions. Elle doit désigner, personnaliser le néfaste. Car s'il existe un hiatus entre les valeurs et les faits, si la société, qui devrait être bonne, comme les individus qui la composent, est mauvaise, c'est que des institutions, des forces sociales s'opposent artificiellement au bien. Il faut donc les définir, les combattre et les exclure. C'est ce qui arrive à la noblesse à l'automne de 88. Symbole de l'inégalité, elle est coupable, en corps, de contradiction avec les principes. Ce qui veut dire que *des* nobles pourront être révolutionnaires, mais que *la* noblesse sera par définition le contraire de la Révolution.

Reste en effet, après avoir baptisé les camps, défini les principes et leur envers social, à trier les hommes ; tâche pratique, dans laquelle les principes ne sont d'aucune utilité, puisqu'on s'y heurte à des antinomies dans les faits ; puisqu'il existe des nobles qui sont patriotes et des artisans qui ne le sont pas, et que, de toute façon, on ne peut pas, d'un coup, renouveler tout l'encadrement humain du royaume. Dès lors la sélection des hommes, qui ne peut être conforme au découpage du champ social par l'idéologie, se fait en secret, par l'intermédiaire de la « machine », les hommes des sociétés.

Il y a donc dans l'analyse que fait Cochin des événements de 88-89, une théorie de l'idéologie et une théorie de la politique. L'idéologie naît à l'intersection d'une philosophie optimiste de l'individu abstrait, corrompu ou empêché par la société, et de l'action à mener dans la réalité pour conduire cet individu à la jouissance de ses droits. Elle investit le champ social, les institutions, les pouvoirs et les classes, de signes favorables ou néfastes, points de repère de l'action militante, qui doit combattre et exclure, pour refaire, dans la société réelle, le consensus philosophique de la société de pensée. Pourtant cette action militante, qui rencontre non plus des idées, mais des intérêts et des passions, ne peut être calquée sur le découpage de l'idéologie ; elle obéit à des lois mécaniques qui sont celles de la politique révolutionnaire : l'écart qui existe entre l'idéologie et les conditions de l'action oblige à la manipulation, au secret, aux minorités agissantes. De l'idéologie à la politique, on passe de la société de pensée à son cercle intérieur : il y a dans tout pouvoir démocratique, *a fortiori* dans tout pouvoir démocratique « pur » (sans délégation), une oligarchie cachée, à la fois contraire à ses principes et indispensable à son fonctionnement.

L'histoire de la Bretagne en 1788, c'est celle d'une très vieille société civile dépossédée par elle-même de ses moyens traditionnels d'expression, et tout entière réorganisée sur le modèle des sociétés de pensée, devenues aussi des sociétés d'action. La noblesse, qui paraît la première sur le théâtre local de la Révolution, pour protester contre la réforme Lamoignon, ne défend les droits des parlements qu'au prix de sa propre désagrégation ; elle croit se battre contre le pouvoir, pour la société traditionnelle, et elle n'est plus déjà qu'une association de propagande et d'opinion, dont les anoblis, les adolescents, les ruraux forment le corps. Ce faisant, le Bastion creuse sa propre tombe : car la logique qui constitue les sociétés de pensée est celle de l'individu abstrait, donc celle de l'idéologie égalitaire. Si bien qu'une fois qu'elle a gagné la bataille de l'été contre le roi, la noblesse se heurte aux conséquences de sa victoire : elle a ouvert la voie non pas à la restauration des parlements, mais à la surenchère démocratique. Sur ce terrain, elle est battue d'avance.

Car, une fois que le débat a été mis au niveau des sociétés de pensée, la « machine » du Tiers Etat ne tarde pas à être maîtresse absolue du jeu ; d'ailleurs, par ressentiment contre la révolte nobiliaire, l'intendant du roi à Rennes la laisse faire. Et le problème du vote par tête offre un terrain idéal à la propagande égalitaire et à l'exclusion de la noblesse : ce sont les sociétés manipulées par les activistes du Tiers, légistes ou étudiants de Rennes, qui deviennent la « Nation ». Bref, la même dynamique qui expliquera 92 et 93 est déjà à l'œuvre en 88 : une idéologie égalitaire implicitement acceptée comme référence commune de la lutte politique, et manipulée comme une permanente surenchère par des groupes sans mandat. Cette dynamique est à l'œuvre, dès l'automne de 88, non seulement contre la noblesse, qui constitue sa première victime, et comme sa cible naturelle, mais *à l'intérieur du Tiers Etat* : « Le progrès des Lumières suivit sa marche fatale, plus vite même qu'on ne l'espérait : il avait brûlé une étape, celle des avocats et des gros négociants, dépassés dès le début de décembre ; plusieurs sans doute se soutiennent et beaucoup reparaîtront en avril, quand les élections officielles, en appelant tous les habitants au vote, et non les seuls patriotes, auront relevé le niveau des choix. Mais pour le moment, le patriotisme règne seul, par ses moyens, selon ses principes, sur un peuple de sa façon, sans entraves du roi ni de la province, servi plus que gêné par le travail complémentaire du Bastion ; et il atteint d'emblée un degré de « pureté » qu'on ne retrouvera plus avant la grande épuration qui suivit le 10 août 1792. Il se recrute déjà dans les mêmes milieux, le petit commerce et la basoche inférieure, marchands, procureurs au présidial et praticiens de campagne, qui composent les six ou sept corps jurés et généraux patriotes de Rennes — la Commune[28]... »

Entre la noblesse devenue société de pensée et le Tiers devenu parti patriote, la bataille se noue fin décembre-début janvier, aux états provinciaux, sur le vote par tête. Le Bastion est balayé par les émeutes de janvier, qui

28. *Op. cit.*, t. I, chap. XII, p. 293.

scellent le triomphe du patriotisme, et la domination des villes et des campagnes par la machine politique du Tiers Etat urbain. Reste l'élection aux états généraux, où le règlement du 24 janvier donne à celle-ci les moyens d'exercer dans les faits une « souveraineté » abstraitement attribuée à la volonté libre du peuple des bailliages : moins, d'ailleurs, sur le contenu des Cahiers, qui reste relativement divers, que sur le choix des députés, où la Commune de Rennes se taille la part du lion (cinq élus sur neuf), où les trois villes du bailliage obtiennent huit députés sur neuf, avec trente-huit électeurs sur huit cent quatre-vingts.

Ainsi, aux yeux de Cochin, l'explosion révolutionnaire ne naît pas de contradictions économiques, ou sociales. Elle a sa source dans une dynamique politique : la manipulation du corps social et la conquête du pouvoir par des groupes anonymes, dépositaires de la nouvelle souveraineté au nom de l'égalité et du « peuple ». Dépositaires abusifs, non pas parce qu'ils s'en sont emparés par la force ou par l'intrigue, à la suite d'une action concertée ou d'un complot, mais parce qu'il est dans la nature de la nouvelle légitimité — la démocratie directe — de produire mécaniquement une cascade d'usurpations, dont l'ensemble constitue le pouvoir révolutionnaire : anonyme, instable, condamné par sa nature idéologique à l'exclusion périodique et à la fuite en avant.

Ce pouvoir, tout le travail d'archiviste de Cochin a consisté à en publier les textes au moment où il atteint son apogée, et où il a détruit toute opposition à son règne, c'est-à-dire pendant la Terreur : il s'agit, après avoir analysé son dynamisme, et comme sa mécanique intérieure, en 1787-1788, d'aller à l'autre bout de sa courte histoire, et de montrer son épanouissement, entre le 23 août 1793, date du décret de la levée en masse, et la chute de Robespierre. C'est la période pendant laquelle le consensus de la société de pensée constitue le modèle politique obligatoire du pays tout entier. Le gouvernement révolutionnaire, par le texte du 23 août, « réalise la fiction sociale d'une volonté collective unique substituée non plus en droit, mais actuellement et en fait à chacune des volontés particulières »[29].

La partie proprement archivistique du travail de Cochin a donc été de rassembler toutes les pièces administratives par lesquelles les directives du Comité de salut public étaient développées, précisées et préparées pour l'exécution : elle fait pénétrer l'historien dans le travail de mise en vigueur des textes et dans les problèmes posés au niveau local par la réglementation généralisée qui était le vœu de Paris. L'ensemble de ces pièces, successivement publiées en trois volumes posthumes, semble avoir été prêt en 1914. Cochin aurait voulu le faire précéder par un « Discours préliminaire » circonstancié, qui contienne son interprétation historique du jacobinisme ; mais il y substitue finalement, pendant la guerre, un court « Avant-propos » qui résume la substance de son argumentation, et qui fut publié en 1920 avec le premier volume. Le Discours préliminaire, renvoyé à des temps meilleurs, devait constituer la postface de la publication. Cochin n'eut pas le temps de lui donner sa forme définitive, mais il y travaille probablement dès avant 1914, et un peu pendant la guerre[30]. Ce sont les manuscrits qui devaient constituer l'ossature de ce Discours préliminaire qui ont été publiés en 1924 sous un titre déjà désuet pour l'époque, et en tout cas un peu trompeur : *La Révolution et la libre pensée*. En réa-

29. *Actes du gouvernement révolutionnaire, op. cit.*, p. 1.

30. Augustin Cochin eut une conduite héroïque pendant la guerre de 14-18. Blessé quatre fois, ce qui explique ces périodes de repos forcé pendant lesquelles il écrivit, il exigea toujours de repartir au plus vite au front, où il fut tué le 8 juillet 1916, à 39 ans.

lité, Cochin cherche à systématiser l'intuition conceptuelle dont il avait déjà dessiné les traits dans son essai de 1907 et qui donne son sens à son travail d'archiviste : « Ce n'est point la psychologie du jacobin qui sera le dernier mot de l'énigme révolutionnaire ; *ce sera la sociologie du phénomène démocratique*[31]. »

La formule vaut qu'on s'y arrête, parce qu'il est exceptionnel que Cochin utilise un vocabulaire aussi moderne, aussi « durkheimien », et par conséquent aussi clair pour le lecteur d'aujourd'hui. Elle forme un contraste si étonnant avec l'héritage du conservatisme catholique, par ailleurs si affirmé et si présent dans le même ouvrage, qu'il faut s'interroger sur cette coexistence. Il le faut d'autant plus que, chez les historiens et les sociologues du XXᵉ siècle, ce que la pensée de Cochin a de banal a beaucoup nui à ce qu'elle a de neuf.

Cochin n'est pas seulement, ni même surtout, comme la droite de cette époque, un monarchiste, un adversaire de la République, donc de la Révolution. Il n'aime pas ce qu'il appelle le « matérialisme » de Maurras, ce primat donné à l'ordre social. Il vient d'une autre famille que celle du rationalisme positiviste. C'est un philosophe catholique, pour qui la forme la plus haute de la connaissance est la connaissance de Dieu, seule intuition qui conduise la pensée humaine au réel, et qui permette l'union des hommes autour d'une finalité commune : tel est, à ses yeux, le ciment du monde médiéval. La société y existe sans avoir besoin de se penser comme telle, parce qu'elle est, à l'exemple de l'Eglise, constituée d'individus séparés mais unis en Dieu.

Au-dessous de cette forme de connaissance et d'union, intellectuellement et chronologiquement se-

31. *La Révolution et la libre pensée, op. cit.*, introduction, p. XXVII.

conde par rapport à elle, existe la pensée scientifique : elle ne vise plus la réalité la plus riche et la plus complexe, Dieu, mais les formes élémentaires du monde matériel, qu'elle décompose en objets conceptuels et qu'elle permet de dominer, par le calcul mathématique qui en traduit les lois. Elle inaugure le monde opérationnel des moyens au détriment des fins, et dans l'ordre social, le règne de la loi sur des individus libres, premier pas vers l'émancipation du « social » en tant que tel. Enfin, dernier stade, caractéristique de la fin du XVIIIe siècle et de la Révolution : la domination du social sur la pensée, du mot sur l'idée, l'époque de la « pensée socialisée », c'est-à-dire de l'idéologie, production inédite des sociétés de pensée.

Dans cette construction abstraite, fondée sur une typologie des types de connaissance, et dont le point de départ est indémontrable comme l'existence de Dieu, ce qu'il y a de plus intéressant me paraît être la liaison que Cochin établit entre l'émancipation du social par rapport à toute justification transcendante et la substitution finale du social au transcendant, comme principe de la pensée. Car c'est cette liaison qui permet de comprendre pourquoi il est à la fois très loin et très proche de Durkheim, très « réactionnaire » et très moderne. Le fils du porte-parole de Rome à la Chambre[32] et le grand professeur du Bloc des gauches s'intéressent au même problème, et regardent la même histoire, le premier comme une catastrophe, le second comme un avènement. Le blasphème durkheimien, qui étend rétrospectivement le social à l'explication du religieux, intéresse Cochin comme l'aboutissement, le retournement final

32. Le père d'Augustin Cochin, Denys Cochin, fut d'abord conseiller municipal, puis, à partir de 1893, député de Paris. Il fut, à ce titre, l'un des parlementaires français les plus proches du Vatican.

d'une métaphysique sans Dieu. Alors que la sociologie est pour Durkheim la science des lois qui gouvernent tous les comportements et toutes les sociétés, celles d'hier comme celles d'aujourd'hui, cette ambition apparaît à Cochin comme la chimère par excellence, l'annexion de l'ontologie par le social.

Mais par un paradoxe sur lequel il ne s'explique pas clairement, le philosophe catholique conserve du sociologue athée l'idée de « science sociale », selon laquelle « en étudiant les faits sociaux, la sociologie rencontre des causes plus profondes que les raisons réfléchies, les intentions formulées, les volontées concertées »[33]. Il semble donc qu'il accepte et même qu'il recommande l'usage de la sociologie s'il s'agit d'étudier ces comportements qu'il considère comme totalement « socialisés », et dont le jacobinisme est le modèle. Ni la pensée religieuse, ni la pensée scientifique ne sont donc justiciables de la critique sociologique, qui ne trouve sa validité que dans le domaine limité, et à ses yeux postérieur, de la production « sociale » de la pensée.

Cet usage sélectif de la sociologie appellerait bien des critiques d'ordre théorique : Cochin utilise Durkheim contre ce qu'il n'aime pas, et préserve de Durkheim ce qu'il aime. Par ailleurs, son idéalisation de la société chrétienne médiévale, fondée sur le rapport de chaque individu à Dieu, préalablement à toute pression sociale, n'a d'intérêt que parce qu'elle montre tout ce qui sépare ce traditionaliste catholique du positivisme maurrassien, indifférent à la foi elle-même, obsédé par l'Eglise et non par Dieu, par l'ordre et non par la vérité, par Louis XIV et non par Saint Louis. Mais ce qui subsiste d'un peu miraculeux, c'est que cette nostalgie bien-pensante, cette philosophie fragile de l'histoire découvrent, proba-

---

33. *La Révolution et la libre pensée, op. cit.*, p. 69.

blement grâce à Durkheim, un des problèmes clés du XVIIIe siècle et de la Révolution, qu'aucun historien n'a posé en ces termes avant lui — et après lui : comment les Français de cette époque ont réinventé le social sous le nom de « peuple » ou de « nation », et comment ils en ont fait le nouveau dieu d'une communauté fictive.

Ce qui est en germe en 1788 : la définition de la volonté du peuple par les sociétés et la manipulation de l'opinion qui s'ensuit, s'épanouit au fur et à mesure que la Révolution s'identifie au pouvoir des sociétés. Au terrorisme du consensus sur les idées succède le terrorisme du pouvoir sur les gens et sur les choses — que Cochin appelle la socialisation des personnes, puis des biens. En 1793-1794, le jacobinisme constitue ainsi l'apogée du gouvernement des sociétés, à la fois par ses instruments, les sections et les comités dirigés en sous-main par les activistes ; par ses moyens, dont l'ensemble constitue la Terreur ; par sa réglementation, qui vise à mettre toute l'activité sociale sous le contrôle de l'idéologie ; par ses ambitions, qui consistent à régner sous le nom du « peuple », donc à annuler tout écart entre société civile et pouvoir : « Serf sous le roi en 1789, libre sous la loi en 1791, le peuple passe maître en 1793 et, gouvernant lui-même, supprime les libertés publiques qui n'étaient que des garanties à son usage contre ceux qui gouvernaient. Si le droit de vote est suspendu, c'est qu'il règne ; le droit de défense, c'est qu'il juge ; la liberté de presse, c'est qu'il écrit ; la liberté d'opinion, c'est qu'il parle : doctrine limpide dont les proclamations et les lois terroristes ne sont qu'un long commentaire[34]. »

La « démocratie » (entendons la démocratie directe) a ainsi frayé son chemin jusqu'au pouvoir lui-même, à

34. *Op. cit.*, p. 241.

travers ses trois visages successifs : d'abord le secret des loges et des sociétés de pensée, à l'abri duquel elle a inventé ses méthodes, ensuite la pression des clubs sur cette grande vacance du pouvoir qu'on appelle la Révolution, enfin le gouvernement officiel des sociétés populaires par la réglementation terroriste sur les personnes et sur les biens. Tout au long de ce procès historique, il importe peu que les noms, les visages, les milieux, et même les pensées intimes des différents leaders soient si divers ; si ceux-ci changent si souvent, s'ils durent à peine davantage que les leaders anonymes des clubs et des sections, c'est que, comme eux, et au même titre, ils sont les figures provisoires de la démocratie révolutionnaire, ses produits, non ses chefs. Pour une fois, Cochin rejoint Michelet, qu'il cite : « J'ai vu que ces parleurs brillants, puissants, qui ont exprimé la pensée des masses, passent à tort pour les seuls acteurs. Ils ont reçu l'impulsion bien plus qu'ils ne l'ont donnée. L'acteur principal est le peuple. Pour le retrouver, celui-ci, le replacer dans son rôle, j'ai dû ramener à leur proportion les ambitieuses marionnettes dont il a tiré les fils et dans lesquelles on croyait voir, on cherchait le jeu secret de l'histoire[35]. »

Reste que le peuple de Cochin n'est pas celui de Michelet. Tous les deux ont vu que le seul héros de la Révolution, c'est la Révolution elle-même. Mais là où Michelet chante une force immense, ingouvernable, impensée mais bénie, Cochin analyse un mécanisme. La distance vient sans doute de sa tradition politique : mais dans son cas, qui n'est pas le cas général, cet éloignement lui donne l'avantage intellectuel du concept sur l'émotion.

35. J. Michelet, *Histoire de la Révolution française*, t. I. Préface de 1847. Cité par Cochin, in *Les Sociétés de Pensée et la Démocratie, op. cit.*, p. 49.

Car cette œuvre inachevée est en même temps une œuvre parfaitement close sur elle-même : il y manque bien, sur 93, l'équivalent de ce que Cochin avait fait sur 88, c'est-à-dire l'analyse minutieuse des documents d'archives, qu'il n'a eu le temps que de préparer pour publication. Mais le dessin conceptuel est si net, le sujet si clairement délimité, qu'ils constituent, ou devraient constituer, ce qu'on appelle une œuvre, c'est-à-dire une question bien posée.

Cette question, c'est la nature du phénomène révolutionnaire. Cochin s'intéresse au même problème que Michelet, et que la plupart des historiens de la Révolution. Il ne cherche pas, comme Tocqueville, à faire le bilan de la Révolution dans l'histoire de France, à mesurer ses origines et ses effets. Ce qui l'intéresse, comme Michelet, c'est la rupture ; c'est ce qui est arrivé entre 1788 et 1794. Mais il a l'immense avantage sur Michelet et tous les historiens « événementiels » de la Révolution[36] de dire ce qui l'intéresse et de quoi il parle. Il ne mêle pas par exemple une *analyse* des origines avec un *récit* du développement, comme si le second était contenu dans la première. Il dit explicitement qu'il ne traite pas du problème des causes de la Révolution — qui peuvent « expliquer » 89, non 92 ou 93 —, mais de la dynamique révolutionnaire elle-même. Bref, il traite d'un sujet par excellence « événementiel » en termes d'histoire strictement conceptuelle : ce qui fascine Aulard ou Mathiez, il veut le comprendre à la lumière de Durkheim. Il n'est pas étonnant qu'il n'ait pas été bien reçu, ni même bien compris dans la corporation : les historiens de la Révolu-

36. Faut-il m'excuser de cet amalgame ? Je mets ici entre parenthèses le génie littéraire et psychologique de Michelet, pour n'en retenir que ce qu'il a en commun avec la tradition narrative de l'historiographie révolutionnaire.

tion n'aiment pas qu'on leur enterre l'épopée des volontés dont ils sont dépositaires, et les héros qu'ils ont choisi d'aimer ou de haïr. Quant aux historiens tout court, ils n'ont pas l'habitude, dans notre pays au moins, de pratiquer une histoire politique qui ne soit pas narrative, ou de lier court terme et concept.

Cochin est un esprit à la fois profond et borné. Toute sa vie scientifique, sa recherche tout entière tourne autour d'une seule idée, qu'il semble avoir eue très jeune, peu après sa sortie de l'Ecole des chartes. Ses dépouillements d'archives, qui sont considérables — et témoignent d'une volonté, assez rare à l'époque, de connaître la réalité provinciale et locale de la Révolution —, sont fonction de son intuition centrale. Il est à la fois très proche de Tocqueville, et très éloigné de lui : il partage avec l'aristocrate libéral non seulement cet étonnement un peu horrifié devant le jacobinisme, qui constitue le point de départ existentiel de leurs travaux, mais le goût de ce que j'appelle l'histoire conceptuelle, indépendante du récit des intentions des acteurs ; et ce trait seul suffirait à les mettre à part, dans l'historiographie révolutionnaire du XIXᵉ et du XXᵉ siècle. Mais Tocqueville cherche les secrets de la continuité, et Cochin ceux de la rupture. C'est pourquoi ces deux esprits ne se croisent jamais ; ils s'ignorent. Leurs hypothèses ne sont pas incompatibles ; elles tentent d'expliquer des problèmes qui sont complètement différents, et qui ont le mérite, dans les deux cas, d'être explicitement posés.

Il est vrai que Tocqueville, quand il cherche à comprendre les causes immédiates de la Révolution, est amené à faire passer au premier plan le rôle des idées révolutionnaires et des intellectuels qui en sont les créateurs ou les vulgarisateurs. Ce rôle s'explique à ses yeux par le développement d'un *état d'esprit démocratique*, produit naturellement par une société de plus en plus égalitaire[37], mais d'autant plus fort que ce sentiment se heurte à l'existence résiduelle des institutions aristocratiques. Si on relit par exemple, dans le tome II de *L'Ancien Régime*, les chapitres non terminés, mais en grande partie rédigés, qui sont consacrés à la révolte des parlements contre le roi, à la capitulation royale, enfin à ce que Tocqueville appelle la « guerre des classes » où disparaît déjà la noblesse, on ne peut qu'être frappé de l'importance qu'il attache à l'esprit public, aux idées et aux passions de cette époque. Il écrit par exemple, à propos d'un ensemble de textes émanés d'associations diverses, de corps et de communautés : « L'idée même de gouvernement tempéré et pondéré, c'est-à-dire de ce gouvernement où les différentes classes qui forment la société, les différents intérêts qui la divisent y font contrepoids, où les hommes pèsent non seulement comme unités, mais à raison de leurs biens, de leur patronage, de leurs intérêts, dans le bien général... toutes ces idées sont absentes de l'esprit des plus modérés (en partie, je crois, de celui même des privilégiés) et sont remplacées par l'idée d'une foule composée d'éléments semblables et représentée par des députés qui sont les représentants du *nombre* et non d'intérêts ni de personnes. » Et d'ajouter à sa dernière phrase une note, pour lui-même : « Pénétrer dans cette idée et montrer que la Révolution a été là plus encore que dans les faits ; qu'il était comme impossible que, les idées étant telles, les faits ne fussent pas à peu près ce qu'on a vu[38]. »

37. C'est au début du deuxième volume de *La Démocratie en Amérique* (dernière partie : « Influence de la démocratie sur le mouvement intellectuel aux Etats-Unis ») que Tocqueville explique avec le plus de profondeur cette relation.

38. A. de Tocqueville, *L'Ancien Régime et la Révolution*, t. II, p. 117, n. 1.

Tocqueville, un demi-siècle avant Cochin, cherche donc à comprendre aussi ce qu'il appelle ailleurs « l'énergie d'expansion » des idées révolutionnaires. Ce qui le distingue ici de Cochin, c'est qu'il n'avance jamais la distinction entre idées et idéologie, et qu'il ne s'intéresse pas non plus à la production collective de la nouvelle foi révolutionnaire. Il voit bien qu'il existe dès 89 ce qu'on pourrait appeler un jacobinisme tendanciel, et irrésistible, mais l'attribue à l'influence du *Contrat social*[39], ce qui est à la fois une erreur et un contresens : la plupart des hommes de 89 n'ont pas lu Rousseau, et Sieyès, par exemple, n'est pas plus rousseauiste que Mirabeau ou Rœderer. Il y a donc à l'œuvre une autre force que celle des livres ou des idées, sur laquelle Tocqueville s'est interrogé sans jamais parvenir à la définir[40]. Il la pense généralement, dans les notes qu'il a laissées sur le jacobinisme, par analogie avec la religion, tout en exprimant son étonnement un peu horrifié devant cette analogie : « Un parti qui attaquait ouvertement toute idée de religion et de Dieu et qui, dans cette doctrine énervante, trouvait l'ardeur de prosélytisme et même de martyr, que la Religion jusque-là paraissait seule pouvoir donner !... Spectacle inconcevable au moins autant qu'effrayant, capa-

---

39. *Op. cit.*, t. II, p. 121, n. 3, sur « *le radicalisme des modérés* ». Cf. notamment « Les idées de Rousseau sont un flot qui a submergé pour un moment toute une position de l'esprit humain et de la science humaine. »

40. *Op. cit.*, t. II, p. 226, en marge d'un commentaire sur les Mémoires de Mallet du Pan : « Insurrection contre l'ancien monde, l'ancienne société, les mêmes buts faisant naître les mêmes passions et les mêmes idées partout. Comme toutes les passions de liberté s'insurgent en même temps contre le joug commun du catholicisme. A quoi cela tient-il ? Qu'y a-t-il de véritablement nouveau dans l'événement ? D'où lui vient cette énergie d'expansion ? A rechercher et analyser jusqu'au fond. »

ble de jeter hors de soi les plus fermes intelligences[41]. »

Il est vrai qu'il ajoute immédiatement après cette note capitale, qui résume toute l'ambiguïté de sa pensée à propos de la Révolution : « N'oublier jamais le caractère philosophique de la Révolution française, caractère *principal*, quoique transitoire. » Ainsi, le rôle de la philosophie, à ses yeux, est-il à la fois essentiel, puisqu'il exprime l'événement que les acteurs ont vécu ; mais provisoire, puisqu'en même temps il en masque la signification réelle, qui est la consécration de l'Etat centralisé et de l'individualisme démocratique. A la différence de celle de Cochin, la conceptualisation centrale de Tocqueville cherche à expliquer une évolution de plusieurs siècles.

Le problème de Cochin, ce ne sont pas les causes qui ont rendu la Révolution possible ; c'est la naissance, avec la Révolution, d'une nouvelle légitimité culturelle, l'égalité, accompagnée par le développement d'une nouvelle règle du jeu politique, la « démocratie pure » — que nous appellerions la démocratie directe. En réalité, Cochin ne s'intéresse pas à l'époque qui a précédé, qu'il étudie fort peu. De l'ancienne monarchie, de l'ancienne société politique, de l'ancienne légitimité, il se forme une vision idéalisée, et constamment superficielle : il n'analyse jamais par exemple comment la monarchie a progressivement détruit la société des corps, et le rôle qu'elle a joué dans les progrès de l'égalité civile ou de l'idéologie égalitaire. Il donne ainsi l'impression inexacte que le débat de 1788-1789 se situe entre l'ancienne société politique des corps et la manipulation de la démocratie pure par les sociétés de pensée : alors que, dès cette époque, l'ancienne légitimité est morte dans les esprits, et que la nouvelle, la démocratie, n'a pas encore

41. *Op. cit.*, t. II, p. 239.

renoncé à être représentative. Il est vrai que la procédure électorale imaginée par Necker, en janvier 1789, favorise, par ce qu'elle conserve de l'ancien système de délégation, et faute d'organiser une vraie compétition politique, la manipulation de l'opinion. Sur ce point, la démonstration de Cochin est de première force. Mais elle n'entraîne pas nécessairement que la Révolution soit déjà tout entière entre les mains des loges ou des clubs, au nom de la démocratie directe.

Autre problème, plus fondamental, et qui traduit chez Cochin le même manque de recul historique, la volonté de centrer son analyse sur le court terme, sur la dynamique révolutionnaire plus que sur l'histoire de sa formation : cette idéologie de la démocratie directe, d'où vient-elle ? On ne sait jamais bien, à lire notre auteur, s'il y voit un simple produit des sociétés de pensée, ou quelque chose qui leur est préalable, comme la pensée philosophique du siècle, et comment s'articulent dès lors les deux histoires. En effet, cette idéologie ne peut sortir du simple jeu mécanique d'associations intellectuelles fondées sur l'égalité abstraite de leurs membres : la Compagnie du Saint-Sacrement était au XVIIe siècle une société de pensée, tout aussi secrète que les loges du siècle suivant, et elle n'a pas vécu sur le même fonds d'idées. La cristallisation idéologique qui a lieu au XVIIIe siècle, dans les sociétés de pensée et autour d'elles, suppose deux préalables, que Cochin n'analyse jamais, ou presque[42] : la constitution des idées mères par la philosophie politique et les grandes œuvres individuel-

42. Il consacre un article intéressant au *Contrat social* qu'il a bien lu. (Cf. *Les Sociétés de Pensée et la Démocratie*, op. cit., p. 27-33.) Par contre, sa conférence de 1912 sur « les philosophes », c'est-à-dire sur la pensée du XVIIIe siècle, me paraît banale et superficielle. (Cette conférence, faite aux « Conférences Chateaubriand », se trouve in *Les Sociétés de Pensée et la Démocratie*, op. cit., p. 3-23.)

les, et la disponibilité d'un corps social qui a perdu ses principes traditionnels. C'est au croisement de ces deux évolutions que les sociétés de pensée substituent l'idéologie égalitaire et la démocratie directe à la religion, au roi et aux hiérarchies traditionnelles. Mais le passage des idées à l'idéologie est une longue histoire, dont Cochin n'aborde que la fin, et lorsqu'il la suppose acquise, vers 1750.

De ce point de vue, l'idée mère est celle de la souveraineté du peuple, elle-même dérivée de la notion d'un pacte social fondateur, et qui a trouvé dans Rousseau sa définition la plus systématique[43]. La philosophie politique de Rousseau, qui fait de la souveraineté du peuple un droit inaliénable (à la différence des théoriciens du droit naturel), exclut l'idée de représentation : la délégation de souveraineté à des représentants relève de la même impossibilité, pour un peuple libre, que la délégation de souveraineté à un monarque. On sait que Rousseau avait dans l'esprit, concrètement, l'exemple du Parlement oligarchique anglais et de la Diète nobiliaire polonaise. Mais sa pensée politique reste beaucoup trop complexe, et le *Contrat social* un livre beaucoup trop abstrait pour avoir été véritablement compris par la plupart des contemporains ; d'ailleurs, il ne semble pas que le livre ait eu un immense écho, à l'époque ; c'est la Révolution qui lui donnera, après coup, son rayonnement intellectuel. Si bien que la démocratie directe, qui est effectivement la pratique au moins tendancielle des sociétés de pensée — chacune d'entre elles drapant plus ou moins ses résolutions, d'abord dans l'intérêt, puis dans la volonté du peuple — résulte plus d'une sorte

43. La meilleure histoire de l'élaboration de ce concept, de Pufendorf à Rousseau, reste l'ouvrage de R. Dérathé, *J.-J. Rousseau et la science politique de son temps*, Paris, 1950 (rééd. 1970).

d'usurpation mécanique du pouvoir que de l'élaboration d'une idée. Dans la France de Louis XVI, la société civile est devenue infiniment plus forte que l'Etat, mais elle n'a pas de mandataires pour l'investir et la transformer en son nom. Des corps traditionnels du royaume, la noblesse, les parlements en ont caressé le rêve, mais la première n'a jamais pu devenir une classe dirigeante à l'anglaise, et les seconds n'ont jamais songé sérieusement à se donner les moyens politiques et les outils intellectuels de leurs ambitions épisodiques. A cette société politique en miettes, les sociétés de pensée redonnent un visage imaginaire et unifié, à travers la volonté du peuple.

Il reste que cette légitimité substituée, si elle comporte pratiquement, tant que dure l'ancien régime, et par la force des choses, l'exercice de la démocratie directe, ne l'implique pas nécessairement. Les analyses de Cochin présupposent que la « démocratie pure » constitue, dès l'origine, et tout au long de la Révolution, la seule légitimité politique. Mais c'est oublier que la Révolution dans sa première phase, et après Thermidor 94, élabore au contraire la doctrine du régime représentatif, dont Sieyès est le penseur le plus systématique, au point d'étendre la délégation de pouvoir par le peuple à tous les officiers publics[44]. De sorte que ce qui est à expliquer, c'est comment et pourquoi la première de ces conceptions prend le pas sur la seconde, au point qu'elle constitue — ce que Cochin voit très bien — le fond même de la conscience révolutionnaire, le credo sans-culotte de 93. Les événements qui se bousculent entre 88 et 94 peuvent en effet être analysés sous cet angle, comme

44. Cf. Sieyès. Le meilleur commentaire est celui de P. Bastid, *Sieyès et sa pensée*, Paris, 1939 (réed. 1970). Cf. notamment la 2e partie, chap. VI, p. 369-390.

l'investissement de la nation par les militants et les idéologues de la démocratie directe, l'émeute jouant le rôle d'élément « correctif » d'un régime représentatif de plus en plus fragile. Mais s'il est vrai que la dynamique révolutionnaire est bien celle qu'indique Cochin, animée par les clubs et les sociétés populaires au nom d'un « peuple » fictif, les leaders successifs de la Révolution ne cessent d'en être à la fois les produits et les adversaires. Ce n'est pas seulement parce que la logique de ces sociétés est faite de surenchère idéologique et de scission ; c'est aussi que ces leaders, loin d'être ces marionnettes anonymes suggérées par l'analyse mécanique de Cochin, incarnent la démocratie représentative : de ce point de vue, la crise du 31 mai-2 juin 93 est une date-charnière dans le triomphe de la « démocratie pure ». Mais même après l'expulsion des députés girondins *manu militari*, la dictature montagnarde ne tient pas tout entière dans celle des sociétés : elle a l'œil sur sa majorité parlementaire à la Convention. Robespierre, après l'exécution des hébertistes, entre avril et juillet 94, n'est plus l'homme des sociétés, et l'Etre suprême n'est pas la fête des sociétés, c'est une tentative de monopoliser l'idéologie au profit de l'Incorruptible. Il est vrai que celui-ci ne survivra pas longtemps au mouvement populaire qu'il a contribué à « glacer », selon le mot de Saint-Just ; et en ce sens, l'analyse de Cochin retrouve toute sa force. Mais elle simplifie à l'excès le tissu politique de la Révolution française en ignorant l'ensemble des résistances, des négociations et des concessions forcées qui accompagnent, à toutes les étapes, la poussée des sociétés populaires. A cet égard, le terme de « machine » suggère une sorte de perfection mécanique d'organisation qui est largement fantasmatique.

En réalité, l'analyse de l'idéologie de la Révolution

française devrait distinguer deux conceptions de la souveraineté du peuple, que Cochin mêle. Il est vrai que tous les révolutionnaires français, depuis 1789, y voient la source de la nouvelle légitimité politique : aussi bien Sieyès, Mirabeau, que Robespierre ou Marat. La nation, constituée par le peuple souverain, est censée agir comme une personne. Indépendamment du *fait* que la destruction de l'ancienne société offre à l'Etat un champ d'action beaucoup plus vaste, et à son autorité des résistances moindres, cette conception entraîne, sinon appelle *en droit* un pouvoir central fort, supposé indistinct du « peuple » ; il est d'ailleurs significatif qu'elle soit inconnue dans le droit public anglo-saxon, plus proche de Locke que de Rousseau[45]. Mais comment s'exprime la volonté du peuple ? Si on admet, avec Sieyès, qu'elle peut être *représentée*, on ouvre la voie à la définition de cette représentation et aux procédures qui la font naître : c'est le système inauguré dans notre histoire par l'Assemblée constituante, qui a étendu même au roi héréditaire, par une fiction juridique, la bénédiction de la nouvelle souveraineté. A l'intérieur de cette conception, la sphère du pouvoir, multiple et décentralisée, est distincte de la société civile, et n'a donc pas sur elle, et notamment sur les droits individuels, d'autorité transcendante.

Si au contraire on pense avec Rousseau que la souveraineté du peuple est inaliénable, et ne peut être *représentée*, parce qu'il s'agit de la liberté, droit naturel imprescriptible, antérieur au pacte social, on condamne du même coup non seulement la monarchie, mais tout système représentatif. La loi, faite par le peuple assemblé, expression de la volonté générale, a par définition

---

45. Cf. B. de Jouvenel, *Les débuts de l'Etat moderne*, Paris, 1976, chap. X, p. 157.

une autorité absolue sur le peuple, puisqu'elle exprime très exactement sa liberté. Rousseau, comme toujours, a une pensée systématique et intransigeante ; il exprime avec une profondeur métaphysique les apories logiques de la démocratie : société et pouvoir y doivent être transparents l'un par rapport à l'autre. De cette démonstration un peu désespérée, côté façade, l'idéologie de la « démocratie pure » constitue l'envers, côté cour : un système fictif de transparence constitué au prix d'une succession d'équations imaginaires, par lesquelles le peuple est identifié à l'opinion des clubs, les clubs à l'opinion de leurs meneurs, et les meneurs à la République.

En ce sens, Cochin n'a pas tort de voir dans ce mécanisme, à la fois pratique et idéologique, le cœur même de la Révolution française. Et sa chronologie de l'événement est tout à fait cohérente avec l'aspect sous lequel il l'examine : 1788-1794. Car après le 9 Thermidor, et même à partir de l'exécution des hébertistes, en avril 94, le mécanisme qu'il analyse cesse de jouer un rôle moteur dans les événements : la société prend sa revanche sur les sociétés. Il y a d'ailleurs dans ce constat une bizarre parenté entre l'analyse de Cochin et celle du jeune Marx, dans *La Sainte Famille*[46] : Marx aussi développe l'idée que la Révolution a progressivement inventé une société fictive, dont la Terreur constitue à la fois l'apogée et la rançon ; il explique que la chute de Robespierre constitue la revanche ou la réapparition, de la société réelle (Marx dit « société civile »). A quoi font écho ces lignes de Cochin : « La société réelle n'est pas la contre-révolution, mais le terrain où la révolution perdra, l'autorité, les hiérarchies gagneront, quand tout serait révolutionnaire, hommes et lois, comme dans la

46. K. Marx, *La Sainte Famille*, op. cit., chap. VI, p. 144-150.

France de Thermidor an II, sitôt brisé le joug social des Jacobins[47]. »

En un autre sens, il est aussi normal que Cochin retrouve, de la Révolution, la chronologie la plus familière à l'historiographie de gauche, puisque le problème qu'il cherche à élucider est le sujet qui a les sympathies politiques de la gauche : le jacobinisme, les clubs, les sociétés populaires. Pour Cochin, comme pour l'historiographie jacobine, la Révolution est *une*, de 1788 à 1794, et ce qui s'épanouit sous la Terreur est déjà en place avant que se réunissent les états généraux. Cette définition est à la fois vraie et fausse, selon l'aspect de la Révolution qu'on étudie ou qu'on privilégie ; mais Cochin a l'avantage, sur l'historiographie jacobine, d'en donner une justification claire, tirée de la nature de sa conceptualisation. Si la Révolution tient dans le phénomène qu'il analyse, alors elle commence avant 1789, et elle se termine avec Robespierre. Sans vouloir faire revivre le « quatre-vingt-neuvisme » des libéraux du XIXe siècle, je ne suis pas sûr que cette chronologie fasse justice à la tentative de démocratie représentative de 1790, et ne donne pas une part trop grande à une rétrospective « nécessité » historique ; mais elle a une grande cohérence : ce sont bien les années où s'élabore, puis règne la « démocratie pure ».

Aussi, la Révolution n'est pas pour Cochin, essentiellement, une bataille sociale, ou un transfert de propriété. Elle inaugure un *type de socialisation*, fondé sur la communion idéologique, et manipulé par des appareils. Le modèle abstrait en est constitué par les sociétés de pensée qui prospèrent à la fin de l'Ancien Régime, et tout particulièrement par la franc-maçonnerie, qui est la

47. *Actes du gouvernement révolutionnaire, op. cit.*, introduction, p. VII.

plus élaborée d'entre elles. De sorte que tout argument qui pourrait être tiré, contre l'hypothèse de Cochin, du caractère oligarchique, ou conservateur, des loges maçonniques françaises manque son but : la maçonnerie constitue à ses yeux le *moule* de la nouvelle forme sociale, destiné à en reproduire bien d'autres, qui réuniront d'autres publics, véhiculeront d'autres consentements, mais qui seront soumis à la même logique de la démocratie pure ; celle qui deviendra, sous la Révolution, le pouvoir de l'idéologie et des hommes anonymes des sections. Cette reconstruction intellectuelle, comme on l'a vu, entraîne inévitablement son auteur vers une simplification de l'histoire révolutionnaire qui est la rançon de sa force ; mais qu'il ait mis le doigt sur quelque chose de central, non seulement dans la Révolution française, mais dans ce qu'elle a de commun avec celles qui l'ont suivie, s'éclaire si l'on songe qu'il décrit par avance bien des traits du bolchevisme léniniste ; il est vrai que Lénine a, sur Robespierre, l'avantage d'avoir fait à l'avance sa théorie du rôle de l'idéologie et de l'appareil. Mais c'est qu'il l'avait faite, partiellement au moins, sur l'exemple jacobin.

Il reste pourtant deux problèmes que l'œuvre de Cochin suggère inévitablement et qui sont demeurés hors de son attention. Le premier est celui du lien entre la pratique sociale et l'idéologie. Cochin semble postuler qu'il n'y en a pas, puisque les sociétés de pensée assemblent leurs membres sur la base d'un rapport aux idées, indépendamment des situations particulières et des intérêts réels. Mais si, à la différence de Marx, par exemple, il considère que ce rapport idéologique est sans lien avec les intérêts des individus et des classes dont ils font partie, et que les membres des clubs révolutionnaires sont en quelque sorte socialement interchangeables, comment expliquer la sur-représentation de certains groupes (par exemple les avocats et les légistes en 1788-1789) dans cette activité ? On peut comprendre facilement à l'intérieur même de la conceptualisation de Cochin, l'exclusion précoce, non des nobles, mais de la noblesse : car précisément la noblesse figure l'envers de la symbolique révolutionnaire, un principe beaucoup plus qu'un intérêt. Au contraire, dans le Tiers Etat, qui est tout entier du bon côté, le rôle privilégié de certains groupes sociaux ou professionnels ne peut s'expliquer que par des raisons d'ordre technique : c'est l'habitude du maniement de l'universalisme démocratique abstrait qui rendrait compte du rôle prépondérant des avocats, des hommes de loi et plus généralement des intellectuels entre 1787 et 1794. Si la Révolution est un langage, elle porte sur le devant de la scène ceux qui savent le parler.

Pourquoi ce langage a-t-il été inventé par les Français ? Autre question fondamentale, à laquelle je ne vois pas de réponse, même implicite, dans l'œuvre de Cochin. La « philosophie » fleurit partout en Europe, et il n'y a qu'en France qu'elle a nourri le jacobinisme. Les loges, les sociétés de pensée existent en Angleterre, dans les Etats allemands, sans animer de révolution. A cette interrogation redoutable, qu'il est le seul, parmi les historiens de la Révolution, à affronter systématiquement, Tocqueville répond en examinant les derniers siècles de la monarchie, et en montrant que les Français constituèrent le peuple d'Europe le plus « démocratique », donc le plus enclin à fêter ce recours massif et brusque aux idées des philosophes. Par là, il explique 1789, non 1793. Cochin, lui, rend compte de 93, pas de 89. Il prend ce que j'appellerai la « socialisation philosophique » du vieux royaume très tard dans le XVIIIe siècle, au moment où elle est déjà porteuse de ce qui l'intéresse, l'idéologie jacobine. Il s'enferme ainsi dans une interprétation de la dynamique révolutionnaire par la seule force mécanique

315

du social, sans faire l'inventaire culturel de ce qui est à l'œuvre, et depuis combien de temps, dans ces fraternités imaginaires qui sont généreuses avant de devenir sanglantes. Cochin n'a jamais pu pardonner Robespierre à Rousseau : c'est la partie caduque de son œuvre. Mais s'il ne peut lire Rousseau qu'à travers Robespierre, il y gagne au moins de ne pas aborder Robespierre par Rousseau, comme un admirateur du *Contrat social* aux prises avec les contraintes du salut public. Son Robespierre est moins l'héritier des Lumières que le produit d'un système : le jacobinisme, où commence la politique moderne. Par là, Cochin pense la Révolution française dans son mystère central, qui est l'origine de la démocratie.

mpression Brodard et Taupin
    La Flèche (Sarthe),
e 10 avril 1989.
Dépôt légal : avril 1989.
er dépôt légal dans la collection : mars 1985.
Numéro d'imprimeur : 6907A-5.
SBN 2-07-032298-X / Imprimé en France